La memoria

1238

Francesco Recami

I killer non vanno in pensione

Sellerio editore
Palermo

2022 © *Sellerio editore via Enzo ed Elvira Sellerio 50 Palermo*
e-mail: info@sellerio.it
www.sellerio.it

Questo volume è stato stampato su carta Arena Ivory Smooth prodotta dalle Cartiere Fedrigoni con materie prime provenienti da
gestione forestale sostenibile.

Recami, Francesco <1956>

I killer non vanno in pensione / Francesco Recami. - Palermo :
Sellerio, 2022.
(La memoria ; 1238)
EAN 978-88-389-4377-5
853.92 CDD-23   SBN Pal0353194

CIP - *Biblioteca centrale della Regione siciliana «Alberto Bombace»*

I killer non vanno in pensione

1
I killer non vanno in pensione

Il parroco Don Carlo Zanobin usava preparare con molta meticolosità le sue prediche. Se le scriveva al computer, scopiazzava, lavorava di copia-incolla, e non si vergognava a tenere il pc sull'altare, per leggere con impeto ciò che aveva appuntato.

Cari fratelli e sorelle,
che succede alla nostra Treviso, al nostro territorio? Perché il Signore Onnipotente ha deciso di sprofondare la nostra città nell'Apocalisse? È il diluvio che ci sta colpendo, e sta gonfiando i nostri fiumi che stanno per traboccare. È la fine imminente quella che sta minacciando la nostra città. A noi non resta che pregare e pentirci di quello che abbiamo fatto. Una città devota ma incline al denaro e al consumismo. Una regione poverissima un tempo, che ha conosciuto repentinamente la ricchezza. Il Dio denaro ha sfidato l'Onnipotente e Questi si è adirato. Ha colpito le nostre vigne, i nostri opifici, le nostre case e ha lasciato libero il Maligno di penetrare nelle nostre famiglie. Pentiamoci! Siamo sempre in tempo a farci perdonare dal Misericordioso.

Don Carlo Zanobin
Omelia del celebrante
Parrocchia di *** (TV)

Anche quel giorno non aveva smesso un momento di piovere, sembrava impossibile. Le vetrate della Direzione Provinciale dell'INPS di Treviso, che dista pochi metri dal fiume Sile, in piena, erano solcate da rivoli d'acqua, che scendevano giù e si fondevano l'uno con l'altro.

«Galati, lo vuoi vedere il mio nuovo tatuaggio?».

Oddio, pensò il ragioniere Walter Galati, chissà dove se lo è fatto. Tutti gli anni la Lorenzin si regalava un nuovo tatuaggio, poco prima dell'inizio della stagione balneare, che per lei cominciava prestissimo, ai primi di maggio, infatti molto prima di allora era già abbronzatissima, soprattutto sul décolleté. E così accadeva anche quest'anno, nonostante il maltempo non avesse concesso tregua, sembrava di essere alla fine di novembre. La Lorenzin aveva quarantacinque anni circa, ed era sempre parecchio ingioiellata, impiegata di livello C2. Galati invece era di livello B, nonostante lavorasse all'INPS da quasi dieci anni, e stava faticando al computer, tutto accaldato.

«Allora, Galati, non lo vuoi vedere il mio tatuaggio?».

«Sì che lo voglio vedere, però non mi mettere in imbarazzo, eh?».

«Macché imbarazzo, guarda, è qui» e si tirò su la camicetta per mostrare i lombi, in prossimità del fondoschiena. La pictografia raffigurava un cuore carnoso trafitto da un fulmine.

«Ti piace?».

«Moltissimo, ma copriti per favore, e poi vedi che ho da fare, ho i minuti contati, il direttore...».

«Ma tu ce l'hai un tatuaggio?».

«Per l'amor del cielo, no che non ce l'ho».

«E tua moglie?».

«Che io sappia no».

«Oddio Galati! Ma sei incredibile! Che io sappia no! Perché, tua moglie non l'hai mai vista nuda? Oddio, mi fai sbellicare...».

La Lorenzin si ricompose, si tolse le scarpe e i fantasmini e si dette una controllata allo smalto delle unghie dei piedi.

«Uh... con queste plastiche semipermanenti l'unghia dura pochissimo, si vede subito lo stacco».

«Eh?».

«Lasciamo perdere Galati, almeno tu fossi gay si potrebbero fare un po' di pettegolezzi, comunque c'è un piacere che devo chiederti».

«Anche tu?».

«Galati, me lo timbri il cartellino alle 17? Io esco adesso. Poi me lo lasci al solito posto, sai, andiamo a Jesolo».

«Ma certo, non ti preoccupare. Ma che ci andate a fare al mare, piove che Dio la manda. E c'è il pericolo esondazioni».

«Ma quale pericolo esondazioni... non dare retta alla televisione, lanciano sempre gli allarmi, e poi al mare si possono fare tante altre cose, per esempio in albergo».

«E che bisogna andare fino a Jesolo per quello?».

«Ah, Galati, è inutile stare a parlare con te, piuttosto cerca di stare attento eh? Non ti fare vedere, lo sai che c'è la telecamera».

«Non c'è problema... fosse la prima volta».

La signorina Lorenzin si controllava le patate sui piedi.

«Non trovi che io abbia i piedi un po' tozzi?».

Galati vedeva bene che la Lorenzin li aveva, e anche sformati, ma lui doveva chiuderla lì, sennò non avrebbe mai finito in tempo.

«Macché tozzi, hai dei bellissimi piedi. Guarda, ora ti devo lasciare che ho un sacco di problemi per conto mio, sono indietro, ed entro le 17 devo aver finito questo verbale della riunione di stamattina, me lo ha chiesto il direttore in persona. Ci devo mettere anche le sue osservazioni».

«Ma chi lo firma?».

«Lui, e chi vuoi che lo firmi».

«Io non lo farei, al posto tuo, sono solo rogne, non sei mica tu il responsabile della informatizzazione».

«Lo so, ma come facevo a dirgli di no? Lui mi ha parlato chiaramente, se non rigo dritto mi rimette a fare le cedole».

«Tu ti fai mettere la testa sotto i piedi. Fai come me».

La signorina Lorenzin si rinfilò le scarpe. In ufficio non faceva quasi niente, come del resto la maggior parte dei suoi colleghi, ma non era un'impresa semplice, richiedeva intensa programmazione, studio, accordi e lavoro.

«Galati, ricordati, fare troppo in poco tempo significa lavorare male. E poi tu ci sballi le statistiche. Se tu svolgi dieci pratiche in un giorno, perché gli altri dovrebbero produrre altrettanto?».

«Ma che ci posso fare io? E poi mi obbligano».

«Ma non è vero, sei tu che non sai dire di no, rispondi sempre di sì, ed è chiaro che ti mettono in mezzo.

Fatti un po' furbo. Io per esempio lunedì ho un permesso sindacale. Martedì sono malata per due giorni, non c'è la visita fiscale, e giovedì lavoro. Ma venerdì... Galati, io non ti capisco».

«Fosse facile, lo sai come sono fatto, a me il lavoro piace portarlo a termine meglio che posso, sono uno pignolo».

«Ma prenditi una pausa, lo sai che poi rendi meglio, no?».

La Lorenzin si mise a fare un po' di stretching.

«Guarda che schiena che ho, mi si contano le vertebre, le vuoi contare?».

«No, grazie». In realtà le vertebre non si contavano affatto perché la Lorenzin era abbastanza sovrappeso.

«Vabbè, ci vediamo lunedì, io scappo. Ecco il cartellino».

«Buon weekend».

«Divertiti».

A pochi metri di distanza, nella stanza 7B, la dottoressa Quagliarella, consultando il telefonino, leggeva una lista a voce alta. «... Bronchite cronica semplice accompagnata a componente ostruttiva; dispepsia di origine gastroenterica e biliare; leucorrea persistente da vaginiti croniche aspecifiche e distrofiche; malattie cardiovascolari; malattie dell'apparato gastroenterico; malattie dell'apparato urinario; malattie dermatologiche; malattie ginecologiche; malattie otorinolaringoiatriche e delle vie respiratorie; malattie reumatiche; osteoartrosi ed altre forme degenerative; psoriasi; reumatismi extra-articolari; sclerosi dolorosa del connettivo pelvico di natura cicatriziale e involutiva; sindrome dell'intestino irritabile nella varietà con stipsi». Ecco, su quest'ultima si concentrò l'attenzione della Quagliarella. Sindrome dell'intestino irritabile con stitichezza. E chi non ce l'ha? Ma con questa patologia finisce che mi mandano a Montecatini, io vorrei andare a Ischia, almeno quest'anno. «Tu dove vai alle terme?», chiese a Parolin.

«Io? A Montegrotto».

«A Montegrotto? Ma che vacanze sono? È qui, a pochi chilometri, col viaggio non ci guadagni niente».

«Guarda che il viaggio è comunque a carico dell'assistito. Poi a Montegrotto si mangia bene».

«Sì, però che palle a Montegrotto. Che fate la sera?».

«Boh. Le solite cose, se vogliamo torniamo a Treviso, o andiamo a Padova».

Parolin non aveva gran voglia di parlare. Stava leggendo un articolo del *Gazzettino*, si discuteva già di come chiedere il risarcimento dei danni, dopo che nel Trevigiano era stato dichiarato lo stato di calamità naturale, con le relative facilitazioni straordinarie.

«E qual è la tua patologia?».

«Apparato respiratorio, e la tua?».

«È ben questo che devo decidere. Io vorrei andare a Ischia. Pensavo alla stitichezza».

«E come fai a dimostrare che la stitichezza è una malattia professionale?».

«Boh, il medico dell'INAL mi ha detto di dare un'occhiata a questa lista, dice, voi dell'INPS ne sapete più di me».

«Io andrei con i soliti problemi alla cervicale, vanno sempre bene, e sono la tipica malattia professionale di chi passa la giornata davanti al computer».

«Ma... nella lista la cervicale non c'è».

«Ma come no... fammi vedere». Quasi le strappò il foglio dalle mani. «Guarda qua: osteoartrosi... io andrei su quella. Ti fai fare un certificato, una lastra, poco più. Con i problemi intestinali va a finire che ti fanno la colonscopia. Se vuoi andare a Ischia l'artrosi è il motivo di scelta. Bagni e fanghi. Ti viene una pelle che è una meraviglia».

«Però mi va via l'abbronzatura».

«Ricordati, l'ASL ti paga la cura, l'INPS il soggiorno».

«Lo so, ma con chi credi di parlare? È che io vorrei andare a Capri».

«Capri? Lì non trovi una convenzione neanche a pagarla oro. Cioè, forse per le cure sì, ma per il soggiorno te lo scordi, la vacanza ti tocca pagartela».

«Hai voglia di scherzare?».

Parolin si rimise a leggere l'articolo sui possibili rimborsi per lo stato di calamità naturale. Pensava alla casupola di sua madre, sulle rive dello Zero. Un po' d'acqua era entrata in cantina, mica tanta, però. Forse occorreva fare in modo che ne entrasse di più.

Chissà se stabiliranno qualche facilitazione per chi ha l'automobile alluvionata. Non pensava alla Skoda Duster che aveva appena comprato, bensì alla Panda della moglie, che aveva più di dieci anni. Ma che si doveva fare in questi casi? Portarla sul bordo del fiume, oppure schiaffarcela dentro? A quel punto chi te la dava l'auto sostitutiva?

«Ma quand'è che arriva quello stronzo di Trentanove? Ci chiama a raccolta in fretta e furia e ancora non è qui. Di venerdì pomeriggio... io comunque mi segno gli straordinari».

La dottoressa Quagliarella cominciava a essere irrequieta, del resto la chiamata era stata perentoria. Aveva detto alle cinque. «Io alle sei ci ho meditazione trascendentale, ma prima volevo fare un po' di shopping».

«A meno che tu non abbia la sinusite... Ce l'hai un po' di sinusite? Non è necessario neanche un particolare riscontro oggettivo, con la sinusite bastano i sintomi, con la sinusite Ischia va benissimo. Oppure Saturnia, ci sei mai stata a Saturnia?».

«Macché sinusite, poi per quella mi fanno l'aerosol, io non lo voglio fare l'aerosol. A Saturnia? Ma vacci tu a Saturnia! Sono tutti gay».

Parolin riprese a leggere, era nervoso anche lui.

«Ma tu non te le rompi le palle alle terme?».

«Che c'entra... è tutto pagato».

Arrivò Mammì Oscar.

«Beh, che cazzo fate? È arrivato Trentanove? Sapete niente?».

«Non lo so, stavamo parlando di vacanze termali».

Mammì prese la palla al balzo.

«La sapete quella della moglie che va dal dottore?».

«No Mammì, non la sappiamo». Parolin continuava a leggere il quotidiano.

«La moglie dice, Caro mi ha detto il dottore che per guarire devo fare una settimana di vacanza al mare, una

18

settimana in montagna e una alle terme, dove mi porti per prima?».

Quagliarella e Parolin non parevano molto interessati alla barzelletta, Mammì le leggeva su Internet e non sapevano mai di niente. Inoltre non era bravo a raccontarle.

«E lo sapete cosa le risponde il marito? Da un altro dottore! Ah, ah, ah, è buona, no? Va' che è buona!». Rideva a crepapelle, Quagliarella e Parolin no.

Treviso è una città bellissima. Città d'arte e ricca di acque, che emergono ovunque per le risorgive, rappresenta una delle punte di diamante del Nord-Est industriale. Una di quelle che erano le zone più povere d'Italia, nel Dopoguerra, nel giro di pochi anni si è trasformata, per l'operosità dei cittadini, in una delle più ricche.

Nella sua lunga storia, a partire dalla fondazione romana, e forse anche prima, il territorio ha sempre dovuto confrontarsi con l'abbondanza di acque, nel bene e nel male. Le regimentazioni e le canalizzazioni di epoca romana avevano dato un assetto più che florido all'area, sconvolta dalle invasioni barbariche e dall'incuria, culminati nelle alluvioni del VI secolo, che ridussero nuovamente la pianura a una palude. Grazie all'operosità degli ordini monastici il pantano fu ribonificato attorno all'anno Mille, ma non si contano i disastri naturali nella zona, basti pensare alla grande alluvione del Piave nel 1450, e alle numerose altre avvenute in seguito, fino a tempi recenti. Naturalmente per i secoli passati non esiste un report della piovosità, ma sugli ultimi decenni sono disponibili precise informazioni: a Treviso piove una media di 900-1.000 millimetri d'acqua all'anno, il che non è poco. Ecco, negli ultimi giorni a Treviso e provincia, compreso il litorale, erano caduti in media 300 millimetri di acqua al giorno, ormai da più di una settimana. Pioveva sempre, con una intensità mai vista, l'area era sconvolta e l'allarme rosso. Nei giorni a cui ci riferiamo Treviso e tutta la Marca trevigiana erano sotto scacco per gli eventi climatici, anche se le grandi piogge e l'imminenza dell'alluvione avranno una rilevanza importante ma indiretta per i fatti che ci stiamo accingendo a raccontare. Fatti che anche senza dare troppo conto all'atteggiamento di Don Carlo, si avvicinarono di molto a una vera apocalisse.

Prima delle cinque Galati terminò il verbale e lo inviò a nome del Direttore, con alcuni commenti e valutazioni. Dire meno possibile con più parole possibili. Cliccò invio appena in tempo, alle 16 e 58. Uuufff. Adesso doveva fare le fotocopie per gli altri, e preparare la bozza di discussione... inoltre aveva da controllare alcune pratiche che non erano di sua pertinenza. Ma nel suo ufficio vigeva la legge del «non mi fare la maialata di lavorare», che valeva per tutti fuori che per Galati.

L'ufficio era deserto, eppure si sentiva del rumore.

Dalla stanza 7B provenivano voci di persone che discutevano in modo acceso. Possibile? Alle cinque del pomeriggio passate del venerdì? Mah, saranno stati i soliti che si attardavano negli uffici vuoti a fare sesso, di solito sul divanetto della sala d'aspetto del direttore. No, erano dentro la stanza 7B, Galati si avvicinò, e non avrebbe potuto fare diversamente perché la macchina fotocopiatrice era proprio lì davanti.

Le voci erano animate e lui non poté evitare di ascoltare, ma per Diana!, gli caddero tutti i fogli per terra. Reclinato a raccoglierli poteva ascoltare quello che si diceva là dentro. Riconobbe la voce di Trentanove.

«... questo, signori miei, è un guaio, un vero e proprio guaio».

«Io me ne vado, qui ci schiaffano a tutti dentro, hai letto il capo di imputazione di Imola?».

«Ma che c'entra, quelli a Imola stanno, lì la Finanza... ma qui... ho già parlato con...».

«Che ci azzecca la Finanza, qui si tratta di indagini interne, supportate dai Carabinieri. Noi abbiamo sbagliato a investire sulla Finanza».

«Mi me ne vado...».

«Ma dove te ne vai, ma sei scemo?».

«Mi ve l'avevo dito, a tre milioni, a tre milioni ci dovevamo fermare».

«Ma che avevi detto, brutto stronzo, e comunque adesso che cosa mi viene a significare?».

«E se veramente arriva questo ispettore?».

«Pare che lunedì arriva, ufficialmente è un controllo di routine, delle nuove procedure».

«E tu ci credi?».

«Ci si potrà sempre parlare con l'ispettore... no?».

«E quanto ti ghe da' all'ispettore? Qui andemo tuti in bancarota».

«Calma, calma, ci sarà pure una soluzione. Prima di tutto, è sicuro che viene questo ispettore?».

«Sì. Ho letto la posta del direttore, arriva lunedì, martedì al massimo. Anche lui è in forte agitazione».

«E ci mancherebbe».

«E quali sarebbero le ragioni formali di questa ispezione?».

«Routine, dice la mail, ma quando mai...».

«È senz'altro per via di quegli stronzi di Imola e Verbania che si sono fatti cuccare. E dire che glielo abbiamo spiegato noi».

«Per 500.000 euro, ma quelli indietro non tornano».

«Ci puoi scommettere, ci puoi».

«Va bene, ma adesso?».

«Eh, adesso noi... che? Non capisco».

Improvvisamente nella stanza 7B si fece silenzio.

Galati, là fuori, stava ancora raccogliendo i fogli da fotocopiare, gli erano caduti un'altra volta.

La porta della stanza venne aperta e ne uscirono Parolin Luca e Trentanove Gaetano che sorpresero Galati in ginocchio, proprio davanti alla porta.

«Galati, ma tu che ci fai qua?».

«Io? Io stavo solo facendo delle fotocopie, me le avete chieste voi, io...».

«Galati, entra qua dentro».

Galati abbandonò i suoi fogli di carta e si introdusse nella stanza 7B, perché Trentanove e Parolin lo trascinavano per le orecchie.

Vide anche Mammì Oscar e Quagliarella Maria Annunziata. Erano soprannominati la Banda dei Quattro.

«Qui una spia abbiamo, signore e signori, e adesso che cosa ne vogliamo fare?», disse Trentanove.

«Io vi assicuro, io stavo solo facendo le fotocopie, io non ho sentito niente, delle questioni di lavoro di cui stavate discutendo».

«Già, e chi ti ha detto che stessimo parlando di questioni di lavoro, e non di figa, per esempio, allora ascoltavi?».

«Ma c'è anche una signora... No, vi giuro, non ascoltavo...».

Squillò proprio in quel momento il suo telefono.

«Che faccio rispondo?».

«Certo che devi rispondere».

«Pronto?».

In quattro lo osservavano gravemente.

«Metti il vivavoce, vogliamo sentire anche noi».

«Pronto... chi parla?».

«Ma sono io, idiota, non sai leggere...».

«Ah, cara, sei tu».

«Lo vedi bene che sono io».

«Ciao cara, come stai?».

«Come sto un cazzo, ma sei sempre lì?».

«Smonto alle cinque, lo sai».

«Ma sono passate le cinque e mezzo...».

«Ho quasi finito».

«Ma se tutti gli altri se ne vanno alle due, devi essere l'unico imbecille?».

«No, cara, è che avevo un lavoro urgentissimo da finire entro le cinque, una relazione per il direttore».

«Ah, lo sapevo, ti sei fatto infinocchiare un'altra volta, è un lavoro che ti compete?».

«No, veramente no, ma sai... me lo ha chiesto il direttore».

Nella stanza i colleghi di Galati si davano di gomito ridacchiando nervosamente, ma in assoluto silenzio.

«Che stronzo che sei, ma non dovevamo andare al centro commerciale?».

«Beh, dai, forse facciamo in tempo, vedrai che per le sei sono a casa».

«Le sei un cazzo! Lo so che non è vero, e comunque è già troppo tardi. Sei una merda».

«Ma Stefania, lo sai che...».

«Senti, ascoltami bene, ci sono due o tre cose che dovresti prendermi, ora che vieni a casa».

«Ah, va bene, dimmele».

«Dovresti prendermi un po' di acetone, per le unghie».

«Ma se mi hai detto che hai la plastica semipermanente, per levare quella l'acetone mica va bene».

«Io? Io la plastica semipermanente? Ma sei scemo? Io ho lo smalto. Il semipermanente *mica me lo posso permettere*. Allora prendimi l'acetone e non dire cretinate». Lui si era proprio confuso, gli altri ascoltavano tesi ma divertiti.

«Ma dove lo prendo l'acetone?».

«Dove vuoi tu, in farmacia, dal ferramenta, al supermercato, ma ci sei? Mi ricevi?».

«Sì, sì, ti sto ascoltando».

«Poi mi devi prendere del latte di soia, sai che io il latte di mucca... però stai attento, non si chiama latte di soia, si chiama bevanda di soia».

«Bevanda di soia?».

«Bevanda di soia, hai scritto?».

«Sì, ho scritto».

Gli altri lo guardavano, gli facevano segno di tagliare.

«Va bene, scusa ma ora devo chiudere, sennò non faccio in tempo».

«Tanto lo so che al centro commerciale non mi ci porti. Vorrà dire che ci andiamo domani».

«Ma cara, lo sai, domani non ci sono, vado a pescare».

«Lo so che vai a pescare, povero ninino, hai bisogno di liberarti dallo stress. Vorrà dire che alla Castellana ci vado da sola. Ricordati dell'acetone».

«D'accordo cara...».

«Aspetta, non ho finito. C'è dell'altro. Devi passare dal veterinario, fatti dare qualcosa per Fufi, che ha l'alito cattivo».

«Fufi ha l'alito cattivo? E tu come te ne sei accorta?».

«E come vuoi che me ne sia accorta, gliel'ho sentito, no?».

«Ma non sarà niente, i cani hanno sempre l'alito cattivo».

«Tu fai come ti dico e basta, hai capito».

«Ma di intestino come va? Ha le colichine? L'ha fatta sciolta?».

«Non lo so, sei tu che lo porti fuori a fare i bisogni. Dopo devi controllare bene la consistenza e il colore.

Magari gli fai una fotografia, che la facciamo vedere al veterinario».

«Una fotografia a che cosa? A Fufi?».

«Ma no, cretino, alle feci, no?».

«Eh. Allora vuol dire che dal veterinario ci passo dopo, ci fosse qualcosa di strano, magari gli porto un campione, così la fa analizzare».

«Mmhhh, ma intanto la faccenda dell'alito?».

«Ma non puoi dargli tu un colpo di telefono al veterinario? Vedrai che ti dicono che non è niente, così risparmio tempo, e poi senza cane che vuoi che mi dicano, non lo possono nemmeno visitare».

A questo punto i quattro colleghi di Galati ridevano scompostamente. Stefania li sentì.

«Ma chi c'è lì con te, sei con qualcuno? Siete lì a non fare un cazzo, eh? A chiacchierare di calcio, lo so. Ci siete? Mi sentite? Andate tutti a fanculo, e prima di tutti tu, mio caro stronzo. E passa dal veterinario!».

Stefania attaccò violentemente il telefono.

Galati guardava i Quattro, con sguardo implorante. Cercò di cambiare discorso.

«Io non ho sentito niente».

«Tu hai sentito eccome, e poi non puoi non sapere di che cosa stiamo parlando. Lo sai anche tu che è in arrivo un ispettore, e sai anche che cosa cerca».

Intervenne Trentanove, che del gruppo era il più anziano, sia di età che di servizio.

«Ma tu sai anche che certi inserimenti li hai fatti tu, ne sei il diretto esecutore, anche se non il responsabile».

«Inserimenti? Di quali inserimenti parlate? Io non

so niente. Io mi limito a inoltrare le pratiche informatiche».

«Galati, io ti ggiuro che se fai una parola... abbiamo dei problemi col Cartellino Presenze Informatico... ma se li abbiamo noi i problemi ce li hai anche tu, vero?».

«Galati, la tua posizione è appesa a un filo, e non solo quella. Sappiamo dove stai, sappiamo dove sta Fufi che ha l'alito cattivo, e qualsiasi cosa tu abbia sentito da fuori non l'hai sentita, vero?».

«Ma io ve l'ho detto, stavo solo facendo le fotocopie che mi avete chiesto voi, mi sono cadute per terra, le stavo raccogliendo».

«Ah, tu le stavi raccogliendo...».

Galati sapeva bene che il problema non era il Cartellino Presenze Informatico. Piuttosto si trattava della questione dei rimborsi pensionistici dovuti agli eredi, che venivano stornati e direzionati altrove. Ma lui non ne voleva sapere niente. Era in arrivo un ispettore?

«Galati, tu da lunedì mattina sei in ferie, ti ci ho messo io».

«Io? In ferie? E perché?».

«Perché hai ancora diciotto giorni di ferie, e non te le puoi portare a rimorchio».

«Ma io... io ho da terminare molti lavori, e non pensavo di andare in ferie adesso, non ho programmato niente, ditemi voi come faccio».

«Galati, non rompere i coglioni. Quello che ti facciamo è un favore. Fatti una vacanza o stattene a casa con la tua signora, e con Fufi. Gli manchi, lo sai?».

«Io? A Fufi?».

«Galati, se la settimana prossima ti fai vedere da queste parti ti strappiamo le palle, a te e anche a Fufi, ma Fufi le palle ce l'ha?».

«Beh, sì».

«Meglio. Allora mi raccomando».

I Quattro si misero gli impermeabili, che non avevano fatto in tempo ad asciugarsi, e si avviarono verso l'uscita.

«Lasciaci le fotocopie sulle scrivanie, tu non hai visto niente, d'accordo? Tu non ci hai visto».

«No, non ho visto nessuno, lo giuro».

«Bene».

Parolin fu l'ultimo a lasciare la stanza. Lanciò a Galati uno sguardo definitivo. Sapeva che con quel cretino la faccenda non finiva lì, ma forse era una fortuna avercelo fra le palle. Alla fine poteva essere lui la vittima sacrificale, bastava che... Che ci voleva a fargli mettere un paio di firme da qualche parte...

Alle diciotto e dieci Galati spense la luce e lasciò l'ufficio. Timbrò il suo cartellino e quello della Lorenzin, oltre ad altri due che gli avevano lasciato in precedenza. Volgeva le spalle alla telecamera in modo che non si potesse vedere cosa faceva, ma tanto la telecamera era spenta, perché l'addetto alla sicurezza non c'era.

Si incamminò mestamente verso casa.

Walter impiegò più di un'ora a svolgere tutte le commissioni per sua moglie Stefania. Comprò l'acetone al supermercato, e la bevanda di soia. Infine passò dal veterinario per l'alito di Fufi. In realtà la questione non la sollevò al pronto soccorso, si vergognava un po' di parlare dell'alito del cane. Si limitò a chiedere un contenitore per le feci, perché aveva timore che Fufi, ben conosciuto al titolare e anche ai sostituti dell'ambulatorio, avesse contratto una qualche infezione intestinale. Lunedì avrebbe riportato il campione di feci. Stefania si tranquillizzerà, pensava.

Arrivò a casa dopo le otto di sera, sua moglie era in lacrime, con Fufi in collo.

Stefania doveva essere uscita, non era in tenuta casalinga, vale a dire tuta sportiva di cotone che di solito portava come giacca da camera. Gli stivali, quelli sì, se li era tolti, per mettersi le pantofole di lana cotta. In gonna, senza calze – se le era tolte o era uscita senza? Quest'anno usava lo stivale portato sulle gambe nude –, era affranta.

«Ma che è successo, come sta Fufi?».

«Sei un animale… un insensibile… un maiale…».

«Ma che ti è successo? Ecco qua l'acetone? Dimmi la verità!».

«La verità è che ti odio! Mi hai fatto fare una figura da pezzente! Non mi sono mai sentita peggio in vita mia!».

«Parla, Stefania, cosa ho fatto questa volta che non va?».

«Sei un mostro! È questo il rispetto che hai di me? Ti rendi conto in che situazione mi hai messo? Ah, sei una vera bestia, e io che ho fatto di tutto per te…».

«Mi vuoi spiegare… per favore…».

29

«Ah, tu non te lo immagini che cosa è successo al centro commerciale, eh?».

«Perché, che cosa è successo al centro commerciale? Fufi, vieni da papà, fammi sentire l'alito...».

«È successo che quando sono andata a pagare alla cassa, avevo preso il costume da bagno a cui tenevo tanto, un Just Cavalli Beachwear, non più di 121 euro il reggiseno, 101 euro per lo slip, mi hanno detto che la mia carta di credito è bloccata per mancanza di liquidi, ecco quello che è successo! Mi guardavano tutte, come se fossi una ladra o una miserabile. Carta bloccata! Come hai potuto farmi questo?».

Galati accusò il colpo.

«Cara, è un equivoco, cioè, non proprio un equivoco, diciamo una circostanza sfavorevole, non è colpa mia».

«Come non è colpa tua? E di chi allora?».

«Guarda che non sono stato io, a bloccare la carta di credito, è stata la banca stessa, per via che il conto è in rosso».

«Ah, e hai anche il coraggio di venirmelo a dire? E non ti vergogni? È questo il rispetto che hai per me?».

«Ma cara, io non capisco, come fai a dire che ti ho mancato di rispetto? Io faccio quello che posso, se il nostro conto bancario è momentaneamente all'asciutto in che modo questo vuol dire che ti manco di rispetto?».

«Volevo fare un acquisto, uno stupido acquisto dopo mesi e mesi che non ne faccio uno, un semplice costume da bagno, e tu mi dici che il nostro conto è in rosso... Ti sembra una cosa normale?».

«Stefania, mi sembra una cosa normalissima, purtroppo lo sai a quanto ammonta il mio stipendio, poi abbiamo avuto delle spese extra, morale, per il momento non disponiamo di duecento euro in più per un costume da bagno, fra l'altro non riesco proprio a capire come possa un costume da bagno costare duecento euro... ora, che tu parli di rispetto mancato... mi sembra proprio una esagerazione... e con tutta questa pioggia. Non puoi aspettare il mese prossimo?».

«Ah, a te sembra un'esagerazione! Ma ti rendi conto di che vita è la mia? Una rinuncia continua! Mentre tu non ti fai mancare niente di quello che ti interessa, cioè andare a pescare».

«Lo sai benissimo che quella è la mia passione e non mi costa niente. L'attrezzatura è vecchia, sono anni che non compro un amo, e il capanno me l'hanno prestato...».

«Già, e la benzina per andare fin laggiù?».

«Ma sono pochi euro... in ogni caso se tu vuoi non ci vado più, anch'io posso fare delle rinunce, ma lo sai quanto mi rilassi andare a pescare. Però se vuoi lascio perdere, il fine settimana sto qui, a farti compagnia».

Stefania si rese conto di essersi quasi messa nei pasticci. Ritrovarsi fra i piedi il marito nel fine settimana? Ci mancava solo questo.

Cambiò discorso, o meglio, ripropose il solito.

«E tu non ci pensi a me? Non pensi a quanto io possa essere umiliata da questa situazione? Come faccio ad andare avanti così, con la miseria che mi passi mensilmente? Tu non provi vergogna? La devo provare solo io quando vado al centro commerciale?».

«Ne abbiamo parlato un'infinità di volte, il mio stipendio è quello che è, eppure mi pare che non ci sia mai mancato niente, basta fare un po' attenzione alle spese, d'altronde lo sai, di questi tempi bisogna anche ringraziare di godere di uno stipendio fisso, c'è gente che alla nostra età si trova con le pezze al culo, senza stipendio, senza lavoro, senza niente, c'è la crisi, non ne hai sentito parlare? E poi a cosa ti serve un costume da bagno nuovo? Tanto al mare non ci andiamo...».

«Sei proprio una bestia... ma ti assicuro, presto le cose cambieranno. Io non ne posso più di te, e dei tuoi fallimenti. Ti sembra normale essere allo stesso livello di quando hai cominciato? Non c'è un collega tuo che non abbia migliorato la sua posizione, e tu invece sei sempre inchiodato dov'eri, a 1.450 euro al mese. Come si fa a vivere con una cifra del genere?».

«Cara, non riparliamo di questo argomento, la storia la sai, non vale la pena ritornarci sopra».

«Io ci torno sopra e sotto, se voglio. Ma non ti è rimasto un briciolo di amor proprio? Ti fa piacere sapere che tua moglie passa il suo tempo a fare economie, al centesimo, e per te fila tutto tranquillo, l'unico tuo scopo è di andare a pescare le trote, per il resto può andare tutto a scatafascio? È questo il rispetto che hai per me?».

«Io ti rispetto moltissimo, ma anche tu devi avere rispetto per me, per il mio lavoro stressante... e per l'unica forma di relax che mi concedo, andare a pescare, una volta ogni quindici giorni, che poi non costa niente, anzi, ci procura qualche bella trota, un cibo di lusso, di questi tempi».

«Le tue trote mi fanno schifo, lo sai bene, ormai non riesco più a sopportare il loro tanfo, sono arrivata al limite. Walter, non me le portare più in casa, regalale a qualche tuo collega in ufficio, io non le voglio più vedere!».

«Ma lo sai quanto costerebbero delle belle trote di ruscello al mercato? A parte che non si trovano, ma se si trovassero costerebbero più del branzino o dell'orata, sarebbe come trovare pernici o allodole, ti rendi conto?».

«Io le tue trote non le voglio più vedere, mi fanno ribrezzo. E lo stesso vale per te. Vai, vai pure nel tuo fiumiciattolo preferito, vai a espiare i tuoi fallimenti, vai a rilassarti, domani è sabato, no?».

«Sì che è sabato, ma se vuoi questo fine settimana resto con te, possiamo fare una passeggiata, un pic-nic, le trote possono aspettare, non pensi?».

«No, non penso, levati dalle balle, mi vuoi togliere anche la libertà del mio weekend? Meno ti vedo e meglio sto».

«Lo sai che mi ferisci dicendo così».

«Certo che lo so, sennò che lo dico a fare?».

«Ah, tanto lo so che stai scherzando…».

«Vai, vai, ci vediamo lunedì mattina. E non ti dimenticare di lasciarmi 100 euro sul tavolo».

«E se tornassi domenica sera? Non ti farebbe piacere?».

«No, mi faresti proprio un dispiacere, e poi cosa sarebbe questa novità, sei sempre tornato il lunedì mattina».

«Va bene, allora ho il permesso, un bacetto?».

«Ma vaffanculo vai, e domani salutami le trote».

Già, le trote. Di solito Walter le comprava al laghetto dove c'era l'allevamento, ma forse questa volta non ne valeva neanche la pena, tanto se non le poteva portare a casa... Un problema in meno, anche se magari si sarebbe venuto a sapere che era tornato a mani vuote da una due giorni nel capanno. Vabbè, ci avrebbe pensato. Per ora dava l'ipotesi di regalare qualche trota a un collega al 45%, non di più. Avrebbe potuto raccontare a sua moglie che ne aveva prese quattro e che le aveva rigettate nell'acqua, dopo quello che lei aveva detto.

Preparò una rapida cena, spaghetti al tonno. Stefania se li fece portare in camera, e li mangiò a letto, davanti alla televisione.

Walter uscì a portare Fufi, un barboncino nero e rissoso, secondo lui viziato e antipatico, a fare una passeggiatina e i suoi bisogni. In effetti gli escrementi di Fufi non avevano un bell'aspetto, sia in termini di consistenza che di colorito. Chissà cosa gli aveva dato da mangiare Stefania, di nascosto, magari una brioche, non ci sarebbe stato da stupirsi, o addirittura un bombolone. Raccolse le feci e ne tolse una parte, che inserì nella scatoletta di plastica per il laboratorio di analisi.

La mattina dopo Walter raggiunse il capanno in mezzo al bosco che non erano ancora le otto.

Superato Alano, la valle del Calcino era tenebrosa e affascinante. Walter non ne sapeva molto ma aveva sentito dire che in quell'area c'erano testimonianze geologiche e fossili di un periodo di surriscaldamento del pianeta che era durato cinquecentomila anni. E adesso la facevano lunga per cambiamenti nell'arco di cinque, dieci, massimo venti anni.

La valle è molto bella, si inerpica fino a quota 1.400 metri, sul versante del monte Grappa, frequentata da appassionati di torrentismo, di alpinismo e di pesca alla trota.

Il suo capanno era una costruzione di legno e latta, con un tetto di onduline, ma per lui era un vero e proprio rifugio, dove dimenticarsi delle sue magagne quotidiane. Una porta rudimentale era chiusa con un lucchetto, ma la gente ci entrava lo stesso. A lui in fondo non dispiaceva. Dentro c'era un giaciglio approssimativo, con un materasso marcio. In quell'ambiente non ci teneva niente di valore, soltanto gli stivali da pesca e le esche, le due canne no, quelle se le portava a casa perché temeva che gliele rubassero. In terra aveva scavato un buco umido protetto da una retina metallica dove conservava i lombrichi, nella baracca regnava un gran puzzo. In un angolo c'era un fornello a gas da campeggio. Appena arrivato si fece un caffè e pensò ai tempi e agli orari.

Doveva ripulirsi un po', quindi si raccolse nella posizione yoga della montagna.

Il cattivo odore lo distraeva dalla pratica, lo riportava alla materialità della terra e della carne. Si impose un quarto d'ora di meditazione, per allentare la tensione e per entrare nel ruolo.

Si concentrò sull'intestino, sulle braccia e sugli occhi, mantenendo le mani poggiate sulle ginocchia.

Quindi si riscosse, non pienamente soddisfatto.

Estrasse di tasca un piccolo telecomando e lo attivò. Sembrava volesse accendere una televisione o un impianto di condizionamento, invece accese un motore silenzioso. La branda malmessa cominciò a muoversi e si inclinò di 90 gradi, fino a bloccarsi dopo aver raggiunto la fine corsa: si era aperto l'accesso al vano inferiore. Walter scivolò da basso per i sette scalini e richiuse quella specie di ponte levatoio, riazionando il telecomando. Non aveva poi molto tempo da perdere.

Accese la luce, utilizzando lo stesso telecomando. L'ambiente al piano di sotto, di piccole dimensioni, pareva modernissimo e tecnologicamente avanzato, tutto in acciaio inossidabile, rame e legno di olmo, a prova di bomba. Un deumidificatore garantiva che i locali sotterranei non finissero a ramengo, così come tutte le attrezzature in esso contenute. Un accumulatore collegato al generatore a gasolio all'esterno garantiva l'illuminazione. Accese il computer, dal quale poteva controllare tutte le funzioni del suo rifugio antiatomico. Controllò le riprese delle telecamere interne al piano superiore, cioè nella baracca: erano entrate due persone, e avevano portato via qualche lombrico e una bottiglia di vino. Succedeva sempre.

Sulla parete ovest c'era uno stand dove erano allineati alcuni completi giacca e pantaloni, di fronte una teca di alluminio anodizzato con sportelli di vetro nella quale erano esposte alcune armi da fuoco, pistole e fucili, perfino alcuni fucili-mitragliatori, fra i quali una immarcescibile RPD.

Dopo aver lavorato al computer per un quarto d'ora Walter per prima cosa preparò la valigia: ci inserì dentro una camicia bianca di ricambio, un paio di mutande e una piccola custodia di pelle che conteneva un sofisticato kit di parti meccaniche, in fibra di carbonio. Controllò che ci fossero tutti i pezzi della balestra, sfiorò con i polpastrelli la punta della freccia. Con grande sistematicità verificò ciascun componente, come faceva da bambino quando apriva una scatola di montaggio di un modellino di un aereo.

Poi si cambiò, indossando un completo grigio antracite di lana Tasmania. Scelse una cravatta rossa a pallini celesti. Si mise i mocassini neri, dopo averli lucidati un po'. Sopra un impermeabile inglese di qualità, grigio opaco. Controllò i documenti, il portafoglio, che conteneva circa mille euro, la borsetta dei sanitari, l'iPad e tutto il resto. Ricapitolò la situazione, si mise sotto braccio un paio di galosce e uscì dal rifugio. Richiuse il letto-portone. Si infilò le soprascarpe per non sporcare i mocassini, e montò sull'auto per dirigersi verso la stazione di Venezia Mestre.

A raggiungerla non gli ci volle più di un'ora, aveva scelto una collocazione strategica, di fatto il suo capanno si trovava vicino alle principali direttrici Trento-Belluno, Venezia-Bolzano, Trieste-Lugano.

Alle nove del mattino Walter Galati era già sul suo treno per Verona, dove sarebbe sceso e avrebbe cambiato, montando sull'Eurocity per Monaco di Baviera, arrivo previsto alle 16.35.

Pioveva lungo l'Adige, senza tregua. Non si vedeva quasi niente fuori dal finestrino, le nuvole nere si mangiavano le montagne. Walter osservava le strisce d'acqua che risalivano all'esterno dei vetri, sembravano fare a gara fra di loro. Puntò su un rivoletto in particolare, che era più arretrato degli altri ma che pareva avere più slancio. Lo giocò piazzato e infatti arrivò secondo. Fra le mani aveva un'edizione del *Sentiero dei nidi di ragno* in traduzione tedesca, *Wo Spinnen ihre Nester bauen*, tanto per tenersi in esercizio, ma non stava leggendo. Pensava vagamente alla storia dell'ispettore e a tutti i casini che sarebbero venuti fuori in ufficio. E lo avevano messo in ferie. Se lo doveva aspettare, però questa faccenda dell'ispezione lo convinceva poco: proprio quel lunedì. Era un caso?

Il treno arrivò alla Haupt Banhof di Monaco alle 16 e 57. Non pioveva. Walter si era sempre chiesto perché in quella stazione il tetto era messo di traverso, le finestre sulla copertura non erano disposte nel verso delle rotaie, ma le attraversavano. Che a un certo punto avessero cambiato l'orientamento dei binari? Non era un'informazione che gli avrebbe potuto fare comodo.

Prese un taxi e raggiunse l'albergo Bayerische Hof, consegnò alla concierge i documenti a nome di Marko Untersteiner, Bolzano.

Un facchino lo accompagnò alla sua camera, ma lui non volle che si facesse carico della valigia.

«Das Gehäuse ist sehr leicht, ich werde zu halten».

In camera dette una controllata, con scrupolo, poi accese la televisione per rilassarsi un po'. Si sintonizzò su una replica di una vecchia puntata di *Tatort* (*Il luogo del delitto*), la sua serie preferita. La puntata era ambientata a Ludwigshafen, con la commissaria Lena Odenthal.

Alle 18 e 15 Walter cenò in albergo al ristorante Garden. Scelse una bistecca da 220 grammi, da Greater Omaha Packers, USA, accompagnata da un sauté di spinaci, e come dessert una Almond savarin with cold plum ragout and poppy ice cream.

Alle 19 e 16 era sul posto, nella zona fieristica, per l'ultima ispezione. Era già venuto più volte in sopralluogo, ormai conosceva l'area come le sue tasche. Alle otto del giorno dopo si sarebbe trasferito in un altro albergo, il München Messe, senza lasciare documenti. Sapeva qual era la camera e l'orario in cui avrebbe potuto utilizzarla.

Dopo le dieci fece ritorno nella sua stanza al Bayerische Hof. Dedicò una mezzoretta di tempo agli esercizi, flessioni e torsioni, poi chiamò il servizio in camera e si fece portare una tisana al finocchio.

Ricapitolò mentalmente la scaletta delle operazioni. Non prendeva mai appunti scritti, meno affidabili di una accurata programmazione mentale. Non aveva mai utilizzato agendine, cartacee o informatiche che fossero. Aveva suddiviso l'azione in dieci fasi. Nella sua strategia mnemotecnica non ricorreva ai classici dieci comandamenti, né alla formazione dell'Inter o dell'Italia al Mundial del 1982, bensì, semplicemente, ai pianeti più il Sole. Di solito ripercorreva il sistema solare alla rovescia, partendo da Plutone. L'obiettivo finale era il Sole, che di solito coincideva con la fase di ripiegamento, o fuga, o ritirata. Nel corso degli anni e degli incarichi aveva capito che era la fase più delicata e rischiosa, un po' come in montagna quella del rientro alla base, dove scema la tensione e si corre il rischio di farsi male.

Alle 23 e 44 Walter era già assopito. Dormì sonni tranquilli, sognò, senza aver modo di ricordarsene, un animaletto con la coda lunga e i denti aguzzi, che si muoveva in modo rapidissimo e sinuoso.

Surplus killing

Con l'espressione «surplus killing» (che in italiano si traduce con la molto meno evocativa «predazione in eccesso») si indicano quei comportamenti di caccia che portano il predatore a uccidere molte più prede di quanto sia necessario per i suoi bisogni alimentari.

Si tratta di comportamenti assai noti, che riguardano molte specie di mammiferi, di ragni, ma anche di insetti, fra i quali ditteri e forme larvali.

La più tipica, nota e commentata delle forme di predazione in eccesso è quella dei mustelidi, in particolare della faina (*Martes foina*) e dell'ermellino (*Mustela erminea*). Questi animali, abituati a una pazientissima attesa e ricerca delle rare prede, che prevede lunghissimi appostamenti e altrettanto lunghi inseguimenti, quando si trovano in situazione di grande abbondanza di potenziali vittime, determinata per lo più dall'interazione con comportamenti umani, si danno all'uccisione indiscriminata di tutte le prede disponibili, anche se queste saranno consumate solo in minima parte.

È tipico il caso del pollaio, tanto che questo comportamento viene chiamato spesso sindrome del pollaio (*Henhouse sindrome*). Se riesce a penetrarvi, la faina (così come l'ermellino e la martora, per non parlare della donnola, la più minuta ma forse la più feroce) uccide tutte le galline presenti, per nutrirsi soltanto di poca carne, interiora, per fornirsi delle quali sarebbe bastato cacciarne una.

Perché la faina si comporta così? Quale vantaggio ottiene in termini di fitness di sopravvivenza?

A prima vista parrebbe un comportamento assolutamente sconveniente: per uccidere tante galline la faina impiega una notevole quantità di energia, fino a ridursi in condizioni di prostrazione.

Ma questo ragionamento economicistico potrebbe anche non essere dirimente: in ecologia animale si definisce un tipo di rapporto interspecie col nome di «dispetto». Così come una relazione reciproca che favorisce entrambe le specie interagenti si chiama «simbiosi», mentre un rapporto che ne favorisce una a scapito dell'altra si chiama «parassitismo» (oltre alla predazione), ne esiste anche una terza che sfavorisce una delle due specie senza peraltro favorire l'altra: è questa categoria che va sotto il nome di «dispetto».

Qual è lo scopo di un simile rapporto fra specie diverse? Il tema è interessantissimo, soprattutto per gli ampi squarci epistemologici che può aprire sul comportamento umano.

Di fatto non pare che il comportamento predatorio della faina vada classificato sotto questa tipologia. Pare che questo mustelide non uccida le galline per dispetto, né perché innervosito dalle urla strozzate delle galline impaurite.

Inoltre non è che la faina trasporti e metta da parte il suo bottino. Ci sono molti casi di predazione in eccesso nei quali i mammiferi uccidono nell'immediato molte più prede del necessario, e riescono a immagazzinarle, in vista di stagioni in cui la quantità disponibile sarà ridotta o nulla. Per esempio i lupi sono in grado di farlo, e uccidono grandi numeri di ungulati o di ovini quando si presenta l'occasione, immagazzinandoli, se è possibile.

Non è il caso della faina e dell'ermellino; quest'ultimo peraltro gode di un prestigio assai superiore di quello della faina (animale normalmente connesso alla furbizia e alla brama di sangue). L'ermellino è stato quasi fatto sparire dalla faccia della terra per la sua preziosissima (per gli umani) pelliccia: inoltre è più carino, furbetto e certe volte confidente, come il furetto.

A quanto pare, secondo l'etologo Hans Kruuk, il *surplus killing* della faina è determinato proprio dal suo tipico comportamento predatorio, che è diviso in quattro fasi: ricerca, inseguimento, uccisione, consumo. Queste quattro fasi normalmente sono molto dilatate nel tempo, e affinché il predatore non si smarrisca o si demoralizzi, ciascuna è legata a una fase di rinforzo positivo: una lunga ricerca della preda che porta a un successo motiverà un rinforzo positivo che darà l'energia per procedere nell'inseguimento – estenuante – e nell'attacco, cioè nell'uccisione. Affinché l'animale arrivi a quest'ultima fase deve essere ipercarico di «desiderio di uccidere», altrimenti si ritirerà prima.

Dunque, se invece le prede sono disponibili, e in grandi quantità, la fortissima carica omicida del predatore non si placa con la quarta fase, il consumo.

Non a caso questi comportamenti si attuano soltanto in situazioni artificiali, come quelle, per l'appunto, del pollaio.

Il rapporto degli umani con i mustelidi è un misto di tenerezza alla Disney per i loro musetti simpatici e vispi, di odio per la loro «nocività» nei pollai, e di venerazione per le loro pellicce, simbolo di regalità. Alcuni mustelidi sono domesticati, per esempio i furetti. Simpaticissimi, ma fanno stragi di scoiattoli, se si presenta l'occasione, e ciò mette in confusione gli esseri umani e i loro stereotipi.

«Pronto? Buongiorno, è l'Agenzia *Tutte contente*?».

«Sì, sono Cristina, come posso aiutarla?».

«Buonasera, mi ha dato il vostro numero una mia amica, la signora Costantini, se la ricorda?».

«Certo che me la ricordo», non se la ricordava affatto, avesse dovuto ricordarsi i nomi di tutte le clienti... «Dica pure».

«Senta, sarebbe per un preventivo, stiamo organizzando un addio al nubilato».

«Certo, data?».

«14 aprile».

«Località?».

«Caorle, all'hotel ristorante Al Fogolar».

«Qual è il servizio di cui avete bisogno?».

«Beh, non so come lo chiamate voi, uno spogliarello».

«Quanti artisti?».

«Mah, io pensavo a due, dipende dal prezzo».

«Ha visto le nostre proposte sul sito? Abbiamo il *Muevete!*, l'*Alles Zusammen*, l'*Hat Trick*».

«Sì, eh, insomma, noi saremmo interessate all'*Alles Zusammen*».

«Sì, è molto coinvolgente, e divertente, sta andando fortissimo. Cinquanta minuti di spettacolo. Mi faccia fare due conti, o se preferisce glielo mando per mail».

«No no, per carità, poi magari qualcuno...».

«D'accordo, allora diciamo *Alles Zusammen* con tre artisti. Avete preferenze? Vi va bene anche gente di colore? C'è chi li chiede espressamente».

«Oddio, non ci avevamo mica pensato... però, la sposa, direi bianchi, basta che...».

«Non si preoccupi. Non le ha detto niente la signora Costantini?».

La segretaria lavorava di calcolatore elettronico.

«Un attimo di pazienza».

Finalmente la cifra venne fuori.

«Siamo sui duemilacinquecento più IVA».

«Accidenti però, una bella cifra, scusi la mia ignoranza, comprende tutto?».

«Scusi, non capisco, certo che comprende tutto».

«Ah, cioè comprende anche un trattamento personalizzato».

«Cosa intende per trattamento personalizzato, una scelta musicale precisa, il nome della sposa scritto con la maionese sul corpo degli artisti?».

«No, io mi riferivo alle loro prestazioni specifiche».

«Ah, no, quelle non sono previste, comunque non sono comprese».

«Ma la signora Costantini mi ha detto...».

«Sa, su queste cose è difficile fare un preventivo, di solito si calcolano a consuntivo, comunque non sono incluse nella cifra che le ho fatto».

«Ma non è che potrebbe farci un po' di sconto, sa, siamo un gruppo di colleghe in biblioteca, oppure mi potrebbe dire quanto costerebbe con due artisti soli?».

La segretaria cominciava a seccarsi, ma rifece i calcoli.

«Con due artisti siamo sui millesettecento più IVA, e ci metto dentro anche lo *Sfrega Sfrega*».

«E che cos'è lo *Sfrega Sfrega*?».

«Se lo può immaginare, no? È molto eccitante».

«Grazie... adesso bisogna che senta le mie colleghe... la richiamo nel pomeriggio».

«È sicura? Guardi che non le garantisco che nel pomeriggio l'offerta sia ancora valida, sa? E se mi vanno via gli artisti?».

«Ascolti, mi tenga la prenotazione per qualche ora, la richiamo prima possibile, ma sa, mica posso decidere anche per le altre».

A Monaco di Baviera grandi nuvoloni scuri si alternavano a brevi schiarite. C'era tutto sommato una buona visibilità, d'altronde Walter Galati aveva accuratamente studiato le previsioni del tempo su Wetter-Online.

Alle otto del mattino fece un'abbondante colazione a base di uova strapazzate e bacon, succo di mela, caffè all'americana, macedonia di frutta e yogurt con marmellata di mirtilli. Alle otto e mezza era fuori dall'albergo, e montò sul taxi che aveva prenotato la sera prima. In poco più di un quarto d'ora fu all'hotel München Messe. Entrò tranquillamente e prese l'ascensore, ultimo piano, camera 757.

Lì aprì la valigetta e montò la balestra di precisione, che disponeva di un sistema di puntamento elettronico. Gli ci vollero non più di tre minuti. A quel punto prese posizione sul terrazzino, che mirava sulla Otto-Hahn Strasse, in basso.

Lui del signor Reiner Grosskulper sapeva solo quello che gli era necessario sapere. Era un bersaglio voluminoso e piuttosto facile che oltretutto si fermava spesso mentre camminava, ridacchiando ed esibendosi in degli evidenti motti di spirito che sicuramente Walter, al telescopio, potendo soltanto cercare di interpretare il labiale, non capiva perfettamente. E poi la sua visuale era come quella di un film in cui il protagonista viene preso in primo piano: le barzellette senza vedere gli altri spettatori non fanno ridere. Il biondone dopo averne raccontata una rideva della grossa e faceva facce buffe, cercando di incrociare gli sguardi altrui, pensando a qualche altra battuta da lanciare. Si fermò un attimo per estrarre uno stuzzicadenti dal taschino, con cui cominciò a lavorare sulle gengive. Probabilmente aveva fatto colazione all'inglese anche lui, con uova strapazzate e bacon, che rimane sempre invischiato fra i denti. L'operazione con lo stuzzicadenti gli fece venire in mente un'altra barzelletta: si fermò, e quasi quasi si mise a ridere da solo, a pensarci. Così da lontano la scena pareva al rallentatore, l'omone guardava le facce degli altri, forse anche per capire chi è che non rideva a sufficienza. Evidentemente i presenti dovevano ridere per forza. Si riinfilò lo stuzzicadenti nel taschino della giacca, e fermatosi in prossimità di una colonna di cemento attaccò con la nuova barzelletta, che a giudicare da come Grosskulper rideva in anticipo, doveva essere veramente buona.

Walter gli sparò in testa, la balestra disponeva di un colpo solo, e lui neanche guardò quello che sarebbe accaduto nell'immediato, sarebbe stato inutile. Nel momento in cui qualcuno realizzò che Herr Reiner giaceva in una pozza di sangue, Walter era già al piano terra dell'albergo München Messe. Poi montò su un taxi che lo avrebbe riaccompagnato alla stazione.

«Pronto sei tu, Salvatore? Sono io».

«Io chi?».

«Sono Stefania, non lo vedi sul display?».

«Io non memorizzo numeri, potrebbe essere pericolòso».

«Insomma, ma a me tu non ci pensi mai?».

«E che ci penso a fare?».

«Che stai facendo?».

«Niente, che vuoi che faccia, e tu dove stai?».

«Sono a casa, sola».

«Ah, eh, stasèra?».

«Anche nel pomeriggio».

«Vabbene, vengo nel pomeriggio. Ma Sky lo tieni?».

«Certo che lo tengo».

«Okkey, ci vediamo dopo».

«Non mi fare aspettare troppo».

«Ciao ciao ciao».

Durante il viaggio di ritorno, in treno, Walter ebbe modo di riflettere un po' sulla situazione. Pioveva ancora, ininterrottamente. Il vetro era appannato, in carrozza c'era comunque un caldo insopportabile, perché il riscaldamento era settato su temperature invernali, mentre fuori faceva caldo, e pioveva.

Erano quasi dieci anni che esercitava il mestiere, e che si era sposato con Stefania. A quell'epoca, se si può dire, era un novellino, ma tutto sembrava andare per il meglio. Anche Stefania. Era bella, robusta, volitiva. Aveva fatto tutto lei. L'aveva trovato, corteggiato, sedotto e portato all'altare. Il tutto nel giro di pochi mesi. Lei, che lavorava a Treviso come assistente parrucchiera, chissà cosa aveva visto in lui. Era magra, tonica e spregiudicata.

A quei tempi lontani, quando lui aveva cominciato a lavorare per l'Agenzia, fra le altre cose gli avevano trovato il lavoro tranquillo all'INPS, di copertura. Non dovette in nessun modo darsi da fare, ogni cosa sembrava preordinata, in qualche modo Walter si sentiva supportato in tutto e per tutto, era quasi intoccabile. Come un giocatore di calcio, per esempio, che se ha qualche problema mica se la cava da solo, no, chiama il tuttofare, e ci pensa lui. Ma Walter capì presto che questo livello di protezione avrebbe riguardato solo la fase di avviamento, poi l'Agenzia si sarebbe ritirata, e lui non avrebbe più avuto alcun vantaggio: a quel punto doveva viaggiare da solo, nell'anonimato. Che soddisfazione c'è a ottenere determinate prestazioni senza che nessuno le riconosca, senza che nessuno te ne renda merito? Questo dilemma avrebbe caratterizzato tutto l'iter professionale di Walter, ma lui questo lo sapeva benissimo. Sapeva che i suoi successi erano commisurabili proprio alla loro anonimità. Ci vuole una bella resistenza per reggere a questa prova, e Walter se ne era dimostrato capace.

Peraltro in quella fase non sarebbe stato male se si fosse procurato una moglie anonima, una relazione più che normale. Stefania sembrava mandata dalla provvidenza, e con Stefania a letto Walter si trovava bene. All'epoca non poté non domandarsi se qualcuno gliela aveva fatta trovare apposta, convinto che l'Agenzia fosse onnipotente. Ma questi erano pensieri che nella mente di Walter non trovavano humus per fiorire.

Walter stava ripensando al giorno del matrimonio, una giornata campale per come era iniziata e per come era finita, ma tutto sommato provava nostalgia. Stefania non aveva dietro di sé una schiera di familiari, ma moltissime amiche e colleghe, anche un paio di trans che lavoravano nel suo settore. Lui di parenti non ne aveva neanche uno, ma non perché si fosse rifiutato di invitarli. Stefania fu meravigliosa, non gli chiese niente, forse aveva scelto Walter proprio perché non c'era nessuna suocera di mezzo. Il rito fu celebrato in Comune, a Treviso. I presenti non superavano la ventina, ma c'era calore, quello lo aveva percepito anche lui.

Rispetto alle donne che aveva conosciuto in precedenza, in Germania, Stefania dava a Walter molto di più, anche se era una che non rinunciava agli spazi per sé, l'aveva messo subito in chiaro, e a Walter andava bene. Forse per questo Stefania si era innamorata di lui, proprio perché era assai diverso da altri uomini, gelosi e impositivi. A lui di tanti fronzoli sembrava non importare niente, e non chiedeva niente. Ma era una sceneggiata?

Walter era più che sicuro che prima o poi avrebbe deluso Stefania, perché era uno che faceva il suo lavoro, a puntino, ma non si poneva mai il problema di lottare e di migliorare il suo status. Stefania ne avrebbe sofferto del suo modo di porsi. E infatti...

Ma allora no, questi problemi non si ponevano, e adesso erano passati soltanto dieci anni.

Walter, rispecchiandosi nel finestrino appannato, ripensava a quanti fossero dieci anni.

Adesso si era arrivati quasi alla conclusione del rapporto, conclusione che non avrebbe avuto nessun atto formale, semplicemente non l'avrebbero più contattato, e lui non ne avrebbe saputo più niente. Che fare allora, mettersi a lavorare per conto proprio? No, non faceva parte delle possibilità, lui sarebbe dovuto semplicemente sparire, e godersi i soldi che aveva messo da parte. Ma sapeva benissimo che non sarebbe andata così.

D'altronde erano stati anni durissimi, di continui sacrifici, a cominciare dalla moglie, per finire con il lavoro. Nonostante tutto era andato avanti, con risultati insindacabili. Era convinto che il suo comportamento fosse stato assolutamente inappuntabile.

Senza contare la familiarità con le lingue straniere. Ecco, su quello avrebbe voluto saperne di più, i suoi «colleghi» conoscevano le lingue straniere? Non li aveva mai frequentati, eppure sapeva che c'erano, e certe volte riusciva a intuire, leggendo le cronache sui giornali, che qualcuno era entrato in azione. Ma chissà se sapevano il francese e l'inglese come lui, e anche il tedesco. Se sua moglie l'avesse anche soltanto intuito... ma ormai...

Alle cinque del pomeriggio era già nel suo capanno, che riponeva vestiti e materiali, in fin dei conti avrebbe avuto tempo per andare a pescare, ma a lui della pesca non importava assolutamente niente.

«Prontooo, buonasera, ho chiamato prima, per una prenotazione, si tratta di un *Alles Zusammen*».

«Sì, dica pure».

«È la stessa persona con cui ho parlato prima, Cristina?».

«No, io sono Marghit, posso aiutarla?».

«Allora, volevo confermare la nostra prenotazione per il 14 aprile, un *Alles Zusammen* con due artisti».

«Un momento che guardo, un attimo di pazienza... nome?».

«Il nome non l'ho lasciato, è per il 14, a Caorle».

«Qui non vedo niente, ma aveva prenotato? Ha già provveduto al pagamento?».

«No, veramente avevo parlato con una sua collega che si chiama Cristina».

«Cristina ora non c'è, ma non risulta nessuna prenotazione».

«Ecco, allora vorrei farla».

A Marghit toccò ricominciare da capo, Cristina, che poi non si chiamava affatto così, non aveva registrato niente, di telefonate di curiose ne ricevevano a centinaia, poi non finalizzavano un cazzo.

Alla fine ne vennero a capo.

«Allora, signora, sono 1.715 euro più IVA, le serve fattura?».

«No, la fattura no. Perciò si potrebbe avere un po' di sconto?».

«No, sconti no, per favore mi dia gli estremi della sua carta di credito».

«La carta di credito?».

«Accettiamo solo carte di credito».

«Ma io volevo pagare in contanti».

«Impossibile, signora».

«Io pensavo di pagare al momento, sa quelle cose che si infilano i soldi nelle mutande».

«Quelle sono le mance, non riguarda la nostra Agenzia».

«Ah, beh, allora...».

Nel suo rifugio Walter ebbe il tempo per accendere l'iPad e introdursi tramite la rete Tor sui siti di riferimento.

Andò a vedere la bacheca degli annunci che lo riguardavano. Per scrupolo controllò che a Monaco fosse andato tutto bene, e che ci fosse l'ok definitivo. In effetti c'era.

Però c'era qualcos'altro, imprevedibilmente. Ci mise un po' a decifrare la nuova comunicazione, in codice. Non ci poteva credere, un nuovo incarico, commissionato a distanza di neanche 24 ore dal precedente. A Procida.

Walter era assai sorpreso, e non favorevolmente. Che significava un nuovo incarico, urgente, così a ridosso di quello che aveva appena portato a termine? Non era mai accaduto. Cercò di pensare in fretta e con calma, ma la faccenda non gli piaceva per niente, era del tutto anomala e andava a scombussolare i suoi piani.

Per un professionista come lui non era previsto di andare in pensione, e lui sapeva che sarebbe stato soppresso, normalmente a scadenza. Era un'ipotesi ovvia, che si risolveva da sola, dentro l'Agenzia. Qualcuno al più presto sarebbe stato incaricato di eliminare Walter Galati.

L'idea gli si era formata in testa tanti anni prima per un caso. In ufficio aveva trovato un fumetto, lasciato lì da chissà chi. Faceva parte della serie *Giulia* (della casa editrice Bonelli, la stessa di Tex Willer), una criminologa con le fattezze di Audrey Hepburn. Galati non si intendeva affatto di fumetti, e neanche gli piacevano. Se lo era portato in bagno e lo aveva sfogliato. Erano il titolo e la copertina a incuriosirlo: *I killer vanno in pensione?* Beh, la risposta che dava il giornaletto era negativa. Nell'abitazione di un signore modesto, insignificante, tranquillo e del tutto inoffensivo, un rappresentante, giunge un pacco, indirizzato a lui. Contiene un ordigno al plastico. Purtroppo ad aprirlo è sua moglie, una signora in cattiva salute, che nell'occasione perde la vita. Perché? E che fine fa poi suo marito? La criminologa Giulia si mette al lavoro e l'indagine rivela che il passato del tipo era ben diverso da quello che ci si poteva immaginare: era un killer professionista. E per chi fa quel mestiere il passato non perdona, il giro non si può permettere che questo passato abbia un testimone. In effetti Walter ci aveva messo poco ad arrivare alla conclusione che lo stesso destino sarebbe toccato anche a lui. Però era rimasto impressionato più che altro dalla copertina, che peraltro con la storia del fumetto aveva poco a che vedere: un signore vecchiotto e dall'espressione amara consegna a una giovane donna, Giulia, una pistola, dalla parte del calcio. È una resa?

A Galati nessuno toglieva dalla testa che quel fumetto fosse un messaggio per lui. Poteva essere un caso? L'unica differenza era che il protagonista del fumetto si dispiaceva della morte fortuita della moglie, mentre forse Galati non sarebbe arrivato a tanto. Ma chi aveva lasciato il giornaletto in ufficio?

Nel corso della sua carriera in più di un'occasione aveva avuto la certezza di sopprimere un suo collega, in almeno due o tre circostanze. E sempre la vittima era una persona modestissima, che faceva una vita sottotono, con un misero lavoro di copertura, come lui, del resto. Gli obiettivi normali, nella maggioranza dei casi, erano personaggi noti, politici, industriali, diplomatici, criminali di alto bordo, gente che spesso disponeva di un'imponente guardia del corpo, che portava il giubbotto antiproiettile e che stava ben attenta a non esporsi, agli spostamenti, ai viaggi. Non era facile portare a termine l'incarico. Invece in pochi casi era facilissimo, come sparare sulla Croce Rossa. Niente scorta armata, niente precauzioni, come se fossero venuti a sparare a lui nella sede dell'INPS: chi li avrebbe fermati?

Walter lo sapeva che prima o poi sarebbe toccato anche a lui. Che quella di Procida fosse soltanto una trappola, un abboccamento? Era troppo presto. Forse qualcuno lo aspettava.

Ripensava, lo aveva già fatto mille volte, ai suoi luoghi di vulnerabilità. In teoria l'Agenzia non sapeva molto di lui, nemmeno l'indirizzo della sua abitazione, lui non lo aveva mai comunicato, era la regola. Riceveva messaggi cifrati a una casella postale elettronica, con un nome fittizio. Ma temeva che in realtà l'Agenzia sapesse tutto di lui, altrimenti si sarebbe trattato di gente che non padroneggiava il mestiere, e questo gli pareva difficile da pensare. Era certo che sapessero anche dove si trovava il suo capanno di pesca. Lui prendeva delle precauzioni, per sapere se qualcuno ci aveva messo piede, ma loro non erano sprovveduti. Ok, poteva benissimo fare a meno dei prossimi 400.000 dollari e andarsene via subito, ma se lo controllavano?

Non si dimenticava mai di fare attenzione, teneva sempre presente la possibilità di avere due o tre persone addosso. Una volta ebbe la certezza che qualcuno lo stesse sorvegliando, ma erano controlli di routine, pensava, vogliono vedere se sto attento, se non bevo, se non vado a puttane, se non spendo soldi in eccesso. Ma io ho sempre rigato diritto, non è un caso se sono arrivato al diciottesimo contratto... Eppure...

C'era qualcosa che non gli tornava nel nuovo incarico. Procida, una casetta a Procida Porto, senza alcuna protezione, neanche le inferriate alle finestre, neanche un allarme. Un uomo di oltre ottant'anni, malandato e malato.

Che poteva aver fatto questo vecchio tanto da motivare una spesa di svariate centinaia di migliaia di dollari? Walter non sapeva quale fosse la quota dell'Agenzia, ma si immaginava che fosse almeno pari alla sua. Per uno così si trova un sicario a mille, massimo duemila dollari, alla buona, pensava. Incensurato, viveva da una decina d'anni a Procida con una specie di amante di origini romene. Che fosse uno che in passato aveva lavorato per l'Agenzia?

Gli pareva troppo vecchio, poteva essere un camorrista, un mafioso in incognito, ma proprio a Procida? Lì di camorristi ce ne sono già abbastanza. E poi non era di quelle parti, veniva da un paesino, per l'appunto vicino a Treviso. Pareva impossibile, la cosa non gli piaceva per niente. Il signor Giuseppe Pozzobon era originario di Camalò, poi probabilmente aveva preso una scuffia per una donna dell'Est, che magari gli aveva fatto da badante durante un periodo di malattia, le sue crisi respiratorie erano cominciate ben prima, e adesso, a quanto pareva, viaggiava con la bombola dell'ossigeno, e quasi non usciva più di casa.

Walter cercò di utilizzare il computer per vedere se trovava altre notizie sull'uomo: ben poco, per non dire niente. Si doveva fidare della breve scheda che gli aveva fornito l'Agenzia.

Un vecchio malato? Chi lavorava per l'Agenzia di questi problemi non se ne faceva: poteva trattarsi anche del premio Nobel per la pace, o di un santo e benefattore, o di un moribondo, faceva lo stesso. Le informazioni che forniva l'Agenzia erano ridotte al minimo, nome, cognome, residenza, abitudini, e il resto del lavoro era sulle spalle dell'esecutore, che doveva autonomamente costruire il progetto ed eseguirlo, dopo un numero di sopralluoghi a sua scelta. Unico dato imprescindibile era la scadenza del contratto, ovvero la data entro la quale l'operazione doveva essere portata a termine. E in questo caso, a Procida, i tempi erano strettissimi, neanche un mese. Di solito il periodo era assai più lungo, tre, quattro, anche sei mesi. Invece adesso...

Oddio, di solito non è che Walter necessariamente aspettasse di arrivare in prossimità della scadenza. In qualche caso aveva concluso al primo sopralluogo, non c'era motivo di tirarla per le lunghe se si presentava l'occasione. Anche con metodi artigianali e improvvisati, per esempio lo strangolamento col filo di ferro, che fra l'altro è un metodo pulito e che non lascia strascichi. Ma questo dipendeva solo dalle circostanze e dalla fortuna, e anche dalle frontiere. A Procida difficilmente avrebbe potuto portarsi dietro un po' della sua attrezzatura, anche ridotta al minimo. E Procida, un'isoletta senza vie di fuga, gli sembrava il posto ideale per una trappola.

No, la situazione non gli piaceva per niente, doveva pensarci bene.

Partire subito, darsi alla macchia? Non era escluso. Oppure è semplicemente un avvertimento?

Walter lasciò il suo capanno che stava facendo buio, intorno alle sei e mezza di sera. Pensò di portarsi dietro una piccola automatica e un coltello a serramanico, così, senza pensarci troppo. Ma no, in macchina aveva tutto ciò che gli serviva. Chiudendo il capanno ebbe cura di mettere in atto le solite precauzioni, sia manuali che elettroniche, cioè la polverina bianca e il chip.

Si allontanò con grande circospezione, per raggiungere la macchina fece il giro largo, ci arrivò da sopra, dette una bella controllata. Ci mancava solo la classica bomba che scoppia quando si mette in moto, oppure che gli avessero manomesso i freni, visto che il primo tratto della sterrata era bello ripido. Ma no, ma no, se gli avessero messo dietro qualcuno sarebbe stato un professionista, lui di queste cose non ne aveva mai fatte, piuttosto l'arma bianca, in un luogo affollato, un autobus. Con le armi da fuoco se la cavava bene, ma se fosse stato per lui avrebbe sempre scelto e consigliato l'arma bianca.

Già, pensava viaggiando in macchina, che ne sarà di tutte le mie competenze e della mia esperienza? Chissà se l'Agenzia aveva un reparto di formazione, magari la sua lunga storia professionale poteva essere utile a qualche giovane di belle speranze. Ma lui non sapeva neanche dove avesse sede l'Agenzia, né se una sede ci fosse. Avessi un figlio, chissà, potrei insegnargli qualcosa.

I figli non erano venuti, ma forse era stato un bene. Che farei adesso se ci fosse un figlio? Lo dovrei abbandonare a sua madre, e forse quelli che mi cercheranno potrebbero sequestrarlo per farmi uscire allo scoperto.

Meno male che aveva fatto la vasectomia, come era ovvio. Col suo mestiere non c'era alternativa. Ah, se sua moglie l'avesse saputo, ci sarebbe stato da divertirsi.

Lungo la strada gli venne in mente quella volta che da bambino suo zio Norberto gli fece uno scherzo. Lo zio Norberto ne faceva di continuo, non sapeva resistere. Walter aveva sette anni o poco più, quella volta lo zio gli disse di tirare fuori pisello e palle, e di appoggiare il tutto su un tagliere di legno, in cucina. Walter obbedì, senza timori. Lo zio improvvisamente estrasse un coltellaccio da cucina e lo abbatté sul tagliere. Aveva già tirato fuori dalla tasca una manciatina di interiora di pollo, e del sugo di pomodoro, che buttò sul tagliere. L'effetto non era neanche venuto male, però Walter rimase immobile, non fece una piega. Rinfoderò il pisellino e impassibile chiese allo zio: «Zio, perché hai buttato dei fegatini di pollo sul tagliere? Con anche il sugo di pomodoro? Perché?».

Lo zio Norberto ci rimase male, tanto che la sera disse a sua sorella che quel bambino non era mica normale.

Walter arrivò a casa e decise di non posteggiare nel garage. Potevano aspettarlo anche fuori, ma farsi beccare proprio nel garage sarebbe stato troppo. Fece un giro intorno al casamento, per vedere se c'erano auto sconosciute, in effetti ce n'erano due, una Mercedes nera e una Cinquecento Abarth. Uhmm. La Cinquecento Abarth non lo inquietava, ma la Mercedes un pochino sì.

Prese ad aggirarsi per le strade intorno all'isolato. Procedeva lentamente sotto la pioggia, non era facile trovare un posto. Controllava le auto posteggiate. Un furgone lo insospettì, dette un'occhiata. Riportava la scritta BAEGNOV, Apparecchiature oftalmiche, Monza. BAEGNOV è la combinazione di lettere che si usa per confrontare i caratteri tipografici. Un piccolo nesso con le apparecchiature oftalmiche ci poteva anche essere, ma quale?

Era buio pesto e continuava a piovere incessantemente.

Incrociando per la parallela alla strada di casa sua notò una macchina che procedeva lentamente. La pioggia era così fitta che non si vedeva granché. Aumentò la velocità del tergicristallo, fino a quella massima. La macchina che gli stava davanti, una Citroën C5, una grossa berlina blu, avanzava a cinque-dieci chilometri l'ora. L'interno era illuminato. L'autista era una donna, per quel poco che Walter poteva vedere pareva una quarantenne, abbastanza elegante, capelli neri e lucidi, di natura ricci ma stirati di recente. Una bellezza mediterranea che evidentemente stava consultando il tomtom o il telefonino, per quello teneva le luci interne accese. Galati fermò la macchina, in seconda fila. La signora con la Citroën avanzava senza accelerare. Lui aspettò per vedere in che direzione andasse, gli toccò aprire il finestrino. Quella svoltò sulla destra e scomparve dalla sua vista. Lui ripartì. E dopo qualche minuto, finalmente, trovò un posto libero dove posteggiare. Aveva memorizzato la targa della Citroën, che era lucida e pulita, le gocce di pioggia le scivolavano sopra come su una pesca, sembrava a tutti gli effetti un'auto appena noleggiata.

La signora mediterranea era riuscita a far ripartire il tom-tom, che aveva perso il segnale proprio a ottocento metri dalla destinazione. Adesso aveva trovato l'albergo. Hotel Parc e du Lac, riportava una grossa scritta al neon in carattere corsivo, posta in mezzo a due magnolie. Una parte dell'insegna era più gialla del resto, come se avessero sostituito gli elementi rotti, e non li avessero trovati dello stesso identico colore. Ad avvicinarsi un po' si sarebbe potuto sentire un *bzzz*, *bzzz*, emesso dall'insegna stessa, ma era coperto dal rumore della pioggia.

La signora scelse un posto macchina che non si trovasse sotto un albero, poi lo cambiò con un altro, più vicino all'ingresso.

Uscì dalla berlina, le scarpe coi tacchi di sette centimetri non erano adatte al ghiaino fine e fangoso. Estrasse un ombrello a molla. Portava calze fini di seta, aveva gambe magre, mentre di sedere era abbastanza robusta. Indossava un tailleur blu, gonna e giacca, sotto una camicetta bianca di seta. Al collo una catenella di corallo e oro. Aveva la pelle abbastanza abbronzata, con poco fard e un trucco pesante. Aprì il bagagliaio della Citroën, estrasse una borsa floscia con le ruote e una valigetta rigida. Si guardò intorno per vedere se arrivava qualcuno a prenderle i bagagli. Non arrivò.

L'albergo era di quelli moderni, ma non troppo. Attraverso grandi vetrate brunite si poteva vedere all'interno, la hall e qualcosa che forse assomigliava a una sala di lettura ben illuminata, le finestrone erano appannate. Intorno ai vetri semi oscurati c'erano infissi di alluminio color bronzo. Il parco era decorato da statue in cemento imitazione marmo, raffiguranti dei putti grassi e sfrontati. Sul lato ovest troneggiavano le scale di sicurezza.

All'ingresso si faceva notare una porta rotante, al suolo un tappeto di moquette con la scritta Parc e du Lac, lievissimamente consumata e bagnata. C'erano raffigurate anche quattro stelle.

Raggiunse il banco della concierge, per fare il check-in. Si scosse un po', le scarpe erano già fradicie.

Dichiarò nome e cognome, Marta Coppo. Il portiere, un maschio di età indefinita fra i cinquanta e i settant'anni, indossava dei pesanti occhiali da sole, alla Ray Charles. In effetti sembrava cieco, stava fermo e rigido, mentre controllava i documenti e il monitor del computer. Si intrattenne a lungo scrutando la carta d'identità, come se ci fosse qualcosa che non gli tornava.

«Benvenuta dottoressa Coppo», disse. «Le chiamo Samuele, che la accompagnerà in camera, 303».

La signora valutava il livello dell'hotel, la silenziosità, lo standard. Silenzioso pareva silenzioso, non c'era nessun cliente in giro. Solo una fievole musica da aeroporto, sullo sfondo. Di fronte a lei due ascensori, con i portelloni dorati, e una tastiera, dorata anche quella, in stile Ottocento.

Arrivò Samuele, un tipo sovrappeso sui quaranta, che ritirò il bagaglio. La valigetta rigida volle a tutti i costi portarla da sola.

In ascensore Samuele si limitò a dire: «Ne vien giù de aqua, eh?».

I corridoi deserti erano rivestiti di moquette marrone-ruggine, sempre la solita musica di accompagnamento, che non li aveva abbandonati neanche nell'ascensore.

Samuele spiegò alla signora come funzionasse la chiave elettronica. Lei disse che lo sapeva già. Gli dette cinque euro di mancia.

Entrò in camera con una certa circospezione e per prima cosa controllò il letto. Tastò il materasso e lo sollevò. Poi andò in bagno, e mentre faceva la pipì dette un'occhiata panoramica ai servizi. Controllò che la carta igienica fosse intonsa, poi sottopose a verifica le saponette e gli shampini. Riportavano la scritta Hotel Parc e du Lac, erano nuovi, non manomessi, almeno così sembrava. Si tolse la giacca e quindi sottopose tutta la camera a un'ispezione attenta, la cassaforte, il frigo-bar, che conteneva due succhi di frutta, una birra Ichnusa, tre bottigliette d'acqua e un analcolico. Si tolse la gonna e la camicetta, restando in mutande e reggipetto. Si levò anche le scarpe col tacco, e provò sollievo. Prese dal distributore alcuni fazzoletti di carta, li rappallottolò e li infilò nelle scarpe.

Si sedette alla piccola scrivania e passò in rassegna il materiale dell'albergo, il regolamento, i servizi, il menù della colazione in camera, la carta da lettere. C'era una sola busta e un solo foglio intestato. Nel folder trovò quello che si aspettava. Un'immagine sacra che raffigurava la Madonna. Lesse la preghiera stampata sul retro. C'era da immaginarselo. Guardò il santino controluce, lo portò in bagno e lo mise sotto l'acqua del rubinetto.

Tirò fuori dalla borsa una vestaglia nera, leggera. Era nuova di zecca, tolse l'etichetta con il tagliaunghie.

Estrasse l'iPad dalla valigetta rigida e lo accese. Si mise a lavorare un po', ma presto tornò in bagno, con il suo beauty, dispose con ordine su una mensola la sua linea di prodotti preferita, le creme, il balsamo, il fondotinta e varie altre bottigliette e flaconi. Si struccò davanti allo specchio e si tolse le lenti a contatto, che ripose accuratamente nel contenitore di plastica.

Poi ebbe l'impressione che qualcosa si muovesse nella vasca da bagno. Si mise gli occhiali. Eh sì che c'era qualcosa che si muoveva, uno scarafaggio bello grosso. Lo prese in mano e lo appoggiò sul piano di marmo del lavandino. Nella sua borsetta trovò le pinzette e un paio di forbicine. Con quelle rapidamente aprì lo scarafaggio in due.

Ma che schifo questo albergo, domani porto quest'animale in portineria! Mi sentiranno! E anche in ufficio!, disse tra sé e sé.

Si assicurò che non ce ne fossero altri e tornò in camera. Qui si mise a controllare meglio gli armadi e i ripiani: li esplorò nella parte inferiore, aiutandosi con una piccola torcia elettrica. Estrasse dalla valigia un barattolino, dentro c'era una polverina grigia. La distribuì con cura sul piano del comodino, sul tavolo, sui piani di appoggio. Prese un'altra torcia, almeno gli assomigliava, e proiettò un raggio di luce molto intenso sulla polvere che aveva distribuito. Scosse la testa e si tranquillizzò.

Prese dunque il cellulare, dopo essersi sincerata di che ore fossero. Erano le ventuno e dieci.

«Prontooo... Come stai ciccina della mamma, tutto bene?».

«Li hai fatti i compiti? Come è andata col papà? Cosa ti ha dato per cena?».

«Ma no, va' là, lo sai che sto via solo pochi giorni... è per lavoro».

«Te lo prometto, te lo prometto, non fare così...».

«No, adesso vai a letto, è tardi sai?».

«Un film, adesso? Che film? Fammi parlare col papà».

«Non c'è? È uscito? Ma sei da sola?».

«La baby sitter, ah questa poi... passamela... passamela subito...».

Finita la telefonata la signora si mise più comoda, una t-shirt e una tuta sportiva, e scarpe da ginnastica. Mise il naso fuori dall'albergo, pioveva ancora, per fortuna non come prima, e lei indossava una giacchetta tecnica impermeabile, fosforescente. Controllò l'orologio e partì per una seduta di jogging. Sembrava già conoscere abbastanza bene i dintorni, sapeva che vicino all'albergo c'era un parco, lo trovò subito. D'altronde si chiamava Hotel Parc e du Lac, ma il lago dov'era? Nell'umidità, dei lampioni mandavano una luce un po' sfocata sulla pista ciclabile, lei si mise su quella. Non c'era nessuno, se non un paio di persone che portavano a passeggiare il cane, nonostante la pioggia, che adesso era un po' più fine. Lei marciava di buon passo, con le cuffie dell'iPod incollate alle orecchie, il tempo era molto peggiore di quello che si era immaginata per questa sua trasferta, si prevedeva pioggia per tutta la settimana. All'angolo estremo del parco doveva decidere se tornare indietro o fare il giro completo, vide qualcosa che non si aspettava, un enorme cumulo di spazzatura, vicino ai cassonetti dell'immondizia. Ma come è possibile? Anche qui? In che paese viviamo. Rallentò l'andatura e osservò quell'enorme massa di rifiuti, perlopiù solidi, casse, confezioni, scatole di cartone, plastica, scatolame di latta, e materiali di ogni altro genere.

Accelerò un po', non voleva soffermarsi su quella schifezza, che fra l'altro le ricordava qualche cosa, il suo sfigmomanometro da avambraccio, collegato al cellulare, diceva che le pulsazioni non superavano i 109 battiti al minuto. Ma in che posto sono capitata?

Walter ci aveva messo un po' prima di dirigersi verso il suo appartamento. Era possibile, anche se poco probabile, che lo aspettassero in casa, che ne sapevano *loro* delle precauzioni che aveva adottato?

Perciò era entrato nel casamento accanto e salito con l'ascensore fino all'ultimo piano. Una scala portava sul tetto, una specie di terrazza condominiale dove c'erano gli impianti di condizionamento. Da lì si poteva accedere a una specie di altana, ancora più su. Walter si era arrampicato con braccia e gambe per quattro metri. A vederlo da lontano sarebbe sembrato che riuscisse a camminare sui muri come un ragno, in realtà si appoggiava con sicurezza su alcuni spit che aveva chiodato lui stesso. L'ascesa era resa piuttosto difficile dalla pioggia che sferzava a vento. Sul ripiano coibentato, in cima, c'era una tettoia, che proteggeva una sorta di gabbiotto, dove ripararsi: dentro la stanzetta, chiusa a chiave, c'era la sua valigia, una sorta di kit di sopravvivenza con l'occorrente per tre giorni. Estrasse un binocolo a infrarossi.

Con questo si mise a osservare il palazzo di fronte, quello di casa sua. Sul tetto nessuno, in giro niente di particolare. Dopo un po' giù per strada arrivò un'ambulanza, che si fermò all'angolo. Restò immobile per un minuto, poi fece inversione a U e tornò indietro.

Una volta era ricorso anche lui allo stratagemma dell'ambulanza, a Bruxelles. Non per raggiungere il luogo operativo, ma per abbandonarlo. L'ambulanza l'aveva chiamata lui stesso, sostenendo che un bambino era stato messo sotto da una Peugeot, e adesso, privo di sensi, giaceva sull'asfalto. L'ambulanza raggiunse il posto, ma non trovò nessuno per strada. Gli operatori e gli infermieri erano scesi dal mezzo, si guardavano intorno, ispezionavano il manto asfaltato, effettivamente c'erano delle tracce di sangue, che aveva lasciato Walter ad arte. Era riuscito a salire sull'ambulanza, e a far scendere l'autista, prima che tornassero gli altri, poi...

Walter scrutava le finestre di casa sua, cercando di intravedere Stefania. La casa pareva vuota. Che fossero già lì dentro? Eppure pareva proprio non esserci nessuno. Oddio, proprio nessuno no, Fufi era in casa, e sembrava tranquillo. Dormiva sul divano, si alzava, andava verso il corridoio, poi tornava al suo posto. Questo particolare praticamente garantiva a Walter che in casa non ci fossero degli sconosciuti, nella maggioranza dei casi Fufi avrebbe abbaiato istericamente e continuativamente. Aveva già telefonato più volte, non rispondeva nessuno.

Intorno alle nove decise di muoversi. Scese per strada, entrò nel portone del suo condominio.

Invece di prendere l'ascensore fece le scale a piedi, raggiunto il pianerottolo aspettò un po', dietro l'angolo. Dopo una decina di minuti suonò il campanello, non rispose nessuno. Chissà dove era andata Stefania, d'altronde non lo aspettava per quell'ora, lui avrebbe dovuto essere di ritorno la mattina dopo.

Walter aprì la porta, mantenendosi protetto dal muro, poi sgattaiolò in casa e si rannicchiò sotto il tavolino del telefono, con il rasoio in mano. Non successe niente. Parlò.

«Cara? Ci sei? Sono tornato. Non ti preoccupare, non ti ho portato le trote, le ho regalate... Ci sei?».

Nessuna risposta. «Stefania, dove sei? Ci sei?».

Sul tavolo da pranzo vide un accendino, un accendino viola. Ma chi mi hanno mandato, un dilettante? Mi aspetta in camera?

Arrivò Fufi, che annusò Walter in silenzio, faceva sempre così quando lui tornava dalla pesca. Fufi sembrava un po' infastidito, ma Walter ragionò: che avrebbe fatto lui se in casa avesse trovato un barboncino? Lo avrebbe sgozzato seduta stante?

Fufi scodinzolava, si aspettava un premio. Chissà se la mamma era sempre viva. Walter si immaginava sua moglie stesa sul letto, oppure infilata nell'armadio, a mo' di esca. Si issò con una manovra alpinistica, facendo appoggio su un lato e poi sull'altro delle due pareti del corridoio, per raggiungere il vano sopraelevato di fronte alla porta di ingresso. Aspettò un po'.

Dalla stanza da letto provenne il rumore di un'enorme e lunghissima scorreggia, insistita e tromboneggiante. Walter, che era uno che badava ai dettagli più infinitesimi, capì che l'autore era nudo, o almeno lo erano le sue chiappe. Era inevitabilmente un maschio, non era statisticamente possibile che un simile rombo fosse stato prodotto da una donna.

In effetti poco dopo vide dall'alto un uomo giovane, non molto slanciato, moro e peloso, completamente nudo, con un grosso birillo scuro in mezzo alle gambe, che fece la sua comparsa alla porta del corridoio, quella che dava sulla cucina. Il tipo sbadigliando si guardò in giro, ma non verso l'alto.

Nudo? Perché era nudo?

Il giovane con indolenza afferrò una bottiglia di Coca-Cola che era sul tavolo da pranzo. Bevve a garganella mezzo bottiglione, poi si gonfiò la pancia e produsse un formidabile rutto, prolungato, cercando di pronunciare la parola «maiale».

Il ragazzo era tatuato: portava una grossa aquila imperiale sulla schiena, e altri simboli, che Walter non riuscì a decifrare bene, sul basso ventre.

Alla fine del rutto Walter si buttò giù dal vano so-praelevato, saltò addosso al giovane e lo immobilizzò. Questo non fece resistenza, era talmente sorpreso che solo dopo qualche secondo si accorse di avere una la-ma di rasoio alla gola. E quasi si mise a piangere quan-do realizzò che quel signore gli premeva il coltello sul collo, e che per fargli capire che era ben affilato glielo stava calcando un po' sull'epidermide, abbastanza da far sanguinare i capillari.

Walter era piuttosto sorpreso anche lui. Ma chi gli avevano mandato in casa? Era questo il rispetto che gli portavano?

Molto sangue colava giù, Walter evitò che sporcas-se il pavimento con uno Scottex triplo.

«In altre situazioni tu saresti già morto, ma ora mi devi dire chi ti manda e qual è il tuo incarico. Con cal-ma ma in fretta».

Il ragazzo, avrà avuto venticinque anni, era terroriz-zato e quando vide tutto quel sangue per poco non sven-ne. Non riusciva a parlare.

«Mah, bah, ah, ahah, beheh».

«Avanti, raccontami tutto, ora conto fino a dieci».

«Oh, mah, beh, io, io, io mi sono solo…».

«Cosa, cosa sei tu? Manca poco tempo, fra un po' torna mia moglie…».

«Una signora, una signora mi ha rimorchiato, una si-gnora… ma io, bah, beh, io… lei è il marito?». Il gio-vane aveva un accento calabrese.

Oddio no, pensò Walter. Oddio no. Non è possibi-le. Ma d'altronde, che poteva fare a questo punto? Prese per i capelli quel ragazzo e lo trascinò in bagno, stando attento a non sporcare per terra, e lo buttò nella vasca. Qui, per non farlo soffrire troppo, moriva di paura, gli tagliò la gola con un colpo secco e preciso.

«Non è colpa tua, ma è anche colpa tua, pezzo di cretino».

La signora Coppo tornò in albergo tutta sudata e con le guance un po' arrossate. Riprese la chiave dal portiere, che non si era tolto gli occhiali scuri. Forse aveva la congiuntivite, o forse era un tossicomane.

In camera si spogliò in fretta, entrò in bagno e accese la doccia, ne approfittò per fare la pipì, mentre l'acqua raggiungeva la temperatura giusta. Si sedette, leggendo distrattamente le istruzioni della cuffietta per la doccia riportate sulla confezione. Stranamente sopravvenne un altro bisogno, finalmente! Erano tre giorni che non andava di corpo.

Come molte signore della sua età Marta Coppo soffriva di stitichezza. Vale a dire che le capitava di riuscire a defecare raramente, anzi rarissimamente, e con risultati scarsi. Il problema sembra da poco, per chi non lo ha, ma è estremamente serio, infatti un folto settore di marketing cerca di impossessarsi del problema di questo bisogno, che poi, a pensarci bene, non è altro che il bisogno del bisogno.

Marta Coppo le aveva provate tutte, da prodotti di supermercato come Activia alle tisane più ecosostenibili, da interventi meccanici come il clistere a qualsiasi altra soluzione, invasiva o meno che fosse. Sono co-

73

se che chi non le prova non può capire. Annullano tutto il resto del mondo. Perfino un massacro terroristico in cui perdono la vita cinquanta persone diventa indifferente, secondario, ovvio.

Ma quella sera, al ritorno dalla corsetta, Marta avvertì che c'erano delle novità, o qualcosa di più.

Intanto l'acqua calda scrosciava dal telefono della doccia, la stanza da bagno si era riempita di una nebbia calda.

Presa da una sorta di euforia si affrettò a controllare il risultato della sua seduta. A quanto le era parso... gli esiti le erano sembrati, anche a intuito, abbastanza positivi, ma non fino a quel punto... Saranno stati i vapori della doccia, non ci vedeva bene, eppure, dentro il water... non credeva ai suoi occhi...

Si aiutò con l'asciuga-capelli, con il quale fece un po' di chiaro: dentro il WC c'era, cosparsa dei suoi escrementi color verdognolo, una testa di cane con gli occhi sbarrati che la fissavano.

Ahhh, urlò silenziosamente lei, ritraendosi, senza fare rumore. Poi tirò lo sciacquone. Naturalmente la testa del cane non andò giù, ma almeno si ripulì un po'. La signora Coppo si guardò intorno, spense la luce, la riaccese.

Quindi si infilò sotto la doccia, doveva pensare, senza farsi prendere dall'emozione. Lo sapeva già da prima che la faccenda non sarebbe stata facile, che il suo arrivo non sarebbe passato inosservato, ma un inizio come questo... Non era la prima volta, del resto.

Chiuse il miscelatore e si mise l'accappatoio. Rientrò nella stanza da letto. Frugò in borsa e prese il pacchetto di sigarette e l'accendino, ma sì, ci voleva. Aprì la porta-finestra che dava sul parco e sul terrazzino si accese la sigaretta, guardandosi un po' in giro, nell'oscurità. Era ripreso a piovere forte. Finito di fumare tornò dentro, in bagno. Tirò un'altra volta lo sciacquone. Afferrò la testa di cane per le orecchie, pesava non più di un chilo, e la portò sul terrazzino. Di qui prese la rincorsa e la lanciò nel parco. Un bel tiro, la testa si andò a infilare in mezzo a una siepe, sotto un albero d'alto fusto, forse un platano, ma così, al buio, non si capiva.

Intorno alle ventuno e trenta Stefania fu di ritorno. Trafelata, ebbe difficoltà ad aprire la porta visto il pacchetto che portava con l'altra mano.

«Caro… bellezza mia… eccomi qua, non hai fame? Ho comprato due pizze».

Si affrettò in cucina e appoggiò le scatole fumanti sul tavolo di marmo.

«No cara, non ho per niente fame, e poi lo sai che a me la pizza…», disse Walter che era seduto sulla poltrona in salotto.

Stefania trasalì, quella era la voce di suo marito.

C'era da giurarsi che in quel momento cercasse di capire che cosa potesse essere successo. Walter aveva trovato il ragazzo in camera? Si decise ad andare in salotto, dove Walter, tranquillo, leggeva il giornale.

«Ma non dovevi tornare domani?», provò titubante. «Tutto a posto?».

«Sì, sì, ma pioveva, è per quello che sono tornato prima».

«Mi potevi avvisare».

«Ci ho provato, ma non mi hai risposto».

«Ah, beh…».

«E poi se mi hai comprato la pizza, vuol dire che pensavi tornassi, no?».

«Ah, con te non si sa mai, vedi che ho avuto ragione? Non avevo nessuna voglia di cucinare».

«Certo, cara».

Probabilmente Stefania si chiedeva come avesse fatto il ragazzo a darsela a gambe. E senza neanche farsi pagare. Volò in camera, che era in perfetto ordine, il letto rifatto, nessuna traccia di Salvatore e del festino che c'era stato nel pomeriggio.

Tornò in salotto.

«Com'è andata la pesca?».

«Così così».

Mangiarono le pizze, a Walter toccò una calabra col salamino piccante, che a lui faceva schifo. Ma era stato istruito a resistere a qualsiasi tipo di prova, di tortura, figuriamoci se non poteva mangiarsi una calabra. Stefania si mangiò la sua Capri davanti alla televisione, senza dire una parola, aveva paura di tradirsi. Non che temesse particolarmente il marito, anche se questo avesse scoperto i suoi altarini, a lei tutto sommato non interessava molto. E poi che avrebbe potuto fare quel decerebrato? Sollevare un putiferio? Lei non vedeva l'ora che succedesse qualcosa, per esempio che Walter la abbandonasse. Probabilmente di essere colta in flagrante se lo augurava, perché continuare con tutti questi inutili sotterfugi?

L'importante era che fosse Walter ad abbandonare il tetto coniugale. Poi si sarebbe visto. Ma forse suo marito non era così fesso come sembrava: sapeva tutto e teneva duro, faceva finta di niente. Ma cosa c'era da guadagnarci, anche in caso di separazione, con quella miseria che percepiva quello stronzo?

Quagliarella telefonò a Trentanove.

«Che c'è Quagliarella, a quest'ora? Guarda che mia moglie non gradisce».

«La gallina è rientrata nel pollaio».

«Eh? Ma che vai dicendo?».

«Dico che la gallina è rientrata nel pollaio».

«Ah, capisco. E ha fatto l'uovo?».

«Eh, questo non lo so».

«E com'è questa gallina?».

«Nera siciliana».

«Ma che cazzo dici, non è siciliana».

«È una razza, facevo per dire».

«E che volevi dire?».

«Volevo dire che... sì ragioniere, per quella pratica urgentissima ci sentiamo domattina presto». Il tono di voce era cambiato, più alto.

«È arrivato qualcuno?».

«Va bene ragioniere, ci sentiamo domattina!».

«Va bene Quagliare', ci sentiamo domattina alle sette».

Walter dovette aspettare un bel po' prima che la moglie dormisse pesantemente. Allora si alzò, si rivestì, uscì dall'appartamento e scese le scale. Aveva avuto modo di pensare bene la cosa, sarebbe andato a prendere la macchina, poi in garage avrebbe caricato il giovanotto nel baule e sarebbe andato a buttarlo in un cantiere nella zona dell'aeroporto di Quinto, in disuso. Era meglio che il ragazzo non venisse ritrovato, ma chissà se qualcuno era al corrente della relazione con sua moglie, e chissà se una volta scomparso non venissero a cercarlo da Stefania, non le facessero delle domande. Forse andava eliminata anche Stefania? In vita sua non aveva mai ucciso nessuno, almeno fino ad allora, se non per un incarico dato dall'Agenzia. Walter ci pensò e ci ripensò, e arrivò alla conclusione che forse era meglio di no, se sua moglie fosse scomparsa o morta, anche in circostanze casuali, un incidente, loro l'avrebbero saputo e non ci avrebbero creduto. Avrebbero pensato che qualcosa gli era andato storto, o che aveva dei sospetti. Soprassedette e cercò di pensare positivo, in fondo questo era il suo pregio, non conosceva l'ansia e cercava sempre di razionalizzare. Fra l'altro in linea di principio non era affatto escluso che il giovane amante di Stefania non fosse altro che uno di loro. Ma *loro* non si sarebbero mai affidati a un incompetente alle prime armi. A meno che non fosse una prova, un test. O a meno che non fosse un altro incarico, alla rovescia, e che lo volessero mettere nei guai. Le possibilità erano tutte aperte e Galati si ripromise di capire chi era quel ragazzo.

Erano quasi le tre del mattino. Posteggiò la Volskwagen proprio davanti al garage, all'indietro, e aprì il portellone posteriore. Tirò su anche il bandone del garage, cercando di fare meno rumore possibile. Tuttavia non c'era più alcun cadavere infilato nella plastica nera, non c'era più nessuno nel garage. Cercò a destra, a sinistra, ma il ragazzo non c'era, qualcuno l'aveva portato via.

2
Crying at the discoteque

Cari fratelli e care sorelle,

che succede alla nostra Treviso, al nostro territorio? Perché il Signore Onnipotente ha deciso di sprofondare la nostra città nell'Apocalisse?

È il diluvio che ci sta colpendo, e ha gonfiato i nostri fiumi che stanno per esondare e distruggere tutto. L'uomo cerca di attivare delle pratiche di contenimento, ma il Sile sta per esondare, lo Zero è già uscito dal suo alveo, per non parlare del Piave, il fiume sacro alla patria, che da calmo e placido si è trasformato in una furia della natura.

Le acque escono impazzite dalle risorgive, la gente abbandona le case e la pianura. I garage nel sottosuolo già cominciano a riempirsi d'acqua.

È la fine imminente quella che sta minacciando la nostra città. E adesso, nuovi segnali ci vengono inviati. A noi non resta che pregare e pentirci di quello che abbiamo fatto. Una città devota ma incline disgraziatamente al denaro e al consumismo sfrenato. Una regione poverissima un tempo, che ha conosciuto repentinamente la ricchezza. Il Dio denaro ha sfidato l'Onnipotente e Questi si è adirato. Ha colpito le nostre vigne, i nostri opifici, le nostre ca-

se e ha lasciato libero il Maligno di penetrare nelle nostre famiglie. Pentiamoci! Siamo sempre in tempo a farci perdonare dal Misericordioso.

Don Carlo Zanobin
Omelia del celebrante
Parrocchia di *** (TV)

Pioveva ancora. Erano almeno quindici giorni che pioveva senza sosta, una pioggia spessa e incessante, si diceva che nella sola giornata di domenica ne fossero caduti 238 millimetri, se non di più. L'intensità e la costanza non sembravano diminuire.

Gli splendidi paesaggi collinari del Trevigiano ne risentivano, la luce grigia toglieva risalto ai rilievi, non c'era più differenza fra i desolanti panorami esageratamente antropomorfizzati della bassa, lungo la via Postumia, e i begli scorci verso il Montello, non c'era più distinzione, c'era solo pantano e desolazione. Eppure l'altezza sul livello del mare, 6 metri, imponeva come non mai le sue leggi. I cantieri erano tutti bloccati, sia quelli stradali che quelli edilizi, dove centinaia di tonnellate di cemento si bagnavano, irrimediabilmente compromesse. In pochi riuscivano a mettere in salvo i materiali, per esempio portandoli al primo piano. Le scuole erano quasi tutte chiuse, come abbandonate: i bambini e gli adolescenti restavano a casa, perlopiù. Questo scombinava ulteriormente i regimi delle famiglie, inabituate ad avere i figli fra i coglioni, con tutto quello che c'era da fare, in casa, dove si cercava, ai piani bassi, di porre rimedio. Nelle cantine i trevigiani tenevano mountain bike di pregio, con sospensioni e freni a disco, che venivano spostate nelle camere da letto o nei salotti. Lo stesso per le bottiglie di vino, e le provviste varie. Quante villette del Trevigiano, organizzate con una cantinetta semiabitabile, dovettero essere sfollate. Si cercava di salvare il salvabile, sperando che quella maledetta serie di perturbazioni, secondo i più tanto desiderata dai Verdi, avesse fine.

Con una spessa tuta di plastica arancione l'operatore ecologico Scalabrin stava mandando una serie di improperi al Creatore e a tutti i santi, per non parlare della Madonna, a causa delle condizioni del suo lavoro, e di cosa gli toccava fare in mezzo a tutta quell'acqua. Vicino al parco il contenuto di un cassonetto era stato rovesciato da questa gente che ci va a rovistare dentro, alla ricerca di cibo o di abbigliamento, per non parlare di quelli che ci vanno a dormire. A lui non importava niente se certi disgraziati zingari o simili andavano a cercare la roba nei cassonetti, ma perché dovevano rovesciare tutto fuori? Il suo compito era quello di raccogliere i rifiuti e di rinfilarli nel cassonetto, perché quelli del camion dicevano che non era affar loro. E allora lui doveva, con la pala rettangolare, raccogliere le schifezze, che fra l'altro erano zuppe di acqua, e pesavano una tonnellata.

Infilò la pala sotto qualcosa di veramente pesante, non capiva cosa fosse. Guardò meglio e fece un balzo all'indietro: «Oh Gesù, Giuseppe e Maria», sintetizzò, «e questo cossa ghe xè?».

Si trattava di un ammasso di carne sanguinolento, a pelo raso e senza testa.

«Maria Vergine!».

La notizia che vicino alle immondizie del parco era stato ritrovato un cane morto fece presto a circolare, già alle dieci del mattino a Treviso non si parlava d'altro. Di cani morti ogni tanto, purtroppo, se ne trovano, ma un cane con la testa mozzata, Maria Vergine! C'era un mostro in città che uccideva i cani, e gli tagliava la testa? Oppure cannibali che se lo volevano mangiare? Che fossero stati dei cinesi? Con quelli non si sa mai.

Il corpo del cane fu portato alla morgue perché si effettuasse l'autopsia. La bestiola era di proprietà, apparteneva a una famiglia di anziani residenti nelle vicinanze, si chiamava Little King. Era abituato a farsi una passeggiata da solo in serata, andava a zampettare nel parco, poi tornava autonomamente.

Nessuno sapeva che cosa potesse essere veramente successo, ma le ipotesi interpretative fioccavano una dietro l'altra.

«È un matto che gli è morto il cane e allora si vendica».

«Presto passerà a fare lo stesso sulle persone, e sui bambini».

«Si tratta di una intimidazione di stampo mafioso: la criminalità organizzata spadroneggia a Treviso, e questo è un chiaro avvertimento».

«Già, ma la testa dov'è?».

«Io a quelli che odiano gli animali li ammazzerei tutti quanti».

La testa fu trovata non molto tempo dopo, nel parco dell'albergo Parc e du Lac. Un cagnetto di un cliente – nell'albergo era consentito portare con sé un cane di medie dimensioni – si era fiondato, nonostante la pioggia battente, dentro una siepe, e ne era uscito con in bocca la testa di un altro cane. Il padrone aveva quasi perso i sensi nel vedere quella scena, con Cristina, il suo basset hound, che sembrava avere due teste.

La testa mozzata fu consegnata alle autorità, era evidente che apparteneva al cane trovato vicino al cassonetto.

La situazione adesso appariva ancora più grave, fra il luogo del ritrovamento del corpo e quello della testa c'era più di un chilometro. E poi cominciavano a circolare particolari terrificanti, come per esempio che la testa era stata tagliata con qualcosa che assomigliava a un rasoio da barba. Una vendetta contro gli anziani coniugi proprietari dell'animale? Sembrava improbabile, forse invece si trattava di un maniaco, uno che avrebbe colpito ancora.

E la pioggia favoriva il maniaco, lo copriva, come se ci fosse stato un disegno. E chi poteva garantire che effettivamente un piano a danno dei poveri animali non ci fosse veramente? Oltretutto con tutta quella pioggia i cani ne risentivano, tutti bagnati, sembravano dei sorci alluvionati, scheletrici, quelli magri, grassi, quelli sovrappeso. Il cane sovrappeso bagnato non è un bello spettacolo a vedersi, e lui è il primo a saperlo perché purtroppo lui stesso è sensibile alle categorie interpretative umane, del padrone, il quale desidererebbe

che il cane andasse in palestra, e si rimettesse un po'
in forma. Il cane sul tapis roulant, il cane che nuota.
Ma no, quello è pigro, ho pagato la retta, ma lui non
ci vuole andare, non posso mica obbligarlo...

A meno che, a meno che non sia un bulldog. Quello non va in palestra, è carino così com'è, immobile.
Ma se ci dovesse veramente essere un'alluvione, che fine farebbe un bulldog? Andrebbe a fondo? Non se la
caverebbe per niente, bisognerebbe salvarlo, portarlo
in luoghi elevati.

Il maniaco evidentemente tutte queste cose le sapeva benissimo. Certo, a tagliare la testa a un bulldog ce
ne vuole, non sarebbe mica facile, è tutto testa. Però,
con una sega a motore, o con una affilatissima katana,
tutto è possibile. A Treviso non sarebbe difficile trovare questi strumenti. Il maniaco sicuramente era bene attrezzato.

La Lega per la Protezione Animali emanò subito un
comunicato: «Basta con la violenza sugli animali». In
esso l'episodio di brutalità estrema fu ricollegato ad altri, meno violenti, che erano stati nei mesi precedenti stigmatizzati dal movimento: cani segregati, cani
umiliati, cani maltrattati. Tutti gli episodi venivano ri-
condotti alla stessa cultura e alla stessa matrice, anche
se questo pareva assai più rilevante degli altri.

Altre associazioni animaliste polemizzarono immediatamente con questa dichiarazione, sostenendo che il territorio si era sempre schierato a favore degli animali e
dei cani, e che non andava fatto di ogni erba un fascio.

Una signora sconosciuta arrivò, su Facebook, a offrire una taglia di mille euro a chi forniva notizie sull'assassino. Ebbe 21.345 mi piace in poche ore, alcuni dall'Australia. Treviso, nonostante le preoccupazioni dovute ai fattori meteorologici, con i fiumi tutti in piena, non parlava d'altro che della faccenda del cane decapitato.

Anche nell'ufficio dell'INPS, inusitatamente popolato per essere appena passate le otto, non si parlava d'altro.

«Hai sentito del cane senza testa?».

«E come no?».

«Guarda, io quando si parla di animali, non ci capisco più niente, potrei fare qualsiasi cosa, per difenderli. L'altro giorno c'erano quegli stronzi, davanti all'ospedale, quelli che ti vendono le piantine, per i diritti umani. Ma vaffanculo i diritti umani, a me non me ne frega un cazzo, perché gli esseri umani odiano gli animali, e allora perché io dovrei rispettare loro? Per i diritti degli animali ti firmo qualsiasi foglio, sono d'accordo. Ma per gli esseri umani, che maltrattano gli animali, no, non firmo un cazzo, e la piantina non gliela compro. Che vadano a prendersela in culo gli esseri umani, visto che odiano gli animali. Che se la vedano da soli, a tutelare i propri diritti. Invece gli animali come fanno, senza aiuto? Se non ci pensiamo noi...».

«Mah... insomma, hai un punto di vista... Insomma... e allora i bambini?».

«I bambini? I bambini hanno i genitori: a loro ci pensano più che abbastanza».

«Ma tu ce l'hai un animale?». Parolin cercava di cambiare discorso.

«Non me ne parlare, lo sai che sono in lista per avere un levriero?».

«Un levriero?».

«Sì, quelli da corsa, quelli che fanno le gare in Inghilterra. C'è un istituto che raccoglie i cani che vanno in pensione dopo una carriera in pista. Poveri disgraziati...».

«Ma non ti andava bene un cane normale? Non lo so, vai al canile, ce ne sono tanti».

«Ma che ne capisci tu... Quelli sono cani sfruttati... e poi sono dei levrieri, mica cani come tutti gli altri. E soffrono tanto, sai?».

«Eh...».

«Poverini, sono cani maltrattati, sfruttati come cavalli purosangue. Poi, quando smettono di correre, chi si occupa di loro? Ho fatto domanda, in Inghilterra. Ma dovresti vedere come me la stanno facendo complicata. Sono severissimi. Devi mandargli una scheda su chi sei, quanto guadagni, se hai altri cani o se ne hai avuti, quanto è grande il tuo giardino, se hai bambini, anziani in casa. Un vero esame per capire se hai le caratteristiche psichiche e familiari, e anche economiche, per prenderti una responsabilità del genere».

«E tu ce le hai, le caratteristiche?».

«Mah, mi hanno fatto un po' incazzare. La cagnolina che avevo scelto io, vedessi com'è bella, argentata, non me la vogliono dare, perché dice che non va d'accordo con i bambini. Gli fanno paura. Mi hanno proposto un maschio vecchio, evidentemente non lo vuole nessuno. Ma se mi muore fra sei mesi, allora siamo da capo».

«Forse quello ha più bisogno».

«Ma che cazzo ne capisci tu, vedessi come è carina la cagna».

«Io non lo prenderei un levriero, sono animali artificiali, delicatissimi, tremano sempre... prenditi un bastardino».

«Un bastardino? Allora piuttosto mi prendo un chihuahua».

«Quelli piccoli schifosi?».

«Ma lo sai che un chihuahua vale anche 2.000 euro? Sono i più quotati».

«Eh... già...».

«Lo sai che mi è venuta un'idea per levarci dai coglioni quello stronzo di Galati?».

«Fufi?».

«Fufi».

Stefania si alzò dal letto, erano le dieci passate, assonnata si rese conto che il marito era in casa, e stava leggendo il giornale, alla pagina delle cronache dall'estero.

«E tu che ci fai ancora qui, a casa?».

«Come, non te l'ho detto? Sono in ferie».

«In ferie, ad aprile, e con questa pioggia?».

«Eh, sì, avevo un sacco di giorni arretrati, mi ci hanno messo per forza».

«E fino a quando?». Nella voce di Stefania c'era una punta di inquietudine.

«Fino a venerdì, cioè torno a lavorare lunedì prossimo».

«Lunedì prossimo? E cosa conti di fare? Mica vorrai stare qui a ciondolare in casa tutto il giorno?». Adesso era terrorizzata.

«Mah, pensavo di dare una sistemata al garage, sono anni che non ci metto mano, è un vero caos».

«E perché non sei rimasto a pescare?».

«Ufficialmente me l'hanno comunicato stamattina, e poi con questa pioggia».

«Ma se l'hai sempre detto tu che quando piove le trote abboccano meglio, è perché l'acqua è torbida e loro non ti vedono».

«È vero, ma mi dispiacerebbe lasciarti sola un'altra volta. Ti ho preparato la colazione, come piace a te».

Stefania fece una smorfia, pensando a quello che veramente sarebbe piaciuto a lei.

«Se vuoi approfittarne per andare a pescare non ti fare dei problemi, almeno ti rilassi tu e mi rilasso io, pensando a te. Basta che stai attento, non finire nel fiume».

«Oh, cara, io credevo che tu fossi arrabbiata con me, per via della storia della carta di credito».

«Ma figurati... è tutto passato...». Stefania in realtà era ancora urtata per il suo acquisto mancato, ma l'idea di avere Walter per casa la spaventava più di qualsiasi altra cosa.

«Beh, magari domani e dopodomani, poi da giovedì sono di nuovo qui, e guarda, avevo messo da parte cento euro per farti un regalo, ma se ti servono subito: non si trova un costume bello per cento euro?».

Stefania arraffò la banconota e distrattamente si mise a controllare i messaggi sul telefono, mentre sorbiva qualche sorso di caffè.

«Oh, questa poi!», disse a suo marito.

«Questa poi cosa?».

«Hai saputo? In città abbiamo il killer dei cani, uno che taglia la testa ai cani, dice che ne parlano tutti».

«Un killer di cani? Ma come?».

«Dice che hanno trovato un cane decapitato, vicino al parco. Poi hanno trovato la testa a un chilometro di distanza, roba da pazzi».

«E Fufi dov'è?».

«Fufi è qui, sul divano, stai tranquillo».

«Roba da non credere».

«Ci mancava anche questa, lo psicopatico che se la prende coi cani... Io li ammazzerei tutti».

«Chi, i cani?».

«No, questi psicopatici».

«Sembra un avvertimento di mafia».

«Ma tu cosa ne vuoi sapere, scimunito...».

«Va bene, vado in garage, voglio dare una bella riordinata».

«Ecco, bravo, vedi se riesci a buttare un po' di quella pattumiera alla quale sei tanto affezionato».

«Ti giuro, questa volta faccio un bel ripulisti, dovrò fare diversi viaggi in macchina».

«Bene, così forse riusciremo a metterla dentro il garage, senza dover fare le acrobazie».

«D'accordo, tesoro. Ma sei sicura che non ti secca se domattina vado a pescare?».

«Ma no, caro, restaci pure quanto vuoi, nel tuo rifugio».

Mentre Walter stava uscendo Stefania era già in conversazione con la sua amica Magda, a proposito della storia del cane decollato.

«Ma non pensi che Fufi...».

Walter entrò in garage, con tutta la prudenza possibile. Mentre liberava gli angoli da centinaia di riviste di pesca, di modellismo, di armi, controllava il pavimento, per vedere se c'era qualche traccia di sangue o di altri umori corporei. Niente. Possibile? A che ora avevano operato, e che quel coglione di ragazzo non fosse il loro uomo? Qui il lavoro fatto era assolutamente pulito, roba da professionisti, e nessuna traccia. Walter distribuì la polverina sul pavimento, fece i rilevamenti, ma niente, avevano sistemato tutto. Nessuna impronta se non le sue e quelle di sua moglie.

Si poneva un sacco di domande. Gli avevano mandato uno stupido in casa apposta perché lui lo facesse fuori? E dopo avevano ripulito il set? Ma perché? Per ricattarlo? Ma a quale scopo?

Andò a prendere la Volkswagen e la caricò fino all'inverosimile di scatole vuote e marcite, di riviste, di giornali vecchi. Gli ci vollero tre viaggi per disfarsi di tutta quella carta.

Poi si dedicò a vari pezzi di legno, che aveva tenuto per il caminetto, ma tanto... saranno stati tre anni che non lo accendevano. Caricò la macchina di tutto quel ciarpame, ma un pezzo di legno lo tenne da parte. Anzi, ci infilò dentro un chiodo lungo più di dieci centimetri, trovato nella cassetta degli attrezzi. Lo martellò in modo che entrasse all'estremità e che uscisse quasi completamente dall'altra parte. Lo mise in macchina, ai piedi del sedile anteriore del passeggero.

Intorno a mezzogiorno il garage era irriconoscibile. Certo, sarebbe stata necessaria una mano di bianco, ma già così sua moglie sarebbe stata contenta. Intanto adesso la macchina ci entrava.

L'ispettrice Coppo di primo mattino si recò alla sede INPS e si presentò al portiere. Nella moderna strutturazione di un ufficio si usa distinguere fra front-office, quello destinato all'interrelazione con il pubblico, e il back-office, quello dove il pubblico non può entrare e si svolgono le attività eminentemente produttive, amministrative, insomma le parti dove il pubblico, cioè i clienti, non possono rompere i coglioni. Negli uffici dell'INPS in questione chiunque avrebbe notato, e infatti lo notò anche la Coppo, c'era un certo sbilanciamento a favore del back-office, nettissimo, diciamo dieci metri quadrati contro uno. In effetti alle attività di front-office era riservata un'unica stanza, con tre sportelli, dei quali uno inutilizzato da anni, lo si capiva dal fatto che dietro il vetro si potessero intravedere degli scatoloni, probabilmente pieni di documenti da archiviare. Un tabellone elettronico era preposto a indirizzare il cliente allo sportello giusto, vale a dire l'1A e l'1B, perché ci fosse anche il numero sfuggiva alle persone in attesa, per il confort delle quali erano presenti sei poltroncine di alluminio, nuove di zecca, il cui aspetto contrastava fortemente con il colore fané delle pareti, mai rimbiancate e piene di fogli e foglietti appiccicati, con moltissimi avvisi stampati con una laser. Uno di questi, posizionato accanto al distributore dei numerini, riportava perentoriamente: «Non si garantisce il servizio a tutti i numeri distribuiti».

Il back-office era tutta un'altra cosa: ampi corridoi e uffici luminosi garantivano agli impiegati silenzio e tranquillità.

Incredibilmente alle otto e venti i membri della Banda dei Quattro erano già presenti al completo nei rispettivi uffici. Ad accogliere l'ispettore fu il più anziano e il più alto in grado, vale a dire Trentanove. Questo rimase stupefatto che si trattasse di una donna, piacente, elegante e relativamente giovane, sui quaranta.

Trentanove disse la battuta più cretina che gli potesse venire in mente: «Piacere, dottor Trentanove, lei Trentacinque?».

Spesso aveva giocato sul suo cognome, in altri casi usava «Trentanove di nome e di fatto», ma in Veneto non ridevano molto, non la capivano, forse soltanto qualche maialona dell'Est.

La dottoressa Coppo abbozzò un sorrisetto affettato e fece finta di non aver capito. Ci furono le presentazioni ufficiali: dottoressa Quagliarella, dottor Parolin, dottor Mammì.

«Non ci aspettavamo un ispettore di queste nobili fattezze», disse Mammì, pensando che in questo caso dovesse entrare in gioco lui, assieme al suo fascino irresistibile.

La Coppo si sentì un po' pressata, le stavano tutti addosso, cercò di mantenere un po' le distanze, anche fisicamente. Aveva con sé una gigantesca borsa di pelle, i quattro la fissavano come se lì dentro ci fosse contenuto il loro futuro.

«Bene, vorrei che mi fosse messo a disposizione un terminale, come d'accordo, e tutti gli accessi possibili, e le password. Ma il direttore non c'è?».

«No, il direttore è impegnato a Venezia. Per questa mattina è assente».

«E io come ci parlo?».

«Nel pomeriggio, nel pomeriggio. Ma lei fino a quando si trattiene?».

«Ah, spero il meno possibile. Ma d'altronde dipende tutto da voi. Se mi coadiuvate penso di poter effettuare i controlli in poco tempo, sempre che fra noi ci si capisca subito. E non so se mi spiego, qui non si parla di bruscolini, ma di cifre a molti zeri, e l'altra non è un'unità».

Trentanove fu preso in contropiede. Porca miseria, questa qui va al sodo, questa qui parla chiaro, le dobbiamo fare immediatamente un'offerta, e parlarle prima che torni il direttore. Quel cretino, minus habens, potrebbe rovinare tutto con una parola. E questa lo sa, probabilmente gliel'hanno detto.

La Banda dei Quattro si consultò immediatamente, dopo il segnale di Trentanove. La Coppo nel frattempo si era chiusa in un ufficio, e stava utilizzando il terminale di Galati, assente per ferie.

«Quella lì non perde tempo, ha parlato di zeri, e l'altra cifra non è un uno».

«E se non è uno che sarà, due?».

Ci fu una rapida discussione e si arrivò a una cifra massima, cioè che ciascuno si sarebbe tassato per 100.000 euro, per arrivare a 400.000, ma al massimo, proprio al massimo. «Meglio cominciare proponendole 200.000».

«Ma il direttore quanto deve sganciare?».

«Il direttore non deve entrarci niente, quello ci fa andare tutti dentro, ma lui non ci va».

«Eh...».

«Eh sì».

Intorno alle dieci Trentanove con goffa galanteria bussò alla porta dell'ufficio dove si era chiusa l'ispettrice e le ricordò che a quell'ora di solito c'era la pausa caffè: «Ne desidera uno?».

Stranamente la dottoressa Coppo indossava dei guantini di lattice. Che fosse allergica? Oppure una fissata per l'igiene?

«Sì grazie, un caffè d'orzo, con un po' d'acqua tiepida a parte».

«Zucchero?».

«Ma che, mi vuole ammazzare?».

Trentanove si recò personalmente al bar a ordinare l'orzo, lo portò alla Coppo e così riuscì a penetrare nell'ufficio di Galati. Sullo scontrino del bar aveva scritto 200, senza aggiungere altro, intendendo duecentomila.

La Coppo prese lo scontrino e lo controllò. Estrasse dalla borsa il portamonete, e da quello cavò fuori l'euro e cinquanta dovuto.

«Ma per carità, è nostra ospite».

La Coppo guardò ancora lo scontrino.

«Queste sono cose su cui bisogna pensare, ma mi sa che ci dovete pensare un po' anche voi».

«Senz'altro», replicò Trentanove. «Senz'altro».

Era tutto contento. Vabbè, pensò, ora parte la trattativa, ma forse ne caviamo le gambe.

L'ispettrice restò chiusa nell'ufficio per un altro paio d'ore, con mano libera, e guantata, sul computer. A fine mattinata si era stampata un numero enorme di tabulati.

Per il pranzo i quattro avevano organizzato un rapido brunch in uno dei migliori ristoranti della città. Stranamente l'ispettrice mantenne un comportamento austero e freddo, per giunta non gradiva alcuna delle specialità del ristorante veneto di altissima categoria, dove le proposero addirittura «polenta e osei», che in quel posto servivano soltanto a clienti fidati o di riguardo.

«Ma siete pazzi! Io non mangio carne, e figuratevi se mangio degli uccellini, che fra l'altro è anche proibito dalla legge!».

«Stavamo scherzando, dottoressa Coppo, si figuri se noi andiamo a mangiare polenta e osei».

Oddio, non sarà mica animalista, salutista, vegetariana, vegana, astemia?, pensava Parolin.

La Coppo ordinò un'insalatona, con avocado e melanzane. Ok, è vegana.

Quagliarella pensò che fosse opportuno cambiare argomento.

«Ah, io amo il sole, il mare, con tutta questa pioggia mi appassisco».

A Quagliarella pareva di aver detto una cosa spiritosa ma la Coppo non rise.

«Lei dove trascorre le sue vacanze?».

«Sull'Adriatico, a Silvi Marina».

«Ah, deve essere un bel posto, dov'è, in Puglia?».

«No, è negli Abruzzi».

«Mmhh, da quelle parti si mangia benissimo».

«Insomma, non per i miei gusti».

«Non le piace il pesce?».

«Non tanto, poi lì si mangia soprattutto carne».

La conversazione proprio non voleva decollare.

«Io sono diversi anni che vado a Sharm, mi trovo benissimo, ci vado a novembre, un paradiso».

La Coppo, che mangiava di malavoglia la sua insalatona, non disse niente.

«Lei è mai stata a Sharm?».

«Dove?».

«A Sharm el-Sheikh, in Egitto».

«No, io certe vacanze non me le posso permettere».

«A Sharm, ma se è il posto più economico del mondo. Deve credermi, è economico, con quello che spendi lì in un quattro stelle qui da noi ti danno pane e acqua».

Trentanove freddò Quagliarella con uno sguardo al cianuro. Ma sei scema? Qui a pane e acqua ci finiamo tutti quanti.

«Volevo dire che i prezzi sono veramente economici, lei ha degli hobbies?».

«Non particolarmente, non ne avrei tempo».

«Mi scusi sa, dottoressa», intervenne Parolin, che aveva ordinato fegato alla veneziana. «Ma qui la nostra Quagliarella ha l'hobby di rompere le scatole».

La Coppo esibì un risolino stentato.

«Beh, un hobby ce l'ho, mi piace correre, fare attività sportiva, insomma, il jogging».

«Che meraviglia! Qui in Veneto correre va molto di moda. Anche a noi piace correre, io per esempio corro in palestra, sul tapis roulant».

«Non mi pare la stessa cosa», commentò irritata la Coppo, che considerava quelli che corrono sul tapis, magari davanti a uno schermo TV, degli emeriti imbecilli.

«Io vado a correre tutte le domeniche», disse Parolin, mentendo.

«E quanto fa a chilometro? Ci arriva a quattro?».

«Quattro? In che senso?».

La Coppo capì che aveva a che fare con un millantatore, e lasciò perdere.

Si era creato un discreto gelo fra le parti, la Coppo uscì un attimo, si scusò, doveva fare una telefonata. In sua assenza la maggioranza dei convitati espresse brutte sensazioni, una persona impenetrabile, ma Trentanove rassicurò gli altri che era tutta una sceneggiata, quella lì sa il fatto suo, adesso fa la recita.

Però l'ispettrice non mangiò quasi niente, neanche finì la sua insalatona, lasciò sul piatto le melanzane, e non beveva vino. Questo per un veneto è un fatto altamente drammatico, e poco confortante. Ma siamo sicuri che questa...

Dopo un rapido caffè volle a tutti i costi pagare la sua consumazione, si fece addirittura preparare uno scontrino fiscale a parte, evidentemente per il rimborso, e non mostrò nessuna intenzione di trattenersi per un grappino, voleva essere riaccompagnata al più presto in ufficio.

Dopo aver scortato la Coppo fino alla sua postazione nell'ufficio di Galati – «A disposizione per tutto, dottoressa...» –, i Quattro si riunirono ancora una volta.

«Ma sei sicuro che le hai visto fare quattro con le dita?».

«E come no, mentre parlava della faccenda dei cani, ne ha sentito parlare anche lei, ha fatto quattro con le dita, inequivocabile».

«Il che vuol dire che possiamo proporre tre, e chiudiamo a tre e cinquanta».

«Ma non c'è un modo di addolcirla un po', avrà dei gusti pure lei».

«È da stamattina che ci penso, ma quella non si sbottona, sembra una tutta di un pezzo».

«Eh, anche lei dovrà stare bene attenta».

«Ma quale potrebbe essere il suo punto debole?».

«Io un'idea ce l'avrei. La controproposta di trecento gliela facciamo avere direttamente in albergo, con il fiocco».

«Ma di che stai parlando Quagliarella? Con il fiocco?».

«Tu non ti preoccupare, c'è la coperta pure per le femmine».

«La coperta? E che vuoi dire?».

«Voglio dire che le facciamo i nostri omaggi. Se tu

dovessi ingraziarti un ispettore maschio che cosa gli manderesti?».

«E che ne saccio io? Due belle bagascione di Chişinău».

«Bravo, vedi che ci sei arrivato?».

«E allora?».

«Allora ci penso io, so come muovermi».

«Ma tu che ne sai, Quagliarella?».

«Quello che basta».

Galati in tarda mattinata era andato a liberarsi dei rifiuti solidi al centro smaltimento, e da lì aveva telefonato alla moglie: «Non ci sono a pranzo, qui va per le lunghe».

Stefania aveva tirato un sospiro di sollievo.

Mentre Walter guidava la Volkswagen in direzione di Mestre suonò ancora il telefono: ma che voleva ancora Stefania?

«Pronto, sono la dottoressa Marta Coppo, parlo con il ragioniere Galati Walter?».

«Sì, sono io».

«Mi deve scusare signor Galati, so che lei è in ferie, la disturbo?».

«No, di che si tratta?».

«Eh, mi deve scusare ma sarebbe una faccenda di ufficio, e io, non so come giustificarmi, avrei bisogno di avere qualche informazione da lei, vede, io sono un'ispettrice».

«Eh, bene, dica pure, ma non vedo come la mia posizione possa... esserle d'aiuto».

«No, beh, sa, io credo di aver bisogno di parlare con lei, ci sono troppe cose che non quadrano nell'informatizzazione dell'ufficio di Treviso, e se lei fosse così gentile...».

«Dica pure, per quanto posso...».

«No, vede, preferirei parlarle di persona, non per telefono, potremmo...».

«In questo momento sono fuori Treviso, e lo sarò anche domani e dopodomani mattina, sa, sono in ferie, se vuole potremmo incontrarci mercoledì pomeriggio».

«Così tardi?».

Walter cercava di ragionare il più velocemente possibile.

«Prima non posso. Ma il direttore lo sa?».

«Ecco, no, veramente vorrei parlarle a quattro occhi e senza che lo sappiano nell'ufficio, e soprattutto il direttore».

«Oddio, ma di che si tratta?».

«Non se lo immagina?».

Certo che se lo immaginava.

«Mamma santa, lei mi fa paura, signora Coppo».

«No, lei non deve avere nessuna paura, signor Galati, se mi aiuterà non deve temere niente. Mi contatti quando è di ritorno, questo è il mio cellulare, se no mi trova all'Hotel Parc e du Lac, camera 303».

«Ma lei ha una macchina? Dico nel caso dovessimo incontrarci fuori Treviso».

«Sì, ho una Citroën C5 blu».

«D'accordo, la chiamo senz'altro».

«Grazie signor Galati, e non ne parli con nessuno».

«Senz'altro».

Galati cercava di riflettere e di riassumere i dati. Accento lievemente abruzzese, ma di una persona che ha vissuto molti anni a Roma, una voce relativamente educata, senza toni troppo acuti. Mentre parlava stava facendo qualcos'altro, probabilmente stava digitando qualcosa al computer. Si era premurata di ricordargli che lei aveva una Citroën C5, come se lui non ne fosse informato. E che alloggiava al Parc du Lac. E che pensava, che lui non lo sapesse?

Era la prima volta che Walter si trovava in una situazione del genere. Temeva di imbattersi da un momento all'altro in una macchina blindata con quattro persone armate di mitra da guerra. L'ha fatto per rintracciarmi col satellitare?

Galati viaggiava in macchina, cercando di raccogliere le idee, era vicino a Porto Marghera, in mezzo a squallidi capannoni e a canali abbandonati, dove qualche nave arrugginita turca mostrava una indifferenza estrema nei confronti delle condizioni atmosferiche. Walter provava a chiamare al telefono la moglie, ma era sempre occupato.

Ci sarebbe stato da aspettarsi che quella giornata Stefania l'avrebbe passata al telefono, cercando di rintracciare Salvatore. Invece, probabilmente per il fatto che quello stronzo al telefonino non si faceva trovare mai, risultava irraggiungibile, lei non lo chiamò. In realtà la faccenda le dava dei pensieri, sicuramente, che peraltro non riguardavano la possibilità di essere scoperta da Walter, uno stupido, impegnato a ripulire il garage.

Walter arrivò nell'area portuale di Porto Marghera e si infilò in un dedalo di stradine. Raggiunse il luogo che cercava, posteggiò la Volkswagen e aprì una porta di ferro con la chiave. Nell'enorme magazzino c'erano alcuni imballaggi di legno che provenivano dal Regno Unito. Stranamente la zona era illuminata, e c'era una guardia giurata che sorvegliava le casse.

«E qui dentro che c'è?», chiese Galati a un signore non più giovane, robusto.

«Ah, opere d'arte. Sono assicurate per svariati milioni, ma chi vuoi che se le rubi? Il problema è se si rompono».

«E che sono, di porcellana?».

«Ma che cazzo vuoi che ne sappia io, l'importante è che domani se le vengano a prendere».

Due operai stavano sballando con delicatezza le casse.

«E perché le aprono?».

«Perché devono venire gli incaricati a controllare che non si siano rovinate le opere durante il trasporto, dice che sono molto delicate».

«Ti devo dire una cosa», avvertì Galati.

«Me lo immaginavo».

I due si chiusero in un ufficio separato dal resto del magazzino da una teca di vetro. La scrivania del signore anzianotto era colma di fogli, di documenti, di timbri.

Parlarono tranquillamente per una mezzoretta, poi Walter se ne andò, dopo aver firmato qualche foglio anche lui.

Uscito dal magazzino, Walter fece a ritroso il percorso di andata. Rimontò in macchina e ripartì. Pioveva forte e nonostante fossero le quattro del pomeriggio pareva quasi buio. Lungo il Terraglio si fermò nei pressi dell'ingresso di una villa. Aspettò un po' fuori. Sul cancello era affisso un cartello che intimava: «Can che morde».

Uscì dall'auto, e controllò il cancello. Sotto la pioggia sbloccò il fermo dell'apertura automatica ed entrò. Non era una bella villa veneziana, era una costruzione degli anni cinquanta, orribile. Nel giardino c'erano perfino i sette nani, che dicono che portano fortuna. La casa non sembrava abitata, o per lo meno occupata in quel momento. Il rottweiler arrivò subito e non abbaiava, era stato addestrato ad attaccare senza fare rumore. Balzò su Walter pronto a strappargli qualche arteria, sul collo o vicino al femore. Walter estrasse il pezzo di legno chiodato e glielo stampò sul cranio. I dieci centimetri di chiodo penetrarono per intero nella scatola cranica dell'animale, ma questo, per qualche istante, continuò nel suo attacco. Walter dovette difendersi. Comunque nel giro di pochi secondi il cane perse conoscenza, se così si può dire.

Galati lo trascinò verso il cancello che ancora si muoveva. Quel rottweiler pesava un quintale, senza esagerare. Lo lasciò lì, in bella vista, dopo avere recuperato l'arma, che era rimasta conficcata nella testa. Richiuse il cancello e ripartì alla volta di Padova.

Lo pseudo-pene delle iene

La iena maculata (*Crocuta crocuta*), nota anche come iena ridens a causa del suo agghiacciante verso che assomiglia a una risata umana, è un membro della famiglia degli *Hyaenidae* (non sono canidi) che frequentemente compare nei manuali di etologia. I suoi comportamenti sono suggestivi, efficaci, vincenti, eppure, almeno per gli esseri umani, stravaganti e infami, e quindi da stigmatizzare.

In generale le iene si distinguono per una fitness assai elevata, dovuta alle loro abitudini alimentari: sono formidabili cacciatori ma anche spazzini. In gruppo, grazie anche a una grande velocità di corsa (oltre i 60 chilometri all'ora), che possono mantenere a lungo, e a efficaci strategie di caccia collettiva, possono predare ungulati anche molto più grandi di loro, scegliendo accuratamente la vittima designata. La circostanza che il leone predi la vittima e che le iene gliela sottraggano forse non è più frequente del contrario.

Ma le iene, grazie alla potenza del loro morso, sono in grado di maciullare ossa e carogne, e non lasciano sul terreno avanzi: mangiano tutto, e in questo senso sono dei perfetti saprofagi. La competizione fra le iene del gruppo è feroce e rispetta rigidamente le gerarchie.

Spesso le iene entrano in lotta per le prede, morte o vive che siano, con altri predatori, grossi felini, per esempio. Nel caso delle iene vale la legge del materialismo dialettico, elaborata da Friedrich Engels, cioè la conversione della quantità in qualità. Engels fece il famoso esempio dei guerrieri mammelucchi: un guerriero mammelucco da solo, all'arma bianca, ha facilmente la meglio su un soldato inglese. Ma molti soldati inglesi, in quanto ben organizzati, hanno la meglio sullo stesso numero di guerrieri mammelucchi (forse grazie anche a potenti fucili). Così un leopardo avrà facilmente la meglio su una iena da sola, o due, ma non contro quattro o dieci. E al leopardo non passa neanche per la mente di allearsi con altri leopardi per non farsi togliere la preda dalle iene.

Ma l'interesse etologico della iena maculata va oltre, a causa delle sue abitudini comunicative e sessuali. Prima di tutto nei branchi vige un assoluto matriarcato, cosa infrequente nei mammiferi carnivori, nei quali l'accentuato dimorfismo sessuale a favore del maschio genera gerarchie precise. Nel caso delle iene maculate il dimorfismo sessuale è alla rovescia, le femmine sono molto più grandi e aggressive dei maschi, e la femmina alfa domina il gruppo. Essa sottopone tutte le sue rivali a riti di sottomissione, che non consistono soltanto in combattimenti, reali o soltanto esibiti, ma anche in atti di penetrazione. Questo è possibile perché la femmina di iena maculata dispone di un pene, chiamato pseudo-pene, erettile, con il quale esercita una serie di atti di dominanza, compreso il coito.

Lo pseudo-pene in erezione è utilizzato per la cosiddetta «cerimonia di saluto» fra i membri del branco, nella quale le femmine anziché annusarsi le aree ano-genitali, come fanno per esempio i cani, si annusano il pene: questo pseudo-pene è il risultato di una particolare evoluzione del clitoride, dovuta probabilmente a una sovrabbondanza nella femmina di ormoni maschili, vale a dire il testosterone (ma ci sono opinioni contrarie, i maschi hanno quantità lievemente superiori di testosterone eppure sono assolutamente dominati fisicamente dalle femmine, anche loro devono sottoporsi alla penetrazione anale).

È complesso individuare i benefici evolutivi di un simile comportamento e fisiologia. La femmina di iena maculata paga pesantemente questa sua natura: il feto alla nascita deve passare per uno stretto canale dentro lo pseudo-pene, il che produce una alta mortalità nel feto e nella madre. Ma evidentemente i vantaggi sociali di avere un pene, pur senza che questo sia capace di eiaculazione, sono superiori a quelli di partorire normalmente.

Per il Dizionario dei Simboli di Chevalier e Gheerbrandt la iena è simbolo di un grado di iniziazione rudimentale e basso, almeno nella cultura dei Bambara (Mali). La storia della iena ridens nell'immaginario collettivo è tanto ampia che non basterebbe un trattato: di solito la iena è simbolo di nefandezza, vigliaccheria, doppiogiochismo, cattiveria e tutta una serie di valori negativi, che naturalmente non hanno nulla a che vedere con l'affascinante mondo delle iene.

Essendo rimasto in possesso della carta di identità
del giovane a cui aveva tagliato la gola la sera precedente, Walter Galati rintracciò la sua matricola univer-
sitaria. Da quella fu in grado, dopo una telefonata ai
genitori del ragazzo che abitavano a Lamezia Terme,
di conoscerne l'indirizzo. Stava presso una signora che
affittava a studenti, peraltro irregolarmente, due stanze del suo appartamento.

Lo raggiunse, si trovava in un quartiere nella periferia di Padova, a Porta del Brenta, vicino all'Ikea, pa-
lazzine anni cinquanta-sessanta.

La signora, che si chiamava Trevisan, in un primo
momento negò risolutamente che in casa sua abitasse-
ro degli studenti.

Walter la rassicurò, le disse che era un cugino di
passaggio, e che doveva lasciare un pacco da parte
dei genitori, giù a Lamezia. Era un dolce tipico, i
turtiddi fritti. «Per lei signora, mi permetto di farle omaggio di questa bottiglia di nocino fatto in casa, è veramente speciale, un nocino così qui non si
trova».

La signora ne fu lusingata e passò dall'avversione per

quel signore abbastanza compito, anche se aveva un forte accento del Sud, a una certa simpatia.

«Che vuole, sono vedova, e i miei figli sono a lavorare fuori, le loro camere sono libere, e a me rincuora ospitare dei giovani studenti».

«Ma si figuri, se tutti facessero come lei il mondo sarebbe migliore».

«Grassie».

«Ma mio nipote si è fatto vivo? Sa mica dove lo posso trovare? Frequenta qualcuno nei paraggi?».

«Ah», disse la signora Trevisan al secondo bicchiere di nocino, «non dovrei dirle, visto che lei è il suo zio, ma Salvatore è un po' scapestrato, lo sa? Tante volte non torna a dormire, la notte. Per esempio ieri sera, non è mica tornato. Poi dorme per un giorno di fila, non lo so quando studia. Ma che vuole, sono giovani, se non si divertono adesso...».

«Senta signora gentilissima, le dispiace se vado un attimo in camera di Salvatore? Gli lascio un messaggio. Vediamo se quel cornuto si fa vivo con lo zio, lo sa che da bambino ero io che lo portavo a mare?».

«Ma prego, si accomodi».

In dieci minuti Walter copiò su un removibile tutto il contenuto del disco fisso del computer di Salvatore. Scrisse un messaggio a mano, un biglietto. «Brutto cornuto, hai avuto quello che ti meriti», senza firma, lo ripiegò e lo infilò dentro il portatile, prima di chiuderlo. In più estrasse dal giaccone il pezzo di legno con il grosso chiodo sporgente, sporco di sangue rappreso. Lo infilò sotto il materasso.

Quindi tornò in salotto, dove la signora Trevisan, che di bicchieri di nocino se ne era scolati almeno un altro paio, stava guardando la televisione.

La salutò gentilmente.

«Lo aspetterei volentieri un altro minuto», disse alla signora, «ma purtroppo ho il treno, devo scappare, la ringrazio gentilmente, e mi raccomando, ci dia un'occhiata a quel picciotto, che non si metta a frequentare persone sbagliate», e se ne andò.

Tornato a Treviso il tempo era ancora peggiorato, non si vedeva niente, la pioggia infieriva, e il vento era implacabile.

Quando fu a casa posteggiò l'auto nel garage, adesso sì che c'era posto.

Alle sei si mise a lavorare al computer, Stefania non c'era. Dette una rapida occhiata ai materiali di Salvatore, il computer non lo utilizzava per i suoi studi universitari. La posta elettronica non la usava mai, Facebook solo per dire stronzate ai suoi amici e a qualche ragazza e a svariate signore. Non gli fu difficile immaginare le password, era sempre la stessa: Salvatore. Fra le amiche di Facebook c'era anche Stefania, che in giornata gli aveva mandato quattro messaggi, più o meno tutti sullo stesso tono: «Ma come hai fatto a levare le tende, sai che mio marito non si è accorto di niente?». «Sei un fenomeno». «Mi manchi».

Walter scuoteva la testa. In linea di principio non era una cosa buona che qualcuno potesse risalire alla relazione del ragazzo con sua moglie, ma probabilmente non ne avrebbero avuto il tempo.

Mah, in quel computer non sembrava esserci niente di interessante, solo stronzate. Allora cominciò a dare un'occhiata ai traghetti per Procida, e a quello che si poteva sapere sul signor Pozzobon, residente nell'isola. Naturalmente sul Pozzobon non c'era niente, almeno ufficialmente. Un collaborante di giustizia? Ma proprio a Procida? La faccenda non gli tornava neanche un po'.

Alle sette uscì di nuovo, sotto una pioggia incessante. Lasciò un biglietto a Stefania: «Torno dopo».

La dottoressa Coppo, stanchissima, fece ritorno in albergo, erano quasi le otto e mezza. Mangiò sbrigativamente, senza neanche salire in camera, un riso in bianco all'olio, non al burro, al ristorante, pessimo, dell'albergo, sempre col suo computer di fronte. Non mollava mai ma adesso aveva veramente esaurito tutte le energie. Voleva farsi soltanto una doccia calda e una bella dormita, dopo la telefonata alla figlia. Come dessert prese due fette di ananas, poi ritirò la sua chiave. Il portiere, che continuava a sembrare un non vedente, le consegnò una busta contenente un biglietto di cartoncino: c'era scritto soltanto «Buona serata!», senza firma.

La solita storia...

Mentre era in ascensore ripensò a quando e al perché aveva accettato questo incarico, che fin dall'inizio non le era piaciuto. Lavorare su dei colleghi... sarà un problema... ma prendere o lasciare, non poteva certo declinare e la cifra per la trasferta le faceva molto comodo.

Nel corridoio squillò il suo cellulare.

«Pronto, amore, allora, come va? Stai bene?».

«Cosa?».

«Sei ancora a fare i compiti?».

«A quest'ora?».

«Ah, la prof? Ma quella è una criminale... Caricare i bambini di compiti in questo modo... fatti fare la giustifica da papà».

«Non c'è?».

«Ancora la baby sitter?».

In quel momento cadde la linea.

Marta, indispettita, entrò nella camera 303 ma appena fu all'interno capì che c'era qualcosa di strano, in primo luogo un odore, odore di uomo, acre, potente. Aspettò ad accendere la luce inserendo la tesserina magnetica nella fessura, nella stanza buia sentiva un respiro, o forse due.

C'era qualcuno nella camera, sentiva delle vibrazioni, negative. Ok, se lo doveva aspettare, lasciò la porta di legno massiccio aperta, e ci si riparò dietro. A quel punto infilò la tessera magnetica.

Si accesero le luci e partì una musica a tutto volume, di genere disco anni ottanta. Le ricordava il brano *Spacer* di Sheila and Black Devotion ma non era esattamente identico. Improvvisamente si accesero un paio di riflettori al centro della stanza, ma che caz..., comparvero due ragazzotti fra i venti e i trenta che si misero a ballare al suono di *Crying at the discoteque*, che facevano finta di cantare in play-back.

I saw you crying
I saw you crying at the discoteque
I saw you crying
I saw you crying at the discoteque
I wanna get down
You spin me around
I stand on the borderline
Crying at the discoteque
Crying at the discoteque

I due manzi, molto agitati, indossavano dei ridottissimi slip rosa che mettevano bene in mostra il pacco, delle canottierine che arrivavano appena sotto i capezzoli, dotati di piercing ad anello, e lasciavano in vista la tartaruga sulla pancia, abbronzatissima. Sulle canottiere di entrambi campeggiava una scritta senza senso: 300. Si riferiva al film dove pochi greci fascisti ammazzano migliaia di persiani? I due ragazzi erano tutti unti, di qualche olio speciale, tipo quelle schifezze che si mettono addosso i culturisti. A Marta Coppo stavano per mancare i sensi e guardava i due come se fossero stati due alieni venuti da Marte, a bocca aperta.

La cosa strana è che entrambi avevano in testa un casco da motociclista, che però rapidamente, nel corso dello show, gettarono via, liberando i riccioli mori e abbastanza unti anche quelli.

Alla signora Coppo cadde la borsa per terra, mentre i due le si avvicinavano, con movimenti sensuali facevano cenno di strusciarsi addosso a lei, pur senza toccarla, ma si facevano sempre più vicini.

Cominciarono a togliersi le canottiere, e anche le scarpe. La dottoressa Coppo cercò disperatamente di chiamare la portineria col telefono, ma nessuno rispondeva.

I due muscolosi le si avvicinavano, uno tirò addirittura fuori la lingua, con atteggiamento volgare. Il ritmo forsennato per un momento si interruppe, una voce recitante diceva:

The passion of the groove
Generation on the move
Joining of the disco tribe
Let the music take you high

I due spogliarellisti rallentarono le mosse, e cominciarono a sfregarsi da tutte le parti, l'uno con l'altro e con se stessi, entrambi si massaggiavano il pube e mostravano segni di un'eccitazione incontenibile. Poi il groove riprese piede, il riff riattaccò e i balletti ricominciarono esagitati.

The golden years
The silver tears
You wore a tie like Richard Gere
I wanna get down
You spin me around
I stand on the borderline
Crying at the discoteque
Crying at the discoteque

I ragazzi a questo punto si erano tolti anche gli slippini, e, con i membri barzotti e ondeggianti stile collo

118

d'oca, ancheggiavano in direzione della dottoressa Coppo, la quale si appoggiò al muro, in caso di svenimento.

In effetti scivolò a terra, sulla moquette.

I due le si avvicinarono, incombevano su di lei, piegavano le gambe, si rialzavano e si riabbassavano, con i membri a questo punto in completa erezione.

La dottoressa Coppo rovistò nella borsa ed estrasse uno spray urticante anti-stupro. Lo sparò negli occhi a tutti e due, e anche sui genitali, poi fuggì dalla camera, gridando per il corridoio: «Chiamate la Polizia, chiamate la Polizia, ci sono due uomini nudi nella mia camera!».

Quello della depilazione maschile totale è un problema non indifferente. Marta ci aveva fatto caso, i due ragazzi erano depilati *in toto*.

C'è una gerarchia di pregiudizi culturali a riguardo, che vanno dall'alto verso il basso e ritorno. Per esempio ormai non stupisce nessuno che un uomo si depili le gambe: lo fanno i ciclisti professionisti, che infatti hanno delle belle gambette lisce come neonati, per motivi di aerodinamicità, e soprattutto per i massaggi quotidiani a cui devono sottoporsi. I pelazzi renderebbero la vita difficile ai massaggiatori. Lo fanno anche i nuotatori, per penetrare con più facilità il mezzo acquatico, come lo definiva Totò.

Se un uomo irsuto tipo Lucio Dalla si depila la schiena non fa meraviglia a nessuno. Lo stesso, anche se un po' meno, vale per il torace e le spalle.

I problemi più legati alla modernità riguardano ascelle, pube e zone perianali. Le ascelle sono state un primo spartiacque: se uno se le depila è gay? Qual è il messaggio desumibile da una tale depilazione? Il pube è, come è evidente, una questione a sé: c'è chi sostiene che una simile depilazione metta più in evidenza i genitali, che sembrano più voluminosi. Eppure, in base a ricche testimonianze, è una depilazione che va eseguita quotidianamente, perché la peluria in ricrescita è fastidiosissima, almeno le prime volte, sia per l'interessato che per i partner.

Problemi analoghi se non maggiori si hanno per le depilazioni nella zona perianale, che se non viene eseguita spessissimo si trasforma notoriamente in una vera tortura.

Ma qual è il contenuto erotizzante del messaggio della depilazione? Marta non ebbe tempo per pensarci troppo, a lei peraltro gli uomini lisci e unti facevano schifo.

I due spogliarellisti non si sarebbero mai aspettati una reazione simile. Si rifugiarono in bagno, tentando di sciacquarsi le parti urticate, gli occhi e soprattutto i coglioni.

«Ma cazzo, quella lì è matta, è pazza, zio can».

L'altro era in condizioni peggiori, il glande gli bruciava da impazzire, come se l'avesse infilato nel peperoncino più piccante della scala Scoville.

«Ahh, mi brucia, mi brucia, non resisto, non resisto!».

Si infilò dentro la vasca da bagno e accese la doccia.

«Dio benedetto!».

«Sta 'tento!».

«Um brusa!».

Il fatto era che dentro la doccia c'era un uomo, vestito tutto di nero, che indossava un passamontagna di quelli da ladri, o da rapinatori.

Lo spogliarellista lo guardò, aveva la vista un po' appannata per via della sostanza anti-stupro, osservò meglio l'uomo col passamontagna. A giudicare dalla forma del deltoide non poteva essere che lui, quello che vedeva sempre in palestra.

«Ma lei, io la conosco, cosa fa qui dentro, hanno reclutato anche lei? Cosa deve fare vestito così, dei giochi sadomaso?».

Il tipo mascherato era in forte imbarazzo e non disse niente.

«Guardi che i xè tuti mati, bisogna scappare, scappare al più presto».

«E i vestiti? Li abbiamo lasciati nello spogliatoio qui al piano, e adesso come facciamo?».

«Leviamoci di qui, Loris, prima che torni quella matta, leviamoci», disse l'altro mentre tentava di alleviare il pizzicore.

Loris aveva riconosciuto il tipo mascherato, che era un suo compagno di palestra, ma non si rese conto che sarebbe stato meglio se non lo avesse riconosciuto.

Porca puttana, pensò l'uomo col passamontagna nel momento in cui estrasse una sparapunti di quelle grosse, che anziché punti sparava chiodi di sei centimetri.

Senza indecisione piantò i chiodi nelle tempie dei due spogliarellisti, prima dell'uno, tre chiodi, poi dell'altro, quattro chiodi. La carica automatica gli lasciava a disposizione tre colpi. Ci fu poco spargimento di sangue.

I ragazzotti si accasciarono a terra, scivolando sulle mattonelle umide, unti com'erano. Quei due pesavano più di ottanta chili a testa, ma l'uomo riuscì a farli passare per la finestra del bagno e a farli precipitare di sotto, sul retro dell'albergo. Un vero macello, ma per fortuna erano già morti e quindi non sanguinavano più. Dopo aver ripulito il bagno meglio che poteva, cioè alla perfezione, spense la luce e si gettò anche lui dalla finestra, aiutandosi con un lungo cordino da alpinismo che gli rallentò la discesa per i primi cinque metri.

Recuperò i materiali alpinistici e con una fatica bestiale riuscì a portare via, dietro il muretto, i due ragazzi, a nasconderli.

Nel frattempo nella camera 303 era arrivato il vicedirettore dell'albergo, insieme al portiere cieco e a un addetto alle cucine. Dietro di loro la dottoressa Coppo, furibonda.

Non trovarono nessuno in camera, però effettivamente c'era un registratore tipo Ghetto Blaster che continuava a mandare musica a tutto volume, e due riflettori portatili, quelli non appartenevano all'albergo. Furono ritrovati anche gli abiti di scena degli spogliarellisti.

In realtà il vicedirettore sapeva benissimo di che cosa si trattava, la signora Quagliarella gli aveva passato delle consegne precise, e anche un paio di pezzi da cinquecento.

«Non riusciamo a capacitarci».

La pioggia a scrosci nel frattempo stava ripulendo tutto il sangue che era rimasto sulla pavimentazione di pietra-cemento sul retro dell'albergo. Tutti pensarono che quei due se la fossero data a gambe, d'altronde erano stati pagati in anticipo, e se ne fossero tornati a Jesolo.

«Credo di poter spiegare la situazione. Probabilmente quei due ballerini hanno sbagliato camera, volevano fare un'improvvisata a un'altra persona che risiede nell'albergo. Io nel frattempo le porgo le mie scuse e le annuncio che lei da questo momento è nostra ospite, tutte le spese, dalla camera al bar e al ristorante, saranno a nostro carico. Una cosa del genere non era mai accaduta nel nostro albergo, e se dovranno cadere delle teste queste cadranno».

La dottoressa Coppo, ancora un po' sotto shock, volle credere alla versione del direttore.

«Mettete in ordine la stanza, sono troppo stanca e turbata. Ma state più attenti, in futuro. L'ho visto che non erano degli stupratori. E soprattutto mi auguro che non lo sappia nessuno, sa, sono una donna sposata. Se la cosa venisse fuori la gente penserebbe che li ho reclutati io. Non vorrei si trattasse di un brutto scherzo. Mi raccomando, non lo deve sapere nessuno!».

«Si figuri siora, non lo saprà nessuno, assolutamente».

Il vicedirettore e l'addetto alle cucine scesero al piano terra, e andarono a controllare sotto la pioggia battente il luogo in cui dovevano essere atterrati i due ballerini. Non videro niente di particolare, e in ogni caso anche se ci fosse stato avrebbero terminato loro le pulizie. Non ce ne fu bisogno.

La signora Coppo telefonò alla figlia, per risolvere il problema dei compiti.

«Va bene, domattina ci penso io, mando un fax alla scuola con la giustifica. Quando torno ci parlo io con quella là».

«Stai tranquilla amore, buonanotte».

«Baci baci baci, buonanotte».

«Ciao ciao ciao».

Alle nove e mezzo di sera lungo il Terraglio il vento faceva tremare gli alberi, e ruscelli d'acqua e fango scorrevano dappertutto.

Quando rientrando a casa il geometra Danilo Bustaz vide la pesantissima carcassa di Terminator a terra, insanguinata, giurò che avrebbe ammazzato con le sue stesse mani il responsabile. Romeni di merda, lo so che sono stati loro. Tornò alla macchina, una Range Rover Evoque, e dal cassetto portaoggetti estrasse l'automatica, una Beretta. Si nascose dietro una siepe per osservare la situazione e aspettò un po', ma non gli pareva ci fosse nessuno. Fece un giro intorno alla villa, non sembravano essere state forzate né porte né finestre. Controllò ancora, anche il sistema antifurto, non erano neanche entrati, volevano solo Terminator. Ma perché?

Aveva anche lui sentito parlare del cane decapitato ritrovato a Treviso, ma era convinto che la faccenda di Terminator non avesse a che fare con l'altra. Era certo che ce l'avessero con lui, e aveva anche un sospetto su chi fosse il colpevole. Brandendo la pistola entrò in casa, pareva tutto tranquillo.

Non si tolse nemmeno l'impermeabile, scolando acqua sul pavimento di legno. Fece un paio di telefonate, fissando un appuntamento con entrambe le persone in un pub di Caorle per la sera. «Ho bisogno di vederti», disse al primo. «Te lo spiego dopo, portati dietro anche il Mose», disse al secondo.

«Il Mose? Ma che è successo?».

«Una cosa molto seria».

«Ma il Mose non lo so se lo trovo. La situazione è così grave?».

«Tu trova il Mose, poi ci parlo io con il maresciallo».

Nonostante non avesse alcuna fiducia nella Polizia Bustaz telefonò alla Caserma di Mogliano Veneto per sporgere denuncia. Fra l'altro, che fare del cane? Come ci si comporta in questi casi, si chiamano le onoranze funebri?

«Per una denuncia deve venire qui».

«Ma che! Dovete venire voi, mi hanno ucciso il cane. Dovrete fare i rilievi no? Volete che vi porti l'animale? A parte che pesa novanta chili, è stato ucciso da gente che è entrata nella mia proprietà».

Bustaz guardò sconsolato la grossa mole di Terminator, un campione, che gli era costato un capitale per comprarlo, e altrettanto per addestrarlo. Di natura sarebbe stato un bonaccione, l'unico problema era che quando ti saltava addosso per farti le feste ti sbavava litri di saliva. Per fortuna al centro addestramento lo avevano fatto diventare uno che si faceva rispettare. I vicini lo detestavano perché aveva manifestato più volte un comportamento aggressivo, ma no, i vicini non potevano essere stati, era gente che si cagava sotto. Io lo so chi ha fatto questo, pensò Bustaz.

Dopo una mezzoretta arrivò la macchina blu della Polizia, immediatamente si soffermarono anche dei curiosi. Dopo dieci minuti tutti sapevano che era stato barbaramente ucciso un cane. Nei successivi cinque minuti, grazie al tam tam dei social, lo sapeva tutta la provincia. «Il killer dei cani ha colpito ancora».

Walter tornò a casa trafelato ed esausto che erano quasi le dieci.

«Ciao Stefania, scusa ma ho voluto sistemare il garage, vedessi, non lo riconosceresti».

Mise a scaldare un po' d'acqua, per farsi una minestrina in brodo, era tutto infreddolito.

«Guarda che prima di mangiare devi portare fuori Fufi, gli scappa».

«Ma perché non ce l'hai portato tu? Io sono tutto bagnato».

«Non posso, ho il raffreddore. E poi più fradicio di così non diventerai. Vai, su, gli scappa forte».

«Va bene, torniamo subito».

«Stai attento eh, lo sai cosa è successo a quel cane al parco».

Sotto la pioggia Walter malediceva Fufi e tutti i cani, fra l'altro l'ombrello lo doveva utilizzare non per proteggere se stesso, ma Fufi, se lo riportava in casa tutto bagnato poi chi la sentiva sua moglie? Così, tanto per passare il tempo – Fufi non ne voleva sapere di fare quella grossa – pensò a cosa sarebbe successo se lo avesse smarrito, e se poi fosse stato ritrovato senza testa anche lui. No, no, meglio di no, domattina devo partire presto per Procida, si disse. Era solo una fantasia.

Aspettando che Fufi facesse i suoi bisogni, Walter ripensava a quella volta che fu assalito da un cane feroce. Stava tornando da scuola, con la cartella sulle spalle, non uno zaino, una cartella di pelle, che era appartenuta a suo padre. Poteva avere sette anni, forse uno in più, non si ricordava bene.

A un certo punto cominciò a sentire delle grida, un signore che pareva impazzito correva dietro a un enorme cane, che doveva essere suo.

Le poche persone per strada presero a correre e a urlare anche loro. Il cane arrivò davanti a Walter, latrando e abbaiando. Mostrava le sue enormi zanne da lupo. Aveva il pelo raso, nero e marrone, un maschio, pensò Walter, che rimase impalato dov'era. Il cane mostrava la dentatura mostruosa, la bava bianca alla bocca, il muso insanguinato. Era furioso.

Il padrone dava di matto, urlava, strepitava, chiamava soccorso: «Lo sbranerà, lo sbranerà, aiutatemi!». Altre persone, riparatesi dietro qualche muretto, urlavano disperate: «Il bambino! Il bambino».

Walter non si mosse, non capiva cosa ci fosse da urlare. In quel modo eccitavano ancora di più quella bestia, che esitava a sbranare Walter. In ogni caso lui restò dov'era, senza scomporsi né gridare.

Alla fine arrivarono altre persone, col padrone della belva. Riuscirono a buttare una coperta sul cane, lo immobilizzarono e lo presero a mazzate. Quello si dimenava ma dopo un colpo più forte degli altri non si mosse più. Allora vennero fuori un sacco di persone, che continuavano a urlare e a disperarsi: «Il bambino, andate dal bambino!».

Walter, che era rimasto immobile e non aveva detto niente assistette a una scena selvaggia. Continuavano a dare mazzate al cane, anche se probabilmente era morto. Poi arrivarono i vigili, e a cose fatte anche la Polizia cinofila. Volevano portare il bambino in ospedale, chiamare la mamma, chiamare la polizia. Il padrone del cane era terrorizzato: «Mi è scappato, mi è scappato perché si è rotto il cancello, quello stronzo del terrier gli va sempre a rompere i coglioni al Tiger, da fuori, ma questa volta il cancello era aperto...».

Una signora in lutto teneva fra le braccia il cadavere di un cane di piccole dimensioni, doveva essere il terrier che andava a infastidire Tiger, protetto dalla cancellata. «Bisognerebbe ammazzare anche il padrone, e non basterebbe ancora. Chi mi ridarà il mio Plippi?».

I vigili trattenevano il padrone di Tiger, gli chiedevano le generalità, la gente intorno rumoreggiava: «Non si tengono cani così cattivi, questo è un cane da combattimento... bisogna stare attenti... è stato un miracolo... ci ha pensato il Signore... se no a quest'ora quella creatura...».

La creatura intanto se ne era svicolata via.

Walter tornò a casa e la mamma lo sgridò perché aveva fatto tardi. Lui non le raccontò niente della storia del cane, sennò quella sarebbe andata in ansia. La mamma andava sempre in ansia.

Finalmente Fufi riuscì a trovare la concentrazione per evacuare. Walter raccolse gli escrementi. Che ci fosse anche in questo caso da conservarli per portarli a fare analizzare dal veterinario?

Nonostante la pioggia il parco era stranamente popolato di gente, piazzata con l'ombrello agli angoli e sotto i lampioni. Ma che facevano? A un certo punto qualcuno gli puntò una torcia elettrica sul viso.

«Ma che succede? Chi siete voi?».

«Ah, signor Galati, è lei!».

Riconobbe la persona che gli indirizzava il fascio di luce negli occhi, un suo vicino di casa, anche lui proprietario di un cane, di nome Alessandra.

«Ma cosa state facendo?».

«Eh, non sa niente di quello che è successo?».

«Certo che lo so, ma non pensavo che...».

«Ci stiamo organizzando... ma sia prudente...».

«Me ne torno subito a casa...».

La pioggia si era infittita ancora di più, rientrarono a casa bagnati fradici.

Prima di riuscire a riscaldarsi col suo misero brodino di dado Walter dovette asciugare Fufi con il phon.

Per farsi un'idea della Riviera Veneta, come nel caso di altre categorie merceologiche, un criterio relativamente affidabile sulla qualità delle località balneari è quella dei prezzi correnti degli immobili al metro quadro. Sono cifre significative anche dal punto di vista simbolico: provate a dire a un vostro conoscente che possedete un'immobile a Forte dei Marmi, oppure al Lido di Camaiore, e vedrete che le sue reazioni saranno distinte. Eppure, tra le due località ci sono solo pochi chilometri.

Molto singolare il fatto che il litorale veneto sia praticamente per intero in provincia di Venezia. Padova, Treviso, per non parlare di Belluno, non hanno sbocchi sul mare.

Dato per scontato che a sud di Chioggia, nella zona lagunare, non esistono località balneari, se non forse Rosolina Mare, risalendo verso Nord troviamo il litorale di Pellestrina, affascinante località dove però la striscia di terra fra il mare e la laguna è estremamente sottile, fino a poco più di venti metri. Qui comunque le case valgono circa 2.500 euro al metro quadro.

Poi abbiamo il Litorale del Lido di Venezia, dove occorrerebbe fare un discorso a parte. Evidentemente la vicinanza di Venezia ha una significativa influenza sui prezzi, e quindi anche sul prestigio, o viceversa. La quotazione media è sui 3.000 euro, anche se va notato che ci sono differenziazioni fra Lido Centro (3.500 euro), San Nicolò (3.000) e Punta Alberoni (2.500).

Proprio da Punta Alberoni si accede con un rapido traghetto al Litorale del Cavallino (2.000 euro), altra striscia di terra che separa la laguna (Burano, Torcello) dal mare aperto. Da qui si passa al Lido di Jesolo (dai 2.300 ai 3.300 euro), a Eraclea Mare (non rilevato) a Caorle, la graziosità del cui centro storico porta le quote fino a 3.400 euro, mentre le zone balneari vanno intorno ai 2.500 al metro. L'ultima stazione è Bibione (3.000 euro), adiacente alla foce del Tagliamento e quindi al confine col Friuli-Venezia Giulia (Lignano Sabbiadoro, dove solo di poco si va oltre i 2.000 euro).

E dunque, se dovessimo basarci sulle valutazioni correnti degli immobili, ci accorgeremmo che, a parte alcune aree specifiche del Lido di Venezia, Jesolo e Caorle si contendono la posizione di spicco, anche se, come vedremo, non è così.

In un pub di Caorle tre uomini erano seduti a un tavolo, davanti a una bottiglia di whisky.

«Voi non capite un casso! Siete come i Verdi. Sono anni che ci rompono i coglioni con questa storia che avanza il deserto e che il pianeta va arrosto. Va tutto a ramengo, secondo loro, e qui diventerà un deserto, tutta sabbia. E non piove più, dicono questi stronzi, e c'è l'effetto della serra, e il diavolo che se li porti! Guardate qua, piove da quindici giorni, e qui finemo tuti in laguna. E questa saria la siccità! Ghe sboro! La verità è che xè tuta colpa del Nino... Altro che la serra, come i dice quelle merde dei Verdi».

«E che casso sarebbe sto Nino».

«Mi non so, ma xè per via del Nino, una roba di correnti in Perù, xè per questo che qui piove e lì no».

«E cossa c'entra il Perù?».

«Ma allora ti non li leggi i giornali... è per via degli esperimenti, hanno scaldato l'acqua, con l'aiuto

131

dei Verdi, e allora fa corrente e arriva da noi, e il mare caldo fa umidità, e si scalda l'aria, che poi sale, piena di umido, e dopo riscende e scarica. Le nuvole si fermano contro la montagna, il Montello, il Monte Grappa. Morale, l'acqua calda sale su e si scarica qui, un giorno dopo l'altro, l'acqua xè sempre la stessa che circola».

«E come ti fa' a fermarla la pioggia? Ti buti il ghiaccio in laguna?».

«E che casso ne so mi? Non sono mica lo Stato. Ma lo Stato queste cose le deve sapere. È lo Stato che ci deve pensare. Se no le tasse che le pago a fare?».

«Perché, ti te paga 'e tasse?».

«No, Maria Vergine! Ma lo Stato deve dare risposte, e i manda quei quattro mona della Protezione Civile a mettere i sacchi. Un'altra ombra!».

Dei tre seduti al tavolo due continuarono a parlare del tempo, e fra un'ombra e l'altra si prendevano in giro l'un l'altro. Il terzo beveva con calma, in silenzio.

Alle undici arrivò Bustaz, di pessimo umore, che raccontò quello che gli era successo.

«Mose, ti g'ha da ritrovarme quel stronzo che m'ha copa' el Terminator e quando ti l'ha trovao ti ne fa' come te pare, ti g'ha capio?».

Mose annuì.

«Stamani han copa' un altro cane a Treviso, ti g'ha sentio?».

Mose annuì un'altra volta.

«Allora vai a vedere se ci sono novità, e trovami quel maiale, capio?».

Mose non disse niente e deglutì un bicchiere da cucina di whisky. In realtà si mantenevano le proporzioni perché aveva delle mani talmente grandi che il bicchiere duralex da cucina in mano sua sembrava un bicchierino da vinsanto.

Lo avevano sempre chiamato Mose perché aveva in testa un cesto di capelli rossi, e una barba altrettanto rossa, anche se adesso cominciava a virare un po' sul bianco.

Oltre al fatto dei capelli rossi c'era un aneddoto che lo riguardava su quella volta che, a quanto si raccontava, da solo, era riuscito a svuotare un bacino di carenaggio alzando la diga con la sola forza delle braccia. Nonostante l'aspetto non era un selvaggio, bensì era dotato di pensieri evoluti, si dice che una volta fosse stato visto nell'atto di leggere un libro. In generale parlava pochissimo, per questo colse Bustaz di sorpresa quando domandò: «Chi xè che te vuol male? Mi dove devo andare a cercare?».

Bustaz qualche idea ce l'aveva, lui era una persona in vista, e aveva le mani un po' da per tutto.

«Ah, se mi lo sapessi... questa non me la aspettavo proprio... potrebbe essere la gente di Porto Marghera».

«Ti te devi dei sghei a qualcuno?».

«Certo che devo i sghei, ma sono di più quelli che li devono a me».

Le acque del Sile e dello Zero erano ben oltre i limiti di sicurezza. Lungo i margini e gli argini erano state disposte file di sacchi di sabbia, ma a che potevano servire se il livello si alzava ancora? In moltissimi luoghi i fiumi sversavano fuori, le zone critiche erano ormai abbandonate da almeno la metà della popolazione.

Quando un'enorme massa d'acqua, per via di una frana, defluì nel letto del Sile a monte di Treviso si produsse un'immediata esondazione all'altezza di Quinto di Treviso, vicino all'aeroporto.

In una roggia non lontana dalla frazione di Sant'Agnese il corpo di un uomo, che si trovava sott'acqua a circa tre metri di profondità, legato con delle funi di ferro a un oggetto metallico che non era altro che il gruppo del cambio di una FIAT Brava, cominciò a muoversi, la corrente era così forte e irregolare che il corpo fu come strappato via, si svincolò, uscì dal corso sotterraneo del canale e affiorò a galla, abbastanza mutilato.

La forte corrente gli portò via i vestiti che erano già mezzi marciti, così l'uomo nudo fu trasportato dai flutti in pieno centro a Treviso.

3
La concorrenza arriva sempre prima

Cari fratelli e sorelle,

che succede alla nostra Treviso, al nostro territorio? Perché il Signore Onnipotente ha deciso di sprofondare la nostra città nell'Apocalisse?

È il diluvio che ci sta colpendo, e ha gonfiato i nostri fiumi che stanno per esondare e distruggere tutto. L'uomo cerca di attivare delle pratiche di contenimento, ma il Sile sta per esondare, lo Zero è già uscito dal suo alveo, per non parlare del Piave, il fiume sacro alla patria, che da calmo e placido si è trasformato in una furia della natura.

È la fine imminente quella che sta minacciando la nostra città. E adesso, nuovi segnali ci vengono inviati. Un cane è stato decapitato, e la sua testa ritrovata lontano. «Testa di cane» è espressione ricorrente nella Bibbia: «Coloro che saranno esclusi dal regno dei cieli sono pure designati "cani"» (Apocalisse 22:5). E un altro cane è stato trucidato proprio nel pomeriggio di ieri. Ma questi sono segnali che preludono a qualcos'altro, e questo qualcos'altro sta per accadere: la violenza si scatenerà anche sugli uomini e le donne che riaffioreranno dalle acque anche loro, orribilmente storpiati, forse con la testa tagliata. È questo che dobbiamo attenderci? Ah, in quale baratro è

137

sprofondata la nostra città! E quante altre vittime usciranno dall'acqua, dalle rogge, dai canali?

Le nostre vigne, i nostri opifici, le nostre case sono in pericolo, ed anche le nostre vite. Il Maligno è penetrato nelle nostre famiglie. Pentiamoci! Siamo sempre in tempo di farci perdonare dal Misericordioso.

Don Carlo Zanobin
Omelia del celebrante
Parrocchia di *** (TV)

Alle quattro di notte, o del mattino, Walter uscì di casa. Era un'ora che gli piaceva, non c'era nessuno, soprattutto a Treviso. Sua moglie era abituata a svegliarsi senza che lui fosse nel letto, sapeva che si metteva in movimento presto, ma non aveva idea di quanto presto. Pioveva ancora, molto fitto e fine, questa volta, ma in lontananza, a Nord, si sentiva il borbottare di temporali. Galati prese la Volskwagen e partì per il suo capanno di pesca. Le strade erano tutte bagnate, piene di pozze, la macchina procedendo sollevava nuvole di schizzi. I canali, piccoli e grandi, erano ricolmi, strabordanti, rare automobili stracariche partivano nella sua stessa direzione, verso Feltre.

Non erano ancora le cinque che Walter raggiunse lo spiazzo dove di solito posteggiava la macchina, da lì in cinque minuti a piedi raggiungeva il capanno.

La situazione era un disastro, non si riusciva a camminare dal pantano. Il capanno era in posizione rile-

138

vata, non correva il rischio di rimanere sommerso dalle esondazioni né di essere travolto da una frana, ma contro la pioggia che ci si poteva fare? E dal tetto, malmesso, penetravano fiumi di acqua.

Quando fu nel capanno ebbe la chiara sensazione che ci fosse qualcuno o qualcosa, lì dentro, forse entrato dal pertugio nella fiancata di legno. Guardò meglio e vide una grossa testa davanti a sé, una testa bianca e piumosa, con due occhi spiritati. Era un barbagianni, che stava ritto sulla spalliera della seggiola imbottita di rafia. Non era la prima volta che lì dentro trovava un rapace notturno, allocchi, gufi, assioli, e soprattutto civette. Le civette gli stavano molto simpatiche e si facevano quasi toccare. I barbagianni lo inquietavano per il verso che facevano, sembrava l'ultimo rantolo di un morto, e lui ne aveva sentiti, di rantoli di morti. Gli allocchi erano abbastanza buffi, con quel becco piccolo in mezzo a un muso smisurato, e la faccia da imbecilli. Il barbagianni impaurito si mise a svolazzare in quel piccolo ambiente, andando a sbattere contro le pareti. Walter riaprì la porta e lo fece uscire, quello si allontanò con ampi e impressionanti colpi d'ala.

Una volta aveva letto un articolo su *Le scienze*, edizione italiana dello *Scientific American*, a proposito del barbagianni. Non si ricordava bene i presupposti scientifici ma il succo era che il barbagianni è l'animale più silenzioso del mondo. Il suo piumaggio è fatto in modo da trattenere il suono, riverberandolo all'interno del corpo dell'animale. Così questo uccello dall'apertura alare non indifferente non produce il mi-

nimo rumore, e può lanciarsi sulla preda, topi e ranoc-
chi fra l'altro, senza che la vittima possa presagire niente, almeno attraverso l'udito. Per Walter, nel suo lavoro, l'insegnamento della natura era sempre quello
più facile da comprendere. Però non capiva perché il
barbagianni fosse bianco, visto da sotto proprio can-
dido. E non è che sia di quel colore per mimetizzarsi con la neve. Normalmente i predatori notturni sono scuri. Certo, il mimetismo nella maggior parte dei
casi è difensivo, ma il barbagianni da chi deve difendersi? Parecchi strigiformi, come il gufo reale, si mi-
metizzano, sono tutt'altro che bianchi. E allora perché il barbagianni è bianco?

A Walter sembrava un gran bell'animale, che portava fortuna.

Azionò il meccanismo che apriva l'ingresso al rifugio sotterraneo e scese giù.

Ok, ora c'era da selezionare il materiale necessario,
fare lo zaino e muoversi. Con tutto quel fango meglio
portarsi la montura in macchina e cambiarsi altrove, forse alla stazione di Mestre.

Alle sei e mezzo, vestito come un escursionista mit-
teleuropeo, di colori scuri e verdastri, era già seduto
sul Frecciarossa Venezia-Napoli, che sarebbe arrivato
a mezzogiorno circa.

Durante il viaggio ebbe modo di studiare attentamente tutto ciò che sapeva sulla vittima designata, che
non era poi molto. Alcune informazioni, quelle più essenziali, gliele aveva passate l'Agenzia, come al solito.
Altre le aveva trovate da solo, nonostante il poco tem-

po a disposizione. Ma più ne sapeva e meno la faccenda nel suo insieme lo convinceva.

Allora il signor Pozzobon, nato nel 1934 ad Asolo, sposato con la signora Meneghello Ada, nata nel 1939 a Schio, viveva da circa una decina d'anni a Procida, dopo aver abbandonato moglie e figlia, Cinthia, allora ventiduenne, per andarsene a vivere nell'isola con la signora Luculescu Viorika, nata a Baia Mare, che è in Romania e non ha niente a che vedere col mare, nel 1961. A Camalò, la frazione del Trevigiano dove viveva la famiglia Pozzobon, c'era stato un discreto scandalo per la fuga improvvisa dell'uomo e della sua amante su un'isola del meridione.

Il Pozzobon e la Meneghello al momento attuale risultavano regolarmente separati e divorziati, secondo il corso abbreviato. Insomma il tipo aveva lasciato la famiglia, e non pareva che andasse mai a trovare la figlia, né che questa lo andasse a visitare a Procida, neanche saltuariamente. Una situazione un po' anomala ma chissà, forse era la madre che aveva voluto così, tagliare tutti i ponti con quel porco.

Galati si girava fra le mani la stampata che riportava una fotografia recente di Pozzobon. Sembrava un vecchio come tutti gli altri, non particolarmente vispo né particolarmente addormentato. La foto gli ricordava alla lontana qualcosa, ma non sapeva cosa.

Comunque a Galati non piaceva per niente tutto l'insieme, soprattutto che quell'uomo fosse originario di Treviso, possibile che fosse un caso?

Ma proprio a Procida quello si va a trasferire, dove praticamente sono tutti ex carcerati, o parenti, o conniventi, o camorristi, o simili. Eppure a Procida ci stanno anche molte persone venute da fuori, artistoidi, appassionati, stranieri... perché non a Procida? Certo Ischia sarebbe stata più compromettente, e Procida è così vicina... Però lo svantaggio enorme è che non ci sono vie di fuga. Basta il mare un po' mosso e non parte l'aliscafo, e come faccio a passare inosservato?

Che questo Pozzobon fosse un ex boss? Niente, non aveva trovato niente. Ma poi si chiamava veramente Pozzobon? Questo a lui non doveva interessare, di molte persone cui aveva tolto la vita non sapeva il nome vero.

Al signor Bustaz giravano molto i coglioni, per la faccenda della morte violenta di Terminator e per altre mille questioni, per lui più importanti, anche se il trapasso del suo cane gli aveva dato molto dolore. Inoltre non era affatto scontato che ciò che era capitato a Terminator non avesse nulla a che vedere con le altre vicende. Era questo che inquietava Bustaz.

Estrasse dalla tasca il suo piccolo quadernino, controllò alcuni appunti.

Mondo Atl. 135
Mango 30
Regione 160
Co. A. Co 15
Homo Coop 48
Sindaco 20
Investzia 800/900
Tomat 228
Zante 18

C'erano altri nominativi seguiti da cifre minori. Ma erano cifre? Una lista della spesa? Oppure mancavano degli zeri? Sembrava davvero un libro paga. Forse quello di un aguzzino, un cravattaro. I cravattari hanno sempre un quadernino dove registrano i prestiti accordati. E dunque Bustaz era uno strozzino, che aveva prestato a Mondo Atl. 135.000 euro?

E allora, e qui la faccenda si faceva più interessante, aveva prestato soldi anche al sindaco? E di quale Comune? Di Treviso? Di Bibione? Di Caorle? 20.000 euro? E chi si nascondeva sotto lo pseudonimo «Regione»? Forse un alto funzionario della Regione Veneto?

E il totale quindi? Bustaz era esposto per un milione e 454.000 euro? E chi erano questi di Investzia, che gli dovevano fra gli 800 e 900.000 euro?

In realtà c'è un fraintendimento. Lo si poteva capire dal labiale di Bustaz, nel riepilogare i conteggi. Alle cifre riassuntive appuntate dall'uomo non andavano aggiunti tre zeri, ma sei. Si trattava di milioni. Probabilmente milioni di euro, ma non è detto, potevano essere dollari, o franchi svizzeri, che valgono al cambio cifre simili, anche se non equivalenti. Inoltre non si trattava di cifre in uscita, ma in entrata. Si dirà, cifre così grosse su uno sdrucito quadernetto. Ma in fondo, pensiamoci bene, se a Yalta si sono decisi i destini di centinaia di milioni di persone con quattro sgorbi su un foglietto, si potrà anche tenere un conteggio di milioni su un quadernuccio. Per non parlare della riforma fiscale di Reagan, scarabocchiata su un tovagliolo al ristorante.

A Napoli Centrale Walter prese un taxi per il Molo Beverello.

«Signo', sono 25 euro, funfundsvanzic».

«Eccone dieci, è la tariffa». Galati allungò al tassista una banconota da 10 euro.

«Signo', a voi piace pazziare, siete proprio un pazzariello».

«La tariffa è dieci. Arrivederci e grazie».

«Mister, voi parlate bene l'italiano... ma noi ci capiamo poco... 25 euro mi dovete».

«So che la tariffa è dieci, me l'hanno detto dei residenti».

«Eh no, eh no, quella sarà la tariffa per i residenti, ma voi residente non lo siete». L'autista si guardò intorno per vedere quali altri tassisti c'erano in giro.

«Pasquale», gridò a un collega, «qui ho un cliente che non ci capiamo». Dette l'impressione di poter chiamare intorno a sé altri colleghi, tassisti o meno che fossero, per fargli un po' di paura.

«Cosa vuol fare se non le do più di dieci, mi picchia? Mi vuole ammazzare?».

«Eh, come ve la prendete calda, fatto sta che voi mi dovete pagare, io sono qui a faticare, e non mi diverto».

«Le sembra che io mi stia divertendo?».

«Signo', facciamo venti e non ne parliamo più, e nessuno passa un guaio».

«Signore, il guaio lo passa lei se insiste».

«No, il guaio lo passate voi».

«Cosa faccio, chiamo i Carabinieri? Oppure vuole risolverla fra di noi?».

«Allora siete voi che mi minacciate...».

«Arrivederci».

«Sfaccimm' 'e mmerda, ma tutti a me devono capitare?».

«Si tenga i suoi dieci euro. Voi siete i primi a dover trattare bene i turisti. Così poi tornano. Se li fregate sempre quelli si schifano. Dovete applicare il ragionamento sul lungo periodo, non sull'immediato».

«Ma voi siete pazzo», disse il tassista infilando i dieci euro nel taschino della camicia.

«Può darsi, ma dipende tutto dai punti di vista. Lei è soltanto un piccolo uomo di merda, che frega i soldi ai turisti. Le sembra un bell'orizzonte esistenziale? Non vorrei essere al posto suo».

Il tassista se ne andò, convinto che quello era un pazzo e un menagramo, meglio andarsene via che il fetente portava jella.

Galati andò alla biglietteria e acquistò il biglietto per Procida. C'era un po' di confusione al molo, perché il mare era mosso e si stava incattivendo sempre di più. C'era il dubbio che l'aliscafo neanche partisse.

Invece partì. Molti turisti erano in stato di eccitazione perché l'aliscafo saliva sulle onde e poi scendeva giù di schianto. Gli sventurati viaggiatori per diletto sembravano divertirsi molto, almeno fino a Nisida, poi le onde si fecero più lunghe e più alte, e in molti cominciarono a sentirsi male.

Galati respirava forte e tratteneva il fiato quando l'aliscafo aveva superato l'onda e scendeva giù. Altri viaggiatori non fecero così e vomitarono l'anima, per fortuna che il viaggio era breve.

Era vestito da trekker, con pantaloncini tecnici pieni di tasche, maglietta altrettanto tecnica da alta montagna, scarpe tecniche da avvicinamento. Uno zaino da alpinismo Marmot da 15 litri e nel complesso un'attrezzatura adatta a una traversata sui 3.000 metri di altitudine.

Sceso dal traghetto, sulle sue gambe a differenza di molti altri viaggiatori che non si tenevano in piedi, estrasse una mappa dell'isola, e si avviò senza incertezza verso il paese. Rimase un po' stupito dalla quantità di mezzi meccanici incolonnati per l'unica strada di Procida, che praticamente faceva un anello, ed era, fra mezzi fermi e mezzi in movimento, che erano fermi anch'essi, praticamente un'unica colonna di FIAT non recentissime, di APE, nella maggioranza, di APE Car, di taxi scoperchiati, di NSU Prinz del 1974 e di altri veicoli, tutti in coda, perfino una Ferrari Dino, e una BMW 6000. I motori accesi scoppiettavano e per tutta l'isola si diffondeva un fumo grigio-giallo dall'odore acre. Probabilmente questo succedeva all'arrivo di ogni traghetto o aliscafo. Quando attraccava la nave centinaia di mezzi col motore a scoppio si riversavano sul molo, quando arrivava l'aliscafo lo stesso centinaio invadeva il molo per andare a prendere i passeggeri a piedi. Non era un'isola da frequentarsi in auto, soprattutto se ci fosse stato da allontanarsi velocemente.

Per prima cosa salì fin dentro il castello Avalos, l'ex carcere, per vedere se il luogo gli potesse in caso essere d'aiuto come rifugio. Per anni il castello era stato chiuso al pubblico, adesso ne si poteva visitare una piccola parte. Si ritrovò sulle mura più alte della Fortezza.

Da lassù poteva vedere tutto il paese di Procida, e col binocolo – non era un binocolo qualsiasi – inquadrò perfettamente la casa di Pozzobon e signora. Non era di quelle case coloratissime e ben in vista, ma la si distingueva per una sorta di antenna che si ergeva dal tetto. Sovrappose la sua piantina mentale all'immagine, che peraltro era molto simile a quella di Street View.

Si guardò un po' in giro, poi si buttò sotto un muretto e da lì si infilò in una finestra con un'inferriata divelta. Ispezionò alcuni locali che dovevano essere stati dei posti di guardia, o spazi dove soggiornava il personale penitenziario. In caso di bisogno là dentro ce ne avrebbero messo di tempo a ritrovarlo.

Si incamminò dunque con aria baldanzosa e determinata, come un trekker tedesco, verso l'alberghetto dove aveva prenotato una camera, a nome di Helmut Russo da Amburgo. Disponeva di un passaporto tedesco a questo nome.

L'alberghetto dove aveva prenotato era abbastanza defilato, si chiamava Piccolo Tirreno Hotel residence, immerso in giardinetti di piante rigogliose, sembravano esotiche.

La mattina alle 9 la Coppo era tornata all'ufficio INPS, senza salutare nessuno, sembrava nervosa.

La Banda dei Quattro sapeva benissimo come fosse andata a finire malamente la faccenda dei ballerini. Il regalo non era stato gradito per niente.

«Abbiamo fatto una cazzata tremenda, solo per dare retta a te, che sei una donna. Pensavamo tu conoscessi meglio di noi la psicologia femminile».

«E io che ne sapevo... Magari quella ha altri gusti».

«Macché altri gusti, è sposata... ha anche una figlia».

«E che vuol dire».

La dottoressa Coppo si era chiusa nell'ufficio di Galati, come il giorno prima, e ci era rimasta per parecchie ore. Con una scusa Trentanove cercò di parlarci. Chiese se il messaggio era arrivato.

«Quale messaggio?».

«Quello che la quota è arrivata a trecento».

La Coppo fece un segno di sdegno.

«Va bene, possiamo arrivare al massimo a quattrocento, come ha chiesto lei».

«Io avrei chiesto quattrocento? Ma voi siete pazzi. Con chi credete di avere a che fare?».

«Ma noi...».

«Mi lasci andare, che ho appuntamento col direttore».

«Col direttore?».

I quattro si misero tremebondi ad ascoltare, attraverso la grata del condizionatore, cosa diceva la Coppo al direttore, quell'emerito cretino.

«Qui ci sono fatti molto gravi, signor direttore, e io sto redigendo un rapporto severo, ne ho già mandata una parte alla sua direzione generale, e siamo solo all'inizio. In questo ufficio cadranno molte teste, ma lei non si è accorto di niente?».

«Io... accorto di niente? Ma certo, gradisce un pasticcino?».

«I pasticcini non li mangio, grazie, non mangio certe porcherie».

«Porcherie? Ma vengono dalla migliore pasticceria di Treviso, sa? Allora un caffè?».

«No, grazie. Vede qui? Legga un po' l'abbozzo di relazione. Ne vedrà delle belle».

Il direttore fece finta di leggere, tanto non ci capiva niente.

«Vedo, vedo», ripeteva. «Un altro pasticcino?».

«E lo sa che ho la vaga sensazione che qualcuno stia cercando di corrompermi?».

«Corromperla?».

«Non ne sono molto sicura, ma sto registrando tutto col telefono».

«Col telefono?».

«Penso in questo modo di dovermi trattenere assai poco in questa sede».

«Trattenersi poco in questa sede?».

Il direttore non sapeva cosa dire, e quindi ripeteva la frase col punto di domanda. Per fortuna alla Coppo suonò il telefono.

«Pronto? Sì, sono io».

«Cosa? Giada? La febbre? E quanto ha?».

«Trentotto e mezzo? Oh mamma mia, ha le placche? Avete visto se ha le placche?».

«Eh no, io sono in trasferta, avete chiamato mio marito?».

«Non risponde? Ma è impossibile, avete provato in ufficio?».

«Una perizia? Fuori per una perizia? Oddio, e adesso come si fa?».

La telefonata andò avanti per un quarto d'ora, alla fine fu trovata una soluzione, sarebbe andata a prendere la bambina la vicina di casa. La Coppo pareva provata e preoccupata.

Si riprese, bevve un bicchiere d'acqua e tornò a rivolgersi al direttore: «Comunque mi manca solo di parlare con l'impiegato Galati, che per altro è l'autore materiale degli inserimenti, è l'unico tassello che mi manca, ma mi dicevate che il Galati è in ferie, vero?».

«Galati, chi è Galati?», chiese il direttore.

Galati? Oh no, Galati no, pensarono i quattro che erano in ascolto.

La Coppo lasciò il direttore e uscì a prendere un caffè, da sola.

Nel frattempo dal front-office dell'INPS, si sentirono rumori e grida, un signore sui sessanta aveva semplicemente perso la testa e stava cercando di mettere le mani sulla gola dell'impiegata allo sportello.

L'uomo, completamente fuori di sé, era riuscito a passare dall'altra parte del vetro, e si era gettato contro l'impiegata, cercando di strozzarla.

Urlava: «Io t'ammazzo! Io t'ammazzo! Come sarebbe a dire che non me li puoi dare! Sono qui da stamattina alle sette!».

Aveva la faccia paonazza, in piena crisi, gli altri impiegati cercarono di staccarlo dalla donna, dal back-office ne arrivarono altri ancora, ci volle l'intervento di almeno quattro persone, ma quello sussultava, non voleva recedere.

Finalmente arrivarono due robusti agenti della security che riuscirono a bloccarlo a terra.

Il problema era che in sala d'attesa il popolo rumoreggiava, ondeggiava accalcandosi davanti agli sportelli, e in gran parte solidarizzava con il cliente impazzito. Un vocio generalizzato, minacce: «Non ne possiamo più!». »Sono ore che stiamo qui e c'è uno sportello solo!». «Io devo andare a lavorare!». «Ladri!», gli animi erano caldissimi, si temeva che potesse scattare da un momento all'altro l'atto insurrezionale. Gli impiegati, che stavano cercando di far riprendere l'impiegata, sotto shock, guardavano terrorizzati la folla dietro il vetro e la gente col sangue agli occhi, che stava per entrare in azione.

Per fortuna arrivarono i Carabinieri, in quattro, che riuscirono a ristabilire un po' di calma. Invitarono i clienti a uscire dalla sala d'aspetto, a circolare.

Allora si scatenò un'altra ondata di furia popolare: «Ma come, era il mio turno!». «E adesso ci mandate fuori!». «Io domani non ci torno!». «A morte! A morte!». «Piuttosto mi do fuoco, qui, all'INPS».

Si riuscì a far defluire una parte dei clienti in attesa, almeno quelli che avevano i numerini più alti, ormai sicuri che sarebbe stato meglio tornare un'altra volta. Uscirono anche le persone più ragionevoli, che non avevano intenzione di essere coinvolte in una rissa. Restava una mezza dozzina di irriducibili, i Carabinieri non riuscirono a farli sfollare, dopo faticose trattative fu trovato un altro impiegato che si pose allo sportello, cercando di smaltirli.

«Ma io veramente...», disse. «Il patto sindacale non prevede che io...», alla fine, obtorto collo, si dispose al servizio di sportello.

Nel frattempo l'assalitore, tenuto a terra a pancia in giù sembrava calmarsi. Invece l'impiegata pareva sotto shock.

«Fatela respirare, fatela respirare!», gridava Trentanove, che aveva assunto il comando delle operazioni. «Un bicchiere d'acqua...».

Ma che cos'era che aveva fatto saltare i nervi a quell'individuo, che in seguito si scoprì essere un maestro elementare alle soglie della pensione?

Il fatto era che quell'uomo aveva bisogno di certi bollettini per pagare i contributi previdenziali della badante di sua madre, ultranovantenne. Normalmente questi bollettini vengono recapitati a casa, ma il maestro non li aveva ricevuti. Così, terrorizzato dalla possibilità di beccarsi una sanzione perché non aveva saldato i contributi, che si potevano pagare soltanto alla Posta, con quei precisi bollettini lì, suo malgrado, nel giorno libero, era andato all'INPS. Fin dalle sette meno un quarto era in coda fuori dell'entrata, poi all'orario di apertura si era catapultato per le scale, era riuscito a procurarsi il numerino assestando qualche gomitata. Lo sportello, l'unico aperto, procedeva a rilento, non si capiva come mai fra un cliente e l'altro passavano cinque minuti, l'impiegata controllava qualcosa al computer, probabilmente i fatti suoi. Il maestro, quando finalmente era arrivato il suo turno, era già sufficientemente esasperato, pronto a esplodere. Aveva chiesto copia dei bollettini per pagare i contributi.

L'impiegata, scortesemente, fra l'altro, gli aveva detto: «Ma lei non lo sa che i bollettini qui non li possiamo consegnare? Lei dovrebbe informarsi prima di venire qui a farci perdere tempo».

Un detonatore all'interno del cliente stava per entrare in funzione.

«Ma perché, lei qui i bollettini non ce li ha?».

«No, ad avere ce li avrei anche».

«E allora perché non me li dà?».

«Perché non rientra nelle procedure, e poi dovrei andare di là a prenderli, e chiedere il permesso al direttore, che in questo momento è assente».

Fu a quel punto che il maestro – una persona che sulla cronaca locale del giornale del giorno dopo sarebbe stata definita tranquilla e pacifica – era saltato sulla mensola, aveva scavalcato ferinamente il vetro e si era gettato sull'impiegata, afferrandola alla gola.

Adesso quella restava reclinata su una sedia, semisvenuta. Qualcuno propose di sdraiarla sul divanetto, nell'ufficio del direttore.

Lei a quel punto ebbe come un risveglio: «Chiamate il 118, voglio andare in ospedale. Mi sento male».

In effetti il 118 fu chiamato. Portarono via la malcapitata, che sembrava semicosciente, in realtà il suo cervello girava a mille: le occorreva andare al Pronto Soccorso per un motivo piuttosto semplice, aveva bisogno di un certificato. Non le avrebbero dato più di una settimana di riposo, ma dopo questa settimana sarebbero diventati due o tre mesi, per depressione e crisi di panico, e chissà, ci sarebbe potuto scappare anche un bell'indennizzo per un danno permanente.

Trentanove e i suoi tornarono nei loro uffici: «Presto, andiamo...».

Fu convocata d'urgenza una nuova riunione della Banda dei Quattro, in una certa osteria.

«Qui siamo nei pasticci, quella lì è una deficiente, ci sta minacciando, rifiuta qualsiasi cifra».

«Io non so se la sta rifiutando o la sta alzando».

«Comunque bisogna farle abbassare la cresta, cosa crede, che ci facciamo mettere la testa sotto i piedi?».

«Qui non c'è che metterle paura, e ridurla a più miti consigli».

«Ridurla a più miti consigli? Ma come cazzo parli? Qui bisogna farla cagare addosso, e sulle cose a cui tiene di più».

«Ha una figlia, hai sentito? Deve avere undici o dodici anni, l'età giusta».

«Lei dev'essere una tutta a modo suo, hai visto? È vegana o roba del genere».

«E allora? Credi che con un vegano non ci si possa mettere d'accordo? Io sono per la mediazione. Secondo me non c'è persona con cui non si possa arrivare a un accordo».

Si passò ai voti, e vinse per due a uno la mozione di minacciarla. Due voti a favore, uno contrario e un astenuto.

«Allora come ci muoviamo?».

«Qui bisogna farle paura, e questa è una strana, ha un sacco di fobie alimentari, chissà quante altre ne ha, non avete visto che porta sempre i guantini? E poi ha una figlia di undici anni».

«Il direttore dell'albergo mi ha detto che è stata lei a implorare che nessuno sapesse niente dei due marchettoni, aveva paura che ne fosse informato il marito, o chissà chi, temeva che si potesse credere che quei due li aveva chiamati lei».

«Si vede che ha in corso una causa di separazione».

«Allora che facciamo, la fotografiamo nel letto dell'albergo con un amante occasionale?».

«Per ora ci andrei più cauto, le recapitiamo una minaccia anonima, citando i pericoli in cui potrebbe trovarsi sua figlia».

«E come facciamo, le buttiamo un sasso sulla finestra, avvoltolato in un messaggio scritto con le lettere ritagliate dai giornali?».

«Mi sembra un'ottima idea, ma il messaggio lo scriviamo con la stampante».

Ci misero più di due ore a congetturare e buttar giù il messaggio, poi a correggerlo e a mistificarlo, cercando di trasformare il linguaggio in senso più meridionale. Il risultato fu il seguente:

«Tu rischi la vita, e più di te la rischia la figlia tua, Giada. Hai dodici ore di tempo per arrivare a un accordo, poi tua figlia ha dei problemi».

Il messaggio fu stampato e appallottolato attorno a un sasso. Qualcuno andò a lanciarlo contro la finestra della camera 303 dell'Hotel Parc e du Lac.

Purtroppo però gli autori della lettera minatoria non avevano avvertito il direttore del Parc e du Lac. Questi, quando una cameriera lo avvisò che qualcuno dal giardino aveva lanciato un sasso contro la finestra della camera 303, non perse tempo. «Ci mancava anche questa, saranno quei due di ieri».

Chiamò immediatamente il vetraio, che nel giro di un'ora, efficientissimo, aveva già sostituito il vetro. Il sasso avvolto nel messaggio fu recuperato e gettato via, la stanza rimessa in ordine. Nessuno lesse il contenuto della lettera.

Il corpo del ragazzo liscio e pingue era stato ritrovato alle sei del mattino nel centro di Treviso. Era stato avvistato da alcuni curiosi che se ne stavano sul ponte a controllare il livello del Sile, aspettandosi l'esondazione. Il corpo si era fermato in una piccola ansa che portava a un canale secondario del Cagnan di Buraletto e si era incastrato in una grata di ferro. Le forze dell'ordine erano arrivate in non più di tre quarti d'ora, nel frattempo la folla sul ponte era quintuplicata, per fare fotografie e controllare il livello delle acque, che non faceva altro che aumentare.

«Varda ti come xè ridoto quel toso».

«Vardalo ti che a me me fa impresion».

«Ma come xè che xè completamente nudo?».

«Si vede che stava facendo le ablussione».

«E ti varda il collo. L'hanno tagliato».

«Forse se l'è tranciato contro un fero, con la corente».

«Conforme».

Il cadavere di ignoto fu recuperato da alcuni pompieri sommozzatori. Era parecchio rovinato dalle correnti, dai pesci, dagli urti ai quali era stato sottoposto. Le condizioni di piena resero difficoltoso il recupero. Il cadavere era nudo e si capiva che era stato legato a qualcosa, per restare sul fondale, però la fune metallica era stata strappata dalle formidabili correnti del Sile in piena.

Se non fosse perché mostrava tracce evidenti di essere stato sgozzato con una lama da taglio si sarebbe potuto pensare che il giovane deceduto si fosse trovato a malpartito nel corso dell'allagamento, travolto dalle acque. Ma non era andata così, il giovane era stato selvaggiamente assassinato, né più né meno come i cani sgozzati, questo lo si vedeva a occhio nudo. L'arma era la stessa utilizzata per i cani? Più tardi si sarebbe scoperto che non aveva acqua nei polmoni, e tutti sanno, a forza di vedere film gialli, che questo è indice del fatto che il soggetto non è morto affogato.

Le indagini si mossero immediatamente, non è che a Treviso una cosa del genere capita tutti i giorni. Chi poteva essere il ragazzo trucidato? Non aveva addosso niente, tantomeno i documenti di identità. Si controllarono le denunce di sparizione, per prima cosa. Non ce n'erano che potessero corrispondere al caso in questione, ma qualcosa fu trovato. Una signora, di nome Trevisan Carla, aveva telefonato la sera prima in Commissariato e agli ospedali per avere notizie, un ragazzo, suo inquilino, mancava da più di ventiquattr'ore, e con questi allagamenti, non si sa mai, se il giovane fosse stato ritrovato, magari un incidente, chi poteva saperlo.

Il ragazzo si chiamava Salvatore Fichichi, non si era fatto più vivo dal giorno precedente, e lei era preoccupata perché la sera gli serviva la cena, e lui era scomparso. Fra l'altro la signora Trevisan aveva fatto presente che il ragazzo era facilmente riconoscibile, perché era decorato da alcuni tatuaggi che riportava sul pube e sulla schiena.

«E cosa rappresentano questi tatuaggi?».

«Quello sul pube un fascio littorio, quello sulla schiena un'aquila imperiale».

«Ma lei come li ha visti questi tatuaggi?».

«Al mare».

In effetti il cadavere aveva due tatuaggi: un'aquila imperiale e un fascio littorio.

Una volta effettuato il riscontro gli agenti arrivarono subito a casa della signora Trevisan a Ponte di Brenta e ispezionarono la stanza dello studente, che frequentava, si fa per dire, l'Università di Padova.

In camera non fu trovato niente di particolare se non un pezzo di legno che sulla sommità recava un lungo chiodo intriso di sangue rappreso.

«Ieri è venuto anche un parente di Salvatore, uno zio che ha lasciato qui una torta per lui, vedete?».

«Uno zio? Nome?».

«Non me lo ha mica detto».

Dato che le indagini dipendevano da due procure diverse non fu immediato associare quell'arma impropria, per di più usata di recente, con il caso del rottweiler trovato morto sul Terraglio. Però ci si arrivò.

Il caso sembrò immediatamente complicato: perché l'eventuale autore dell'omicidio di un cane era stato a sua volta eliminato? Con gli stessi mezzi con i quali un altro cane era stato decapitato?

Naturalmente tutti questi risvolti, che fra l'altro non tenevano conto della tempistica – quando era morto il ragazzo, e quando era morto il cane? – non furono immediatamente diffusi, ma a Treviso erano sulla bocca di tutti nel giro di poche ore.

E dunque che cosa mai era successo? Il ragazzo aveva ucciso il cane – era lui il killer degli animali? – e poi qualcuno – ma chi? Il proprietario del cane? – lo aveva ripagato con la stessa moneta?

Era una faccenda veramente ingarbugliata. Ma perché il ragazzo si era portato a casa l'arma del delitto? Voleva riutilizzarla? E poi c'era dell'altro, il calabrese era incensurato, ma molti dei suoi parenti no, anzi, quasi nessuno. Proveniva da una famiglia piena di precedenti, una lista lunghissima di imputazioni, di condanne, di assoluzioni, di patteggiamenti. Che ci fosse la 'Ndrangheta di mezzo?

Nel giro di non molto tempo emerse che l'ora presunta della morte del ragazzo precedeva nettamente quella della morte del rottweiler. Un bel grattacapo per il commissario Mossi, che non sapeva che pesci pigliare.

Per sua fortuna da un punto di vista mediatico era molto più interessante il caso del killer dei cani che quello del ritrovamento del corpo di uno studente calabrese.

Per le forze di pubblica sicurezza la prima e più difficile cosa da fare fu quella di informare i parenti del Fichichi, a Lamezia Terme, una pattuglia si sarebbe recata nell'abitazione dei genitori del povero Salvatore, niente telefonate.

Quando gli agenti Magini e Malnati si presentarono a casa Fichichi, nel caldo pomeriggio calabrese, il pater familias li accolse con affabilità, in pantaloncini e canottiera. «Aggente Magi', che sta a fa' la Roma? Aggente Malnati, e 'r Pisa?».

I due agenti parevano imbarazzati e contratti. Guelfo Fichichi li fece entrare in casa, li conosceva bene, ogni due o tre giorni venivano a controllare i suoi arresti domiciliari.

«Oggi non vi aspettavo, ma che è successo, perché così mosci? Come vedete tutto regolare, sono in casa che mi dedico ai lavori di giardinaggio. Ma che vi è successo?».

Gli agenti ci misero un po', ma alla fine spiegarono al Fichichi quello che era accaduto a Treviso. Nel frattempo era arrivata in cucina anche la moglie, e un altro tizio che si chiamava Santino.

Guelfo ebbe un malore, pensò di morire seduta stante. Salvatore, il suo figlio diletto... il suo...

Quando gli agenti se ne andarono via la famiglia si era in parte ripresa, altri membri erano in riunione.

Non si perse molto tempo. «Tu, Santino, vai con Marino subito a Treviso a fare il riconoscimento e vedete che cosa è successo. Noi non ci possiamo muovere, dobbiamo chiedere al magistrato, ma non sarà una cosa lunga, e comunque il corpo sarà trattenuto per un bel pezzo prima di fare il funerale. Sarà il funerale più pazzesco di Lamezia, tutti si devono ricordare di Salvatore! Salvatore mio!». Piangeva disperatamente.

«Noi quella città la facciamo saltare in aria, se ce n'è bisogno. Ma questa poi... sono stati loro? Ma loro chi? Io con quelli di Porto Marghera non ho mai avuto a che fare. A meno che Salvatore... Sgozzato? Se ne pentiranno amaramente. Ma quel ragazzo... qui ci sta di mezzo una donna, e quella va trovata, va trovata subito. E voi, che avete saputo, nel frattempo?».

«Guelfo, poco si sa. Pare che Salvatore fosse coinvolto in una storia di cani, una storia di cani morti e decapitati».

«I cani? Ma che minchia c'entrano i cani? L'hanno messo in mezzo, a quel bambino. Sticchio e cani, ma non c'entra niente... lo capite voi? Voi partite stanotte: e non fate minchiate eh?».

Santino e Marino erano già pronti a partire.

«Mi raccomando, qualsiasi cosa prima la raccontate a me, soprattutto quella dei cani».

«A noi dei cani non ci fotte una minchia».

«E invece caro stronzo te ne deve fottere», disse a suo figlio maggiore. «Capito? Cerca di capire che cazzo c'entrano i cani in questa faccenda. Io un'idea ce l'ho, ma voi prendetelo. Prima di fargli qualsiasi cosa me lo dite, chiaro? Se c'è di mezzo chi penso io siamo tutti nella merda. E non vorrei che mio figlio ha fatto una cazzata...».

Cani inselvatichiti

I cani cosiddetti inselvatichiti, detti talvolta anche *cani ferali*, sono cani che hanno perso il contatto diretto con gli esseri umani, ma che a differenza dei cani randagi vivono in questa condizione già dopo la seconda o la terza generazione. Il fenomeno, ingigantitosi con l'enorme aumento della quantità totale di cani presenti, come è successo in Italia, si deve al grande numero di abbandoni di cani in precedenza di proprietà, oltre che a situazioni intermedie di animali scarsamente sorvegliati in contesti urbani, rurali o montani.

I cani inselvatichiti assumono, o riprendono, comportamenti sociali e di caccia che assomigliano a quelli del branco, anche se si tende a fare distinzioni. In questo è illuminante la riflessione etologica del Blog di informazione cinofila: «i tipi di associazione e legame sociale tra i cani inselvatichiti non riflettono le regole precise del branco, come noto per altri canidi. Pertanto», si legge sullo stesso sito, «vi proponiamo il termine "gruppo" come unità sociale più appropriata per i cani rinselvatichiti piuttosto che il branco».

A questo proposito alcuni tendono a considerare la vita dei cani ferali come primariamente solitaria, le aggregazioni si formerebbero soltanto in casi particolari, come quelle in cui c'è abbondanza di cibo e simili.

L'attività, i movimenti e la caccia si svolgono prevalentemente di notte e la mattina presto: sono animali sfuggenti difficili da localizzare, che adottano strategie efficaci di spostamento, di controllo del territorio. Diffidenti e schivi, hanno la meglio su qualsiasi altro antagonista, non hanno nemici naturali, se non l'uomo.

I cani inselvatichiti braccano prede tradizionali del lupo, come pecore, agnelli, capre e anche bovini. Non trascurano altri animali di allevamento come polli, tacchini o anatidi. Sono onnivori, e possono basare il loro regime alimentare anche intorno a discariche o ad altre raccolte di rifiuti. Non se ne conoscono abitudini di spazzini, ma in certi casi si cibano di carogne.

Sono in grado di predare ungulati di varie dimensioni.

La formazione del «gruppo» privilegia animali di forte costituzione, di grossa e media taglia, e al suo interno vige una dura legge del più forte. Per esempio, pur essendo elevati i tassi riproduttivi, ci sono alti livelli di mortalità dei piccoli.

Come per i canidi in generale, da alcuni viene messa in discussione la figura della «dominanza»: in particolar modo nel caso dei cani ferali ci sarebbe una certa fluidità dei criteri per la leadership, consistenti, più che nella forza bruta o nell'aggressività, nella capacità di guida del gruppo.

A differenza dei lupi, i cui branchi sono composti da due a otto elementi, nei quali si accoppia solo il maschio alfa con la femmina alfa, nei branchi di cani inselvatichiti che contano fino a 25 elementi tutte le femmine che sopravvivono si riproducono. Mancano studi affidabili sulla presenza di cani inselvatichiti alfa, e su eventuali rapporti di dominanza e di gerarchia all'interno del gruppo.

Fra gli allarmi scatenati dai branchi di cani inselvatichiti c'è proprio quello dell'integrità genetica del lupo, minacciata da incroci con cani selvatici. Un fenomeno che ricorda quello dei dingo australiani.

Altri problemi sono le zoonosi, ovvero le infezioni che i cani inselvatichiti possono trasmettere ad altre specie, compreso l'uomo.

La discussione e l'analisi sul fenomeno dei cani inselvatichiti tende a privilegiare gli aspetti politici, sociali e gestionali: come evitare un «mancato possesso responsabile» del cane che porti all'abbandono o alla fuga, come gestire la presenza di numerosi branchi di cani in alcuni territori particolari, data soprattutto la pericolosità per l'uomo nelle zone antropizzate. Come risolvere, anche con campagne mirate di eliminazione fisica, il problema.

Pochi sono i contributi sugli aspetti prettamente etologici dell'ecologia canina, vale a dire quali siano le inferenze sulla «vera natura» del cane, e sui suoi comportamenti una volta che questo sia svincolato dai rapporti con l'uomo e si confronti con una condizione neo-naturale di libertà, estremamente complessa e stressante.

Si tenga presente che un cane viene considerato inselvatichito dopo il passaggio di due generazioni, ma questo passaggio può svolgersi in un lasso temporale molto breve, anche di due o tre anni, che sotto un riguardo evolutivo sono equivalenti a un tempo zero, come se il cane, immediatamente, recuperasse le sue abitudini sociali e di caccia, ammesso che riesca a sopravvivere.

In queste condizioni il cane tende a riacquisire una dimensione di branco, e vede l'uomo come suo nemico e potenzialmente anche come preda, soprattutto, ovviamente, gli esseri umani più deboli e meno in grado di difendersi. Sono numerosi i casi di bambini e adulti attaccati da cani randagi e/o inselvatichiti. Alcuni bambini sono stati uccisi, ma a onor di cronaca altri hanno subito aggressioni fatali anche da cani domestici regolarmente gestiti dai loro proprietari. I casi di Scicli del 2009, di Livorno del 2012, di Acireale hanno suscitato molto scalpore mediatico.

Fra le prede potenziali dei branchi di cani inselvatichiti ci sono anche altri cani: di piccola taglia, di debole costituzione, soprattutto piccoli cani domestici di proprietà, inabituati a essere cacciati. Alcuni episodi di cani domestici sbranati da altri animali sono stati ascritti ipoteticamente, più che a un improbabile attacco da parte di lupi, all'azione efferata di altri cani. Fra i cani inselvatichiti vige anche il cannibalismo nei confronti dei piccoli, come in altri gruppi sociali similmente strutturati.

Al terzo giorno e al secondo cane che veniva trovato morto e orrendamente scempiato si era già formato un agguerrito comitato locale contro la violenza sui cani. Il nucleo era stato costituito dai coniugi Morosini Emanuele e Cora, proprietari di Little King, il cane decapitato al parco, e da numerosi loro amici, anche loro in possesso di uno o più cani, con i quali i Morosini usavano ritrovarsi per la passeggiata e la cagata pomeridiana dell'animale.

Fra tutti i proprietari di cani si era diffusa una sindrome paranoica di terrore: in città c'era un «mostro» che si nascondeva nell'ombra, che sfruttava il clima di allerta per via delle grandi piogge e degli allagamenti, e che uccideva i cani a suo piacimento.

Il Comitato raccolse subito molte adesioni, alla prima riunione, convocata quasi spontaneamente, c'erano più di cento persone.

Il figlio quarantenne dei Morosini suggerì di creare una pagina su Facebook dal titolo: «Chi uccide i cani merita la morte». Un breve comunicato che si concludeva con: «E la Polizia che fa? Dorme? Il cittadino ha paura. E i politici che fanno? Pensano solo a impaurirci, a gettare il panico sull'eventualità di un disastro climatico, e non curano i veri interessi della popolazione. Se ne accorgeranno».

Un breve filmato di Little King, ritratto mentre inseguiva un gatto, insistentemente ma amorevolmente, accompagnava la dichiarazione. Questo, misto alla paura imperante fra i proprietari di cani, sciolse loro il cuore, tanto che il post ebbe decine di migliaia di Mi piace, in tutt'Italia, mentre a Treviso coloro che aderivano al Comitato salirono subito ad alcune migliaia.

«Se le forze dell'ordine non intervengono massicciamente ci organizzeremo per conto nostro. Già abbiamo istituito delle ronde di sorveglianza dei punti critici, già abbiamo attuato delle mosse che non possiamo qui comunicare pubblicamente per non rendere la vita più facile al killer».

Per la prima riunione di massa il Comitato dovette chiedere una sala al Comune, ma siccome nessun ambiente era sufficientemente grande, fu concesso l'uso del Palazzetto dello Sport.

Il Comitato aveva anche istituito una commissione di indagine segreta: se la Polizia continuava a non fare niente c'era da muoversi sul territorio, a ogni angolo della città ci sarebbe stato, in incognito, un membro del Comitato, pronto a raccogliere dati, a osservare strane presenze, a registrare tutto, sconosciuti e sospetti. Sembrava di essere in *M. Il mostro di Düsseldorf*. Il tutto sarebbe stato riportato al colonnello Mistretta, ex Carabiniere, proprietario di Loto, un cocker dal morso facile.

Si decise di lavorare su persone forestiere che si trovavano in città negli ultimi tempi, si setacciarono alberghi, B&B, camere in affitto, pensioni domestiche e altri luoghi.

Nel frattempo anche Mose si era messo al lavoro: parlando con un amico di amici che conosceva un agente di polizia era venuto a sapere che l'arma con cui probabilmente era stato ucciso Terminator era stata rinvenuta nella stanza di uno studente, peraltro ritrovato morto nel canale. Che ci avesse già pensato qualcun altro? Ma Mose capì subito, assai più velocemente della Polizia, che quel ragazzo era deceduto prima del cane, se le acque lo avevano rilasciato nella notte e se era rimasto legato per qualche giorno sul fondo di un fosso.

Mose si recò alla riunione spontanea del Comitato. Non disse niente di quello che sapeva, per esempio che il secondo cane non era stato sgozzato, cosa che invece la quasi totalità del Comitato tendeva a pensare e a diffondere. Mose si limitava a cercare di recepire più informazioni possibili. Fra l'altro non è che a lui i cani piacessero granché. A quella riunione assai popolata parteciparono anche un paio di giornalisti di campanile, i giornali – soprattutto un quotidiano a forte caratterizzazione locale, particolarmente «amico» del Comitato – sguazzavano nel «caso», e sull'argomento cani sgozzati ci sarebbe stato da lavorare a lungo e bene.

«Speriamo che non lo trovino subito, l'assassino, e che ne ammazzi altri, sono stufo di scrivere pezzi sulla pioggia e sul dissesto idrogeologico, che poi l'hanno voluto loro, i Verdi, che rompono sempre i coglioni».

Al ristorante Fogolar c'era un clima di forte eccitazione. Le ragazze, nel séparé che garantiva accoglienza e riservatezza, come da accordi, una ventina di persone, di donne, si erano abbuffate di piatti abbastanza ordinari, niente di speciale, bis di primi con strozzapreti alla panna e tagliatelle al sugo di anitra surgelata, tagliata alla messicana, contorni e dessert a scelta. Più che altro avevano bevuto parecchio e già qualcuna dava in escandescenze. Una certa Magnolia, che lavorava alle Poste, si era sentita un po' male e alle 21.35 aveva vomitato nel vialetto esterno. Un paio di sue amiche l'avevano aiutata, poi, siccome questa non si riprendeva, l'avevano infilata in macchina, a dormire. Bisognava affrettarsi perché stava per cominciare lo spettacolo. Il ragazzo addetto all'amplificazione, soprannominato Gaza, aveva già predisposto tutto, stavano per arrivare gli artisti, che lui seguiva in ogni trasferta e che apparivano sempre all'ultimo minuto. Erano dei maestri nel creare l'attesa, che Gaza, responsabile del mixer e deejay, doveva rendere affascinante e intrigante con una scelta di pezzi musicali ad hoc.

Le ragazze – si fa per dire, l'età media era di 43 anni – erano al massimo della tensione, e a eccezione della futura sposa, che manteneva le forme, erano piuttosto scatenate nella fervente attesa, alcune si slanciavano in danze selvagge al ritmo di Donna Summer.

170

Continuavano a bere, ma a un certo punto iniziarono a urlare, volevano lo spettacolo, che non cominciava mai. Erano passate le undici, e gli artisti avrebbero dovuto fare la loro comparsa alle dieci. Era chiaro che non avrebbero cominciato alle dieci, Gaza sapeva che sarebbe passata almeno un'ora, ma quelli non si facevano vedere, e fra le donne che avevano pagato per lo spettacolo *Alles Zusammen* e per il successivo *Sfrega Sfrega* cominciava a serpeggiare una certa irrequietezza.

Gaza alle undici e un quarto telefonò in ditta: «Oh, qui non c'è nessuno, il Pinin e Loris non sono arrivati, qui succede un casino».

Sta di fatto che i due artisti non si fecero vivi, né alle undici né a mezzanotte. Le ragazze si indisposero, e se la presero con Daniela, quella che aveva organizzato e pagato tutto, avrebbero voluto sacrificare Gaza, ma quello si era nascosto nei cessi.

Verso l'una e trenta, dopo un infinito giro di telefonate, la futura sposa disse che non si sentiva tanto bene e che voleva tornare a casa. L'addio al nubilato era stato un fallimento completo.

In ditta si allarmarono per la mancata comparsa degli artisti, che erano dei professionisti e di solito non mancavano ai loro impegni. Furono cercati al cellulare e con tutti gli altri mezzi possibili, ma erano introvabili.

In giornata Walter Galati – herr Helmut Russo – si era fatto un bel giro a piedi di Procida, con lo zainetto in spalla, praticamente aveva ispezionato l'intera isola. Tutto ciò è estremamente prevedibile, per *loro*, ma per ora non ho alternative, pensava. Se mi stanno controllando, cosa altro posso fare?

Si fece un giro classico. Raggiunse l'isola di Vivara, che offriva scorci panoramici meravigliosi, poi prese un mezzo e si spostò a Nord, al Pozzo Vecchio. Un giro che la guida valutava sulle sei ore lui lo fece in meno di quattro.

Alle sette del pomeriggio tornò nel suo piccolo albergo e si fece una doccia, poi indossò una tenuta in tutto simile alla precedente, solo con i pantaloni lunghi, di quelli allungabili con la cerniera. Chiese al titolare informazioni su una bella trattoria tipica con vista sul mare. L'albergatore lo mandò direttamente da suo cugino, assicurandogli che si sarebbe trovato benissimo.

Galati scelse un altro ristorante, di fronte al porticciolo di Chiaiolella, non lontano dalla residenza del signor Pozzobon. L'aveva memorizzato dalla guida delle Osterie d'Italia, a seguire quei suggerimenti non si era mai trovato male.

Lo fecero sedere in un tavolino un po' defilato, non è che di lì si godesse una gran vista. Ordinò spaghetti con cozze e broccoletti, e di secondo il famoso coniglio alla procidana, con pomodoro, molto aglio e molto peperoncino.

«Un vino campano?».

«Faccia lei».

In un tavolo poco distante da quello di Galati sedevano due signore belle in carne, bionde e abbronzate, parlavano tedesco, e Galati, che le comprendeva, capì che stavano parlando di argomenti abbastanza sconci, che riguardavano in particolare lui medesimo. Le due signore, sulla cinquantina abbondante, si stavano scofanando piattate di frutti di mare, e si chiedevano se quel bel signore quarantenne in forma, seduto da solo, fosse italiano e se ce l'avesse bello grosso. Ridevano a crepapelle facendo delle misurazioni del collo della bottiglia di vino, insomma si divertivano fra di loro. Entrambe avevano dei seni molto grossi e li esibivano senza remore, tramite quelle che di solito si chiamano generose scollature. Sghignazzavano, parevano di ottimo umore e ogni tanto lanciavano sguardi e sorrisi all'indirizzo del ragionier Galati. Ordinarono altro vino mostrando di saper parlare l'italiano con accento isolano. Che fossero due residenti da tempo? Sembravano essere molto familiari con l'ambiente e con il personale.

Galati ci pensò un po', poi si distrasse per qualche attimo, osservando un quadretto a olio appeso davanti al suo tavolo, che riproduceva una formosa popolana di Procida, vestita succintamente da infermiera.

Gli venne in mente il primo giorno in cui aveva parlato con Stefania, quella che sarebbe diventata nel giro di pochi mesi sua moglie. Stefania allora era una donna fresca, piena di energia e di iniziativa. Portava il camice con disinvoltura, sotto indossava solo mutande e reggipetto. Così vestita usciva dal salone acconciature per i pochi minuti di pausa concessi, fuori a fumare. Anche d'inverno, senza calze o calzetti, con dei sandali di gomma. Praticamente fumava tutto il suo corpo, emetteva calore, una volta Walter la incontrò là fuori, sul marciapiede. Non poté fare a meno di allungarle uno sguardo interessato, che lei recepì all'istante.

Si conobbero, proprio su quel marciapiede, fu Stefania a chiedere a Walter se aveva da accendere. Lui non ce l'aveva, ma la conversazione partì lo stesso. L'argomento c'era, venivano tutti e due da fuori Treviso, per lavoro. Erano dei forestieri, non conoscevano nessuno. Così si misero a parlare del Veneto, dei trevigiani, delle loro strane abitudini, dei soldi, delle macchine e dei centri commerciali.

Al primo caffè si stabilì subito una certa intesa fra i due, determinata più che altro dall'iniziativa di Stefania, praticamente faceva tutto lei.

Una gita domenicale ad Asolo fu l'unico preliminare fra loro. Fecero quattro passi per il centro, poi mangiarono in trattoria, se fosse stato per Stefania il loro primo rapporto sessuale sarebbe avvenuto nell'ultima fila di sedili della corriera che li riportava a Treviso. Invece avvenne in un camper, prestato a Stefania dalla sua datrice di lavoro, che d'inverno restava posteggiato in un'area di sosta in zona via Bibano.

Walter si ricordava bene di quella occasione, e come dimenticarsene? I due si intesero subito a meraviglia e fu un dispiacere quando quella notte finì, perché entrambi dovevano andare a lavorare. A quell'epoca Walter era sospettoso, alle prime armi, temeva che chiunque potesse celare seconde intenzioni su di lui, dato il suo delicatissimo e primo incarico. Per questo di solito preferiva i rapporti mercenari, e con professioniste sempre diverse. Ma con Stefania si trovò bene e lei pareva una persona così lontana dal suo mondo che pensò che fosse opportuno continuare a frequentarla.

E così avvenne.

Si incontravano direttamente al camper, d'altronde lui era a pensione da una signora che gli affittava una camera ed era difficile condurre lì le donne, lei dormiva in una stanza a tre letti da una parente della parrucchiera in capo.

Nonostante Walter fosse piuttosto teso per il suo primo incarico quelle settimane furono fra le più serene di cui potesse ricordarsi.

Certo, per obbligo, non poteva non considerare e riconsiderare tutti gli aspetti della faccenda, non voleva fare errori, e nell'ottica del principiante sapeva che l'errore non lo conosci finché non lo fai, allora è troppo tardi.

Walter tornò alle tedesche. Queste due mi possono essere utili?, si chiedeva. La risposta in linea di massima sarebbe stata no, perché lui avrebbe voluto farsi notare il meno possibile. Poi però ci ripensò, poteva essere un buon alibi. Si chiese se quelle due troione potessero essere state mandate da *loro*, ci ragionò un po'; no, quelle erano già sedute lì, e lui aveva scelto la trattoria all'ultimo momento, a meno che non gli leggessero nel pensiero. Anche se l'albergatore fosse stato d'accordo con loro, non poteva sapere che lui si sarebbe fermato in quel locale.

Così si alzò dal suo tavolo e raggiunse le signore, portandosi dietro la bottiglia di bianco quasi intonsa. In perfetto tedesco disse: «Vi dispiace se mi siedo con voi? Possiamo bere un bicchiere insieme. E poi le mie misure non hanno mai deluso nessuno».

Le due tedesche si misero a ridere, erano simpatiche e non si facevano troppi problemi. Walter si godette un'oretta di svago, ma era come un gatto quando dorme, teneva sempre un orecchio teso dall'altra parte. La cena fu squisita e le «ragazze» insistettero per pagare anche a Walter: ma Walter aveva già pagato anche per loro.

«Sie lassen einen Tipp», disse loro.

Le due tedesche avevano bevuto parecchio ed erano su di giri, invitarono Galati a casa loro, per la precisione a casa di una delle due, Karola. L'altra si chiamava Trudy. Poteva essere diversamente?, si chiese Galati con un certo scetticismo.

La casa di Karola era molto bella, con una meravigliosa vista sul golfo del Carbonchio. L'arredamento era eterogeneo, statue balinesi si alternavano a maioliche francesi e a lampade di design italiano anni ottanta.

Karola tirò fuori dal frigo un'altra bottiglia di bianco del Cottimo. «Questo lei non trovare facilmente».

Brindarono, poi le femmine si misero in libertà.

«Adesso basta bere, noi scopare, tu vole?».

Le signore erano molto disinvolte. Si erano spogliate completamente nude, lasciandosi addosso solo i sandaletti coi tacchi. Entrambe sfoggiavano un'abbronzatura integrale e la depilazione del pube, una, Trudy, era molto più alta e robusta, Karola aveva un sedere voluminoso e tondo.

«Beh», rispose Walter. «D'accordo».

«Tu vole Viagra?».

«Nein danke, ho il mio».

Karola da una cassapanca estrasse un gran numero di oggetti utili ai giochi erotici e autoerotici. Ce n'erano di strani, che Walter non aveva mai visto e stentava a capire come potessero funzionare.

Karola e Trudy presero un oggetto noto, un doppio dildo, e con quello cominciarono a scherzare con Walter.

«Tu piace questo?».

In realtà era uno strano doppio dildo, perché uno dei due membri era tozzo e robusto, mentre l'altro era lungo e più fine. Si vede che così piaceva loro.

In poche parole le due signore si applicarono il dildo, mentre Walter agiva sulla più voluminosa delle due da dietro.

Si divertirono, le due tedesche tutto mostravano fuori che una seriosità inutile.

La cosa strana fu che finito il giro le due andarono entrambe in bagno, a lavarsi. Si lavarono anche i denti, quando tornarono sapevano di dentifricio. Erano persone assai metodiche.

Al secondo giro le due proposero un giochetto a Walter, se se la sentiva, loro si divertivano molto. Un giochetto che loro chiamavano «la lotteria». Le due si mettevano una sopra l'altra e lui avrebbe dovuto penetrarle a turno, dieci colpi all'una dieci colpi all'altra, in alternanza. Alla fine delle due vinceva quella che otteneva al suo interno l'orgasmo maschile. Non era valido ritrarsi una volta che questo era cominciato.

Vinse Karola, con uno stratagemma che non vale la pena raccontare qui.

All'una e mezza le due erano di nuovo lavate e ripulite, sapevano di sapone.

Trudy si rivestì e si avviò verso casa. Salutò educatamente Walter: «Devo rientrare, bella serata».

Karola se ne andò in camera: «Arrivederci signor Helmut, vado a letto, domattina alzare presto, vado a Napoli. Tu te sendi come a casa tuia».

Walter si trovò da solo nel salotto, con tutti quegli oggetti erotici.

C'era anche una specie di gelatina viola che proprio non riuscì a capire a cosa potesse servire.

Ma ormai si era fatta l'ora. Per poter disporre di un alibi doveva risultare che Walter si era trattenuto a casa di Karola almeno per un'altra ora o due. Walter aveva già spostato l'orologio in camera di un'ora, nella fase di passaggio fra il primo e il secondo giro. Dopo che la padrona, prima di andare a letto, si era fatta nuovamente la doccia – ma queste tedesche erano veramente fissate! – Walter andò a salutare Karola, le dette la buonanotte, e ne approfittò per chiederle che ora fosse.

«Oh santo cielo! Sono già le tre, e io che mi devo alzare presto».

Karola pensò che quella visitina di Helmut fosse un tentativo di darle un colpetto in *tête-à-tête*. Ne fu lusingata ma specificò che era troppo tardi, e che voleva dormire qualche ora. Walter non aveva nessuna intenzione simile, e come un galantuomo ringraziò l'ospite della bella serata, ribadendo che erano le tre di notte. Appena Karola accennò a ronfare rimise l'orologio a posto.

Cretini, sono solo dei cretini!, pensava Stefania, e non si sa precisamente a chi si riferisse. Ce l'avesse avuta con suo marito avrebbe usato la parola cretino, però. Una manica di cretini! Forse ce l'aveva con quelli delle previsioni del tempo, o forse con quei deficienti che avevano organizzato uno o più gruppi contro la violenza sui cani. Ci mancava solo che istituissero un Centro Ascolto Cani Abusati, il CACA. Stava annusando l'alito di Fufi, nulla da segnalare, questa volta.

Pioveva ancora, che palle! Stefania in realtà era una donna d'azione, una cui non piaceva stare sempre in casa, a non fare niente. Eppure, per motivi familiari e ora anche climatici, si era dovuta conformare a questo status. Erano anni che non lavorava più, e passava la maggior parte del suo tempo nell'appartamento. Stava ore a giocare col telefonino, a mandare messaggi, su Facebook o su Instagram, a postare foto di Fufi o a dire qualche stronzata sui cani o sui gatti, a sfogliare cataloghi online di moda o di qualsiasi prodotto, tanto per perdere un po' di tempo. Sostanzialmente si annoiava. Pensava che con Walter era arrivata alla frutta, e cercava di intravedere qualche linea alternativa per il suo futuro. Su Salvatore aveva smesso di fare affidamento. Con lui era certa di aver chiuso e che non lo avrebbe visto mai più. Se lo sentiva.

Per quel pomeriggio aveva programmato di fare il cosiddetto cambio di stagione. Anche se il clima era invernale, prima o poi il caldo sarebbe arrivato. Ma non ne aveva poi così tanta voglia.

Tentennava, traccheggiava. Sbadatamente le cadde lo sguardo sui classificatori dove Walter custodiva la sua piccola collezione di francobolli, di quando era bambino. Si trattava esclusivamente di francobolli raffiguranti animali, proprio una cosa da bambini. C'erano serie provenienti da vari Paesi del mondo: Costarica, Congo Belga, Svizzera, Cile, Regno Unito, Unione Sovietica, India.

Stefania estraeva i francobolli dalle striscioline di cellophane e li guardava, alcuni erano grossi e belli, animali esotici. Prese a spostare i francobolli, riorganizzandoli secondo un criterio diverso, anziché per ordine e specie, come li aveva piazzati Walter, secondo la classificazione di Linneo, li ridispose per nazione. Chissà se Walter se ne sarebbe mai accorto... In fondo il suo era un atto d'amore, o forse un avvertimento. L'aveva già fatto con certi documenti di Walter, quelli bancari o le riviste di caccia e pesca, ma Walter non si era accorto mai di niente. Sbadato. Ah, se era sbadato. Stava perdendo colpi, oh, se ne perdeva. Ossessionato dalla paura di fare brutte figure in ufficio, non pensava più a niente. Se non alle sue trote, che a lei facevano schifo. Eh no, era disposta a passare sopra a tutto, erano dieci anni che faceva una vita assurda e sacrificata per un patto stabilito, ma quei pesci no, non ne voleva sentire parlare. A costo di mandare tutto a monte.

Ripose i classificatori di francobolli, a quanto ne sapeva lei gli unici oggetti in casa che avevano a che fare con l'infanzia di Walter. Quei francobolli glieli regalava il nonno, già divisi per ordine e specie.

E lei, ce l'aveva in casa un oggetto che le ricordasse la sua infanzia? No, nemmeno uno, per scelta. Non si era portata dietro niente del suo passato, quando si era trasferita a Treviso.

Treviso, si chiedeva. Proprio a Treviso dovevo andare a finire?

Quando si era sposata con Walter stava andando forte, col lavoro e con le altre cose. Poi le era stata fatta la proposta, e lei aveva detto di sì. Da quel momento si era dovuta occupare di Walter, per un minimo di dieci anni. Che avesse sbagliato alla radice?

Quando si lasciava andare ai suoi pensieri a Stefania veniva in mente di tutto, così, tanto per passare il tempo. Pensò a un omicidio-suicidio, lei e Walter. Prima lo avrebbe accoltellato, e poi lei si sarebbe data fuoco, con la benzina, nessuno avrebbe potuto riconoscerla. E chissà, magari avrebbe trovato qualche altra donna da bruciare al posto suo, e lei invece sarebbe fuggita all'estero, con una nuova identità, e i soldi per ricominciare una nuova vita. Stefania non si vergognava affatto di avere questi pensieri, in fondo erano una valvola di sfogo, e ce li hanno tutti. E se lo facessi veramente?

Se Walter fosse stato al corrente delle fantasie di Stefania, quando era sola, a casa, nei lunghi pomeriggi, magari avrebbe capito qualcosa di più dell'esistenza, e anche di quello che gli stava capitando.

Stefania si dette una scossa, quello che era deciso era deciso, e si dedicò al cambio di stagione. Tirò giù dall'armadio le scatole Ikea di plastica, che contenevano il suo guardaroba estivo. Cominciò a estrarre i capi dai contenitori, ed ebbe un'impressione desolante. Avrebbe voluto buttare via tutto: schifezze immettibili, forse era venuto il momento di rinnovare completamente il guardaroba, ma con quali soldi? Fare una deroga? Utilizzare un po' dei soldi che aveva messo da parte, a dispetto di Walter? Forse non era ancora arrivato il momento. Walter si sarebbe insospettito, non avrebbe per niente gradito, e il momento in cui Stefania avrebbe fatto una bella sorpresona al marito, pur non essendo poi così lontano, non era ancora giunto.

Impilò sul letto matrimoniale decine di magliette dai colori sbiaditi, camicette fuori moda, T-shirt operate, corpetti, gonne e gonnelline che probabilmente non le stavano più. Eh, sì, era ingrassata. Si spogliò e completamente nuda andò in bagno a pesarsi. 58,90 chilogrammi, quasi tre chili più dell'anno passato. Quando, circa dieci anni prima, si era sposata, pesava meno di 53 chili. 59 chili, mamma mia!

A Stefania non piacevano molto lo sport e l'esercizio ginnico, almeno ufficialmente. Prima il suo fisico teneva botta da solo, senza bisogno di palestra e piscina. Ma adesso che aveva 36 anni non era più come una volta. E se ricominciassi a lavorare?

Ripensò anche lei alla giornata che, nel bene e nel male, aveva segnato la sua vita, quando si era sposata con Walter. A quell'epoca sembrava una strada obbligata, ma adesso? E come ripartirò, dopo?

Nuda si guardava allo specchio. Le venne un'idea, andò in cucina a prendere i fiammiferi, ne accese uno. Si piegò in avanti a novanta gradi e avvicinò il fiammifero acceso all'orifizio anale. A quel punto lasciò partire una scorreggia, che prese fuoco meravigliosamente, facendo una fiammella bluastra, come quella del gas. Le donne lo possono fare senza danni, a causa della mancanza di peli del culo.

Ma non era soddisfatta. Si guardava i peli del pube. Con una pinzetta se ne strappò sette e li dispose su un pezzetto di carta igienica, per studiarli. Dal cassetto di Walter prese la lente di ingrandimento e si mise a osservare i suoi peli. Poi li infilò, tutti e sette, dentro una bustina di plastica sterile.

«Il mistero dei sette peli», pensava quasi ridacchiando dentro di sé.

Quindi indossò la vestaglia, e cominciò a passare in rassegna i suoi capi estivi. Avrebbe voluto buttare tutto, ma doveva fare una selezione, qualcosa doveva pur conservare, per mantenere le forme. Così cominciò dalle magliette più consunte, o quelle che avevano una gora giallastra sulle ascelle.

Quel lavoro inutile le metteva tristezza.

Si stufò presto, tornò in salotto e si sedette sul divano, con Fufi in collo e il tablet in mano.

Si mise a scrollare le notizie. E qui venne la sorpresa. Un ragazzo senza nome era stato ritrovato nel Sile, morto da un giorno o due, era stato trasportato dalle correnti del fiume, e si era andato a conficcare contro una grata, nel Cagnan di Buraletto, nel centro di

Treviso. Era stato individuato da alcuni passanti. Le autorità non ne avevano rivelato il nome, ammesso che lo conoscessero, però certi testimoni diretti avevano assicurato che il giovane era tutto nudo e avevano descritto un tatuaggio riconoscibilissimo, un fascio littorio. Il ragazzo aveva la gola tagliata, ma per il momento non era noto se quel taglio si fosse prodotto una volta che era sprofondato nelle acque, oppure fosse stato prodotto prima. Omicidio? Ma che, era Salvatore? Eh no, questo Stefania non se lo aspettava.

Il vantaggio della piccola isola di Procida è che è tutto raggiungibile velocemente. Lo svantaggio è che non ci sono vie di fuga.

La casa del signor Pozzobon era a pochi metri, fra l'altro le tedesche lo conoscevano bene, secondo loro era una persona tranquillissima, non usciva mai di casa, però aveva un nipote che era un amore, uno sui trentacinque che abitava a Firenze e che ogni tanto veniva a trovarlo. Un nipote di Firenze? E nato da chi, visto che Pozzobon era figlio unico?

Arrivò alla villetta, se così si può chiamare, cioè una vecchia casetta ristrutturata con un paio di superfetazioni, in giardino. Non c'erano cancelli, telecamere, alcun sistema di sicurezza. La porta di ingresso era addirittura aperta. Galati non la vedeva molto chiara, azionò il congegno agli infrarossi, per individuare presenze di persone nelle vicinanze. Nella mappa digitale che si visualizzava sul suo telefonino si potevano vedere solo due figure umane, entrambe disposte per orizzontale, una nella stanza di sopra e una nella camera al piano terra. Questa seconda persona doveva essere il Pozzobon, quella al piano di sopra la sua donna. Che fosse stata lei a commissionare l'incarico? Non tornava niente, ma cosa ci poteva fare adesso Galati? In casa non c'era nessun altro: che ci fosse dell'esplosivo? O dei gas nervini? Walter si aspettava un assalto da un momento all'altro, eppure sembrava tutto così tranquillo. E lui doveva fare finta che nulla si prefigurasse.

Entrò in casa dalla porta di cucina, un ambiente pittoresco e colorato, pieno di pentole di rame e di piatti smaltati, ceramiche e bicchieri policromi, tutto in vista. Salì le scale, senza fare il minimo rumore. Una signora fra i cinquanta e i sessanta dormiva, russando rumorosamente, nel letto matrimoniale. Fotografò mentalmente la stanza, di notevole c'era solo una riproduzione fotografica della *Maestà* di Duccio di Buoninsegna. Tornò da basso e si ritrovò fra i piedi un paio di gatte, che si strusciarono sulle sue gambe. A lui piacevano i gatti, le liquidò con una carezzina a testa sotto il collo.

Nella camera del Pozzobon, che stava dormendo, in pigiama di lanina blu, c'era un letto singolo.

A vederlo così si trattava di un vecchio inerme che doveva avere dei grossi problemi di motilità, in camera c'era una sedia a rotelle e un deambulatore, oltre alla bombola dell'ossigeno e la cannula che glielo somministrava, infilata malamente nel naso. Galati sapeva che l'uomo aveva più di ottant'anni, ma che fosse così malmesso di salute, questo non se lo aspettava.

Pensò di chiuderla subito, e che ci metto. A meno che non sia tutta una messa in scena, e allora io in questo momento sono fatto, e non vale la pena che mi ponga tante domande, perché non risolverla qui e ora?

Qui e ora, era sempre stato il suo principio ispiratore, l'importante è cosa devo fare qui e ora.

Esitava: se lo uccido subito, si disse, possono pensare che mi sono insospettito, possono pensare che io abbia qualcosa in mente. Questa situazione non mi piace per niente. Un obiettivo banale, facilissimo, un uomo indifeso, malato, di oltre ottant'anni, senza alcuna protezione, apparentemente, che addirittura tiene la porta di casa aperta. Cosa c'era sotto? Bisognava raddoppiare le precauzioni. Per questo cercava di ragionare, valutava se fosse il caso di farlo fuori seduta stante. Che fosse una trappola? Ne era praticamente certo, ma non capiva come fosse congegnata. Probabilmente quell'uomo non c'entrava niente, nessuno ne aveva ordinato l'esecuzione, e tantomeno aveva pagato per questo, l'avevano scelto a caso, quello che contava non era la persona ma il luogo, e in quel luogo doveva succedere qualche cosa, ma doveva essere un piano così astruso che lui non arrivava a decifrarlo. Lui seguiva pensieri razionali, e *loro* avevano commissionato il piano a un creativo, forse, per impedire che lui lo potesse in qualche modo prevedere secondo i canoni, l'avevano tirato ai dadi. Giusto per non dargli vantaggi. Poteva essere una strategia efficace rispondere pan per focaccia, tirare i dadi anche lui, affidarsi agli astragali, così nemmeno loro avrebbero potuto prevedere le sue mosse. Così fece. Estrasse una moneta di tasca: testa adesso, croce la prossima volta. Uscì testa.

Estrasse velocemente il filo di ferro dalla tasca laterale dei pantaloni, controllò in giro, tutto calmo. Si avvicinò al Pozzobon, quando lo avrebbero ritrovato morto magari neanche si sarebbero immaginati una morte non naturale, né il medico legale avrebbe richiesto l'autopsia. Crisi respiratoria, asistolia.

Il Pozzobon dormiva a pancia in giù, il che per uno che ha problemi respiratori non è consigliabile. La macchina dell'ossigeno faceva un rumore come quello che si fa a succhiare con la cannuccia da un bicchiere quasi vuoto.

Domandò: «Il signor Giuseppe Pozzobon?». Quello dormiva profondamente.

Fece passare velocemente il filo di ferro sotto la faccia del vecchio, ma c'era qualcosa che non andava. Girò il corpo, mettendolo in posizione supina, il Pozzobon non respirava, dovevano averlo strangolato, oppure gli avevano pressato un cuscino sulla faccia, insomma era già morto e non doveva essere passato molto tempo, perché il corpo era ancora tiepido, una temperatura che per un anziano può anche essere quasi quella normale.

Era già morto! Lo avevano appena giustiziato! E adesso? Cosa vogliono dimostrare, che non so fare il mio mestiere? Walter, forse per la prima volta in vita sua, era confuso.

Si fermò nella stanza a pensare, quasi ad attendere che succedesse qualcosa. Adesso arriverà la Polizia? Sono già qua fuori?

Lo sapevo, lo sapevo, ma meno male che la moneta ha detto testa. Se veniva croce io neanche me ne sarei accorto! Si perdono i colpi! Si perdono i colpi! Ecco perché non ti fanno mai superare i venti incarichi!

Sentì il bisogno di uscire al più presto possibile.

Non c'era nessuno.

Ma chi era stato a uccidere il Pozzobon, e in quel modo selvaggio poi? La concorrenza? La concorrenza era arrivata prima?

4
L'attentato a Carrero Blanco

Fratelli e sorelle

anche oggi siamo qui a chiederci: che succede alla nostra Treviso, al nostro territorio? Perché il Signore Onnipotente ha deciso di sprofondare la nostra città nell'Apocalisse?

È il diluvio che ci sta colpendo, e ha gonfiato i nostri fiumi che stanno per esondare e distruggere tutto. Ormai a nulla serviranno i miseri tentativi umani di opporsi alle forze della natura scatenate da Dio Padre Onnipotente, il Sile è ormai già esondato, come lo Zero è già uscito dal suo alveo, per non parlare del Piave, il fiume sacro alla patria, che da calmo e placido si è trasformato in una furia della natura.

È la fine imminente quella che sta minacciando la nostra città. E adesso, nuovi segnali ci vengono inviati. Un altro cane è stato trovato morto, selvaggiamente ucciso, un cane innocente, anche lui scempiato da una furia satanica. Ma questi sono segnali che preludono a qualcos'altro, e questo qualcos'altro è accaduto: le acque in piena dei nostri fiumi hanno restituito un corpo, il corpo di un uomo, un giovane, che a quanto pare non è affogato, vittima della furia degli elementi, è stato sgozzato da un altro essere umano! Io l'avevo previsto! Il mostro gli ha tagliato la gola, e lo ha get-

191

tato nelle acque, legato a un peso! Ma la furia dei fiumi impazziti ha sradicato la sua bara subacquea e ce lo ha riconsegnato proprio sotto un ponte nella città, nella suburra. Pentitevi! Devastazioni! Acque e sgozzamenti, che altro si riserva a questa città corrotta dal peccato? E quante altre vittime usciranno dall'acqua, dalle rogge, dai canali?

Le nostre vigne, i nostri opifici, le nostre case e le nostre fabbriche sono in pericolo, ormai sono vuote. E anche le nostre vite sono in pericolo. Il Maligno è penetrato nelle nostre famiglie. Pentiamoci! Siamo sempre in tempo di farci perdonare dal Misericordioso.

Don Carlo Zanobin
Omelia del celebrante
Parrocchia di *** (TV)

Una beghina uscendo dalla chiesa commentò scuotendo la testa: «Ma lu diga sempre 'e stese cosse! G'avemo capio!».

«Tase Orsolina! Si te sentisse».

L'aliscafo ripartì da Procida Porto e dopo qualche manovra si avviò, si alzò e prese velocità. Il mare era liscio e calmo, blu, e l'aliscafo lo solcava rapidamente. Il sole faceva capolino attraverso grossi cirrocumuli, la perturbazione che affliggeva il Nord Italia qui era tenue e marginale.

Il panorama era suggestivo e struggente, in breve furono a capo Miseno, con le coste a precipizio e in cima il faro, una splendida visione in movimento del golfo di Pozzuoli e Bagnoli, e dopo Nisida cominciarono a bordeggiare sotto costa, Marechiaro, Posillipo e Mergellina. Che meraviglia. Questi posti sono molto più belli visti da lontano. Forse tutti i posti sono più belli visti da lontano, si diceva Walter Galati, perso in quella scintillante giornata di sole e nuvole bianche. Se solo pensava a quanta pioggia fosse venuta al Nord, a Treviso, e ancora continuava a venire. Ma per i suoi obiettivi tutta quella pioggia, che metteva in pericolo l'intero Veneto, non era né un vantaggio né uno svantaggio.

Con Castel dell'Ovo in vista, cercava di riflettere con tutta la lucidità possibile sull'accaduto, ma molte cose, quasi tutte, non tornavano. E questo gli creava delle serie difficoltà.

Non gli era mai successo di accingersi a eliminare una persona, secondo l'incarico dell'Agenzia, e ritrovarsi ad avere a che fare con una vittima che era già stata freddata da qualcun altro, con metodi non propriamente professionali, poco prima. Senza contare che il suo obiettivo fallito, la vittima, il Pozzobon, era originario del Trevigiano, proprio del Trevigiano. Poteva essere un caso?

E in casa di Pozzobon non c'era nessuno, fuori che la sua concubina. Non avevano fatto fuori Walter stesso, come a quel punto si sarebbe aspettato. C'era solo la Luculescu, che dormiva sodo. Loro erano lì? Volevano vedere come si sarebbe comportato? Cosa c'era sotto? Non riusciva a capirlo, ma a una versione dei fatti, anche non definitiva, doveva arrivarci in fretta.

Era sicuro che gli avessero confezionato una trappola, una trappola di fine carriera. Ma in che modo si articolava? Perché avevano mandato a Treviso uno dei migliori agenti, forse il migliore? E in che modo si connetteva la trappola di Procida con le intenzioni della Coppo? Oppure era una semplice gara di sopravvivenza, ci mettono uno di fronte all'altro e chi vince, cioè sopravvive, resta.

Vogliono vedere fra me e la Coppo chi la spunta. E allora, *à la guerre comme à la guerre*!

Galati classificò questa ipotesi, che per il momento era l'unica sensata che gli venisse in mente, secondo la definizione di «Mors tua vita mea», che sostituiva quella che amava ripetersi e che gli piaceva molto di più, cioè «Mors omnia solvit».

A Napoli comprò i giornali del mattino, ma naturalmente era troppo presto, ammesso che qualcuno avesse già rinvenuto il cadavere, perché fosse riportata la notizia di Pozzobon. Forse era ancora nel suo letto, e nessuno ci aveva fatto caso.

D'altronde a Procida, sul molo, aveva cercato di carpire qualche novità, ma nessuno parlava di quello, e se si fosse saputo qualcosa non si sarebbe parlato d'altro.

Nelle alte sfere della Protezione Civile si stavano facendo dei calcoli, del tutto approssimativi e provvisori, di quanto poteva valere in termini nazionali un'alluvione nel Veneto.

«È la rinascita per il Paese, guarda il terremoto del Friuli».

194

«Ma qui i soldi adesso ce li hanno, e li stanno portando via. Anzi, li hanno già portati via».

«Quello non fa niente, sta sicuro, i soldi tornano indietro, quando capiranno che conviene».

«Facciamo dei Bond sull'alluvione?».

«Li abbiamo già fatti».

«Ma a vincere o a perdere?».

«Ma sei scemo?».

«A questo punto c'è da augurarsi un vero e proprio cataclisma».

«Un'incredibile terremoto edilizio, che poi si tira dietro il mobile, e poi tutto il resto».

«Fa' e disfa' l'è tutt'un lavura'».

Walter in treno ripensava.

Di incarichi non ne eseguiva più di due all'anno, sapeva già dall'inizio che il mestiere non sarebbe durato più di dieci anni, vale a dire una ventina di incarichi. Fin da subito gli avevano detto che avrebbe dovuto disporre di un lavoro anonimo di copertura, il più anonimo possibile. Poi non sarebbe stato male se si fosse procurato una moglie anonima, una relazione più che normale. Lui aveva ottenuto entrambe le cose, che tutto sommato non lo distraevano dal suo mestiere principale, molto redditizio ma anche molto impegnativo. Sul suo conto in Svizzera adesso c'erano circa sette milioni di dollari. Di questo non era molto contento, che lo pagassero in dollari, che negli ultimi anni erano assai sottovalutati rispetto agli euro. Se l'avessero pagato in euro… a questo punto… ma d'altronde. Neanche avrebbe saputo con chi negoziare la cosa. Un paio di volte l'anno gli arrivava la commessa, lui non sapeva niente, doveva soltanto farsi trovare pronto, nel weekend.

Aveva capito che gli incarichi più importanti li conferivano a lui, e le trasferte, trasferte d'oro, che raddoppiavano la tariffa. E adesso Procida, con un obiettivo già morto. Proprio a me?

Non è che lui non ci avesse mai pensato, si era organizzato. La casa l'aveva già comprata, in Vietnam, un palazzo da re, con tante ragazzine, e dieci persone di servizio, fra cui due cuochi. In Vietnam c'è una cucina da signori, e là sanno vivere, a dispetto di tutto.

Il palazzo che aveva comprato risaliva alla colonizzazione francese. Una bellissima costruzione, in stile ibrido, con una decina di camere, nella zona di Mui Ne. L'aveva pagato una cifra ridicola, 130.000 dollari, quando ancora in Vietnam nessuno comprava. Adesso quel palazzo valeva più di un milione, e di quel genere di architetture non se ne trovavano più. Naturalmente si era dovuto cercare un prestanome, in Vietnam in teoria non esisteva la proprietà privata, ma le cose sarebbero presto cambiate. Una zona un tempo dedicata alla villeggiatura. Walter ci era stato solo due volte. Le ragazzine erano l'aspetto migliore, anche se tutto sommato Walter non ci si vedeva troppo a fare il pensionato a quarant'anni con le ragazzine di tredici.

Disponeva già di svariate altre identità con relativi documenti, no, non pensava sarebbe stato necessario farsi la plastica facciale. Sarebbe scomparso, pensava, nel giro di sei mesi al massimo, ma adesso occorreva riflettere bene, forse sei mesi erano troppi. Il caso di Procida era più che evidente, e la presenza di Marta Coppo lo poneva di fronte a un bivio. D'altronde non era la prima volta.

Marino Fichichi e Santino erano arrivati direttamente a Jesolo la sera precedente, su una BMW X6. Avevano un paio di indirizzi di riferimento, vale a dire due topless bar, semideserti, visto il maltempo. I gestori di questi esercizi si lamentavano né più né meno dei proprietari di negozi di articoli da regalo o di articoli in pelle. La stagione cominciava male, l'anno precedente a questo punto Jesolo nel weekend era già al completo. Marino in quell'ambiente scarsamente illuminato e rarefatto dava un'occhiata alle ragazze. Pesavano una trentina di chili meno di sua moglie, la quale peraltro aveva ventotto anni.

Santino era il braccio armato della famiglia, quello in assoluto più affidabile, aveva il compito di sorvegliare Marino, una testa calda che non sapeva controllarsi granché e che subiva il fascino di certe località alla moda.

In uno dei due topless bar Marino aveva raccattato due ragazze dell'Est, che voleva portarsi in camera nell'albergo di Treviso. Così lui pensava di elaborare il lutto della morte del fratello.

Sulla strada per l'hotel Santino, sobrio, aveva guidato la macchina, mentre sul sedile posteriore Marino già aveva cercato di avviare i festeggiamenti con le ragazze, offrendo sostanze psicotrope a volontà, e denudandosi sotto il punto vita, indifferente al fatto che l'ineffabile Santino stesse al volante.

Ma qui non smette mai di piovere?, pensava l'autista.

Per questo al mattino successivo Santino, ligio al dovere, ebbe qualche difficoltà a svegliare Marino nella sua camera.

«Svegliati Mari', dobbiamo andare a fare il riconoscimento».

Marino era a letto con le due signore giovani e bionde. La camera era un macello.

Cercò di riprendersi finendo il prodotto che era rimasto sul tavolino. Alle dieci era in ordine di marcia, e lo erano anche le ragazze, alle quali era stato promesso che sarebbero state riaccompagnate in macchina a Jesolo, ma che invece dovettero prendere il pullman.

Marino e Santino si recarono in questura, dove ricevettero le condoglianze. Da lì furono condotti all'obitorio distrettuale e li fecero accomodare in sala d'attesa. Poi chiamarono il parente stretto, Marino, lo portarono di fronte a una vetrata, dietro la quale c'era una tenda scura. Un incaricato gli si avvicinò e a quel punto aprirono la tenda.

Dall'altra parte c'era Salvatore tutto nudo e gonfio, con una faccia stravolta e la testa mezza staccata dal corpo.

Marino si girò dall'altra parte, poi cominciò a urlare, in calabrese: «Io li ammazzo tutti, non uno ne resterà. Salvatore, Salvatore mio, Salvuzzo!».

L'incaricato dette il riconoscimento per avvenuto.

Santino riprese Marino, lo ricondusse a un comportamento più virile.

«Non adesso Marino, calmati, mo' dobbiamo metterci in movimento».

In questura il commissario Mossi spiegò le circostanze del ritrovamento: con tutta probabilità il cadavere era stato gettato in un canale o in una roggia, legato a un oggetto molto pesante, ma le correnti fortissime dovute alla piena l'avevano svincolato dal peso, e quindi il corpo era riaffiorato.

«A voi risulta che vostro fratello avesse dei nemici in città, o anche fuori?».

La domanda era retorica, la famiglia Fichichi di nemici ne aveva, e alcuni erano anche noti alle forze dell'ordine.

Marino, sconquassato in ciò che di più profondo c'era in lui, che oggettivamente tanto profondo non era, rispose: «Nemici? Ma quali? Ma dove?».

Non è che il commissario fosse così ingenuo da sperare che il Fichichi Marino gli andasse a rivelare chi era stato, cosa che probabilmente sapeva.

In realtà la Polizia era in alto mare e non c'era una pista su cui lavorare, non si sapeva niente e non si immaginava cosa potesse essere successo, se non magari un vecchio regolamento di conti. Ma proprio a Treviso devono venire a regolare i conti, puttanaccia dell'Eva?

Ma neanche Marino aveva le idee chiare.

«Mio fratello era qui per studiare». Eh sì, in due anni non aveva fatto nemmeno un esame, pensava il commissario. «E niente altro. Lui non ha a che vedere con i fraintendimenti che hanno riguardato la nostra famiglia. Un cumulo di errori giudiziari. Ma comunque, veramente, mi può credere commissario, lui non sapeva niente. Lui era al di fuori».

«Al di fuori da che?».

«Dagli errori giudiziari».

«E non pensa a un regolamento di conti?».

«E sì che ci penso, bastardi, maiali!».

Marino si mise a piangere.

«A chi pensa in particolare? Al clan di Mestre?».

«Non penso a nessuno. Chiunque abbia fatto questo a Salvatore è un bastardo e un maiale, e farà la fine del maiale».

Il commissario non rivelò a Marino Fichichi il ritrovamento del biglietto – «Brutto cornuto, hai avuto quello che ti meriti» –, né tantomeno quello dell'arma utilizzata per uccidere il rottweiler nella camera di Salvatore ma, forse avventatamente, gli chiese se il cognome Bustaz gli diceva qualcosa.

«No, non mi dice niente, e chi è?».

Il commissario non disse altro, ma Marino e Santino vennero a sapere chi era Bustaz dalla signora Carla Trevisan, un'ora dopo.

«Oh, signor Fichichi, me dispiase così tanto per il suo fradèlo, era un ragasso così simpatico, e poi era tanto bello, gli volevano tutti bene, e aveva tante di quelle morose... io chiudevo un occhio, lo sa, ma lui... e chissà che non si sia messo nei guai con qualche signora un po' più grande».

«Perché, ha visto qualche signora in particolare?».

«Viste poche volte, ma telefonavano».

«E perché non lo chiamavano al cellulare?».

«Perché secondo me – ma cosa volete che sappia io… – lui dopo un po' al cellulare non rispondeva più, e allora loro, insaziabili, lo cercavano qui».

«Ma lei conosce qualche nome, qualche numero di telefono?».

«Eh no, mi non so niente».

«Ma qualche signora di queste non è mai venuta qui? Non so, che macchina aveva, che tipo era?».

«Mah, sì, una volta è venuta, io non l'ho vista, ma aveva un cane con sé, l'hanno lasciato nel tinello».

«E che cane era?».

«Un barboncino poco tranquillo».

La Trevisan raccontò anche che un altro loro parente, il nome non se lo ricordava, era venuto il giorno dopo che Salvatore era scomparso. «Un parente?».

«Sì, una persona distinta che parlava come parlate voi, ha detto che era di passaggio, e ha lasciato anche un dolce squisito per Salvatore».

«E come fa lei a dire che era squisito?».

«Eh, mi dovete perdonare, ma quando ho saputo che il corpo del poveretto era stato ritrovato me lo sono mangiato, che dovevo fare, buttarlo via?».

«Ma come parlava questo parente?».

«Con lo stesso accento che parlate voi».

«E che ha fatto questo parente?».

«Niente, ha lasciato in camera il regalo e se ne è andato…».

Marino, e soprattutto Santino, erano perplessi. Fu in quel momento che la Trevisan dette loro l'informazione decisiva.

«Ma l'avete saputo del pezzo di legno?».

«Quale pezzo di legno?».

E dunque la Trevisan raccontò che quelli del RIS, tutti vestiti di bianco, avevano trovato in camera, sotto il materasso, un pezzo di legno col chiodo, insanguinato. Era l'arma con la quale era stato ucciso un cane il giorno prima. «Li ho sentiti benissimo che dicevano così».

«E di chi era questo cane?».

«Di uno che si chiama Bustaz, c'è scritto anche sul giornale, non avete letto?».

Bustaz?, si chiese Santino.

Anche Marino arrivava a capire che c'era qualcosa che non quadrava.

«Ma Salvatore non può essere stato così scemo da portarsi in camera quel pezzo di legno col chiodo. Era un coglione, ma non fino a questo punto, e soprattutto per una storia di donne!».

Santino fece cenno a Marino di non dire altro. Secondo lui ormai la faccenda era chiara.

Chiesero alla signora Trevisan cosa fosse rimasto di Salvatore in camera. Il computer se l'erano portato via gli agenti investigativi, altro non avevano preso. Santino digitò i tre o quattro numeri di telefono che aveva di Salvatore. Uno suonò in camera, il cellulare era dentro la tasca di una giacca. Ah, bravi quelli del RIS. Mentre Marino dava un'occhiata ai begli abiti del fra-

tello, scuotendo la testa e con le lacrime agli occhi, lacrime di odio, Santino controllò il contenuto del cellulare, le ultime chiamate, gli sms. Quel telefono non
era stato molto usato ma qualche messaggio c'era. Forse era il telefono della figa, nella rubrica c'erano solo
donne. Erano arrivati diversi messaggi da una che si
chiamava Stefania.

Galati arrivò a Mestre che erano da poco passate le
tre del pomeriggio. C'era l'allarme rosso, per via del livello dei corsi d'acqua, e non la smetteva di diluviare.
Alcune zone particolarmente a rischio erano state sfollate, o almeno si era provato a farlo, ma molte famiglie non volevano abbandonare le case e i valori, con-
vinte che sarebbero stati razziati dagli sciacalli.

In macchina ritrovò il telefonino, quando fu sulla strada di casa lo riaccese e scoprì che nelle ultime due ore
sua moglie gli aveva mandato una dozzina di messaggini, gradualmente sempre più accesi.

Sembrava essere accaduta una cosa terribile, ma non
si capiva cosa.

«Dove sei grandissimo stronzo, qui è una tragedia…».
Sembrava che Stefania non volesse nominare il protagonista della tragedia, la vittima, e nemmeno il fat-
taccio. Che era successo, si era sentito male Fufi? C'e-
ra da aspettarselo, con tutto quello che mangiava. Oppure che fosse partito qualcosa dall'ufficio, che fossero venuti fuori i nomi, fra i quali il suo. Forse per questo Stefania non ne faceva cenno per telefono, per
questo usava prudenza. Ma no, non era da lei. Se fos-

sero venuti a cercarlo i Carabinieri lei glielo avrebbe detto, doveva essere qualcosa di più...

Quando Walter arrivò a casa non c'era nessuno. Stefania gli aveva lasciato un biglietto: «Sono alla caserma dei Carabinieri».

Galati fece due più due e pensò se non fosse il caso di partire per il Vietnam: in macchina fino a Parigi, poi un volo per...

Ma no, ma no, non cercano me. Se stessero cercando me sarei già morto, si disse Walter.

Così Galati andò dai Carabinieri. Nel corridoio incrociò due ceffi meridionali accompagnati da un paio di agenti. Walter guardò negli occhi il più giovane, e questo non gradì per niente, come capita ai gorilla, nel senso dei primati, che non amano essere fissati negli occhi.

«Che cazzo vuoi tu, cos'hai da guardare?».

«Io? Cosa? Niente... niente», e girò lo sguardo da un'altra parte. Nel frattempo fotografò mentalmente quella faccia da cocainomane, e anche quella del socio, più attempato, calmo e temibile.

Stefania era lì, seduta su una panchina di legno muffito. Quando vide Walter si alzò e corse ad abbracciarlo, come si fa in caso di lutto. Proruppe in un pianto dirotto. «Walter! Walter...».

«Stefania, che è successo?».

«Fufi... Fufi... Fufi non c'è più».

«Ma che stai dicendo? Che è successo a Fufi?».

Confusamente, singhiozzando, Stefania riassunse i fatti. La mattina aveva portato Fufi al parco e l'aveva lasciato scorrazzare per conto suo, come faceva di solito. Pioveva ancora, ma il cane aveva bisogno di fare quattro passi. Stefania stava conversando con una sua conoscente, sotto l'ombrello. Parlavano del Comitato contro la violenza sui cani.

Quando Stefania aveva terminato di chiacchierare si era messa a cercare Fufi, ma quello non si trovava. Cerca e ricerca, il barboncino non veniva fuori, strano, di solito non si allontanava mai più di tanto.

Ed ecco la scena straziante, lo scempio, l'apocalisse: Fufi, o almeno una parte di lui, era vicino alla fontana, dietro una siepe. La testa non era lì, era a qualche decina di metri di distanza, nella grotta della fontana, qualcuno, il killer, ce l'aveva lanciata.

Stefania era disperata.

«Aah aah aah aah, ho visto la sua testa...».

Walter la abbracciava, la stringeva forte.

«Ma chi può essere stato? Chi?».

«È il killer, il killer dei cani, non hai sentito? C'è uno che ammazza i cani, un animale, e proprio Fufi doveva scegliere, con tutti i cani che ci sono?».

Mentre Galati cercava di consolare sua moglie pensava al Vietnam, e al fatto che lui non poteva stare dietro a una strategia fondata sul caso, sulla guerra totale e indiscriminata. Sapeva chi era stato l'autore del secondo canicidio, ma in quel caso si trattava di una morte istantanea, un chiodo nel cervello, morte senza sofferenza. Invece l'assassino di Fufi l'aveva fatto soffrire, scavandogli il collo con un coltello tagliente. L'avvertimento non poteva essere che per lui, la sua povera moglie che ne sapeva? Forse valeva la pena di decollare un altro cane, tanto per confondere ulteriormente le acque e aumentare il livello di tensione sociale, la gente bada molto ai cani, e in effetti... Walter non era affatto sconfortato per la scomparsa di Fufi, non gli era mai stato simpatico, ma il fatto che la sua morte sfuggisse completamente al suo controllo non gli dava nessuna rassicurazione.

Stefania fornì a Walter qualche dettaglio raccapricciante in più sulla morte di Fufi.

«E quindi la Polizia crede di sapere chi è stato, per tutti i cani uccisi?».

«Ma certo, cosa pensi, che di killer dei cani ce ne siano due? Non capisci mai niente. Ma d'altronde, a te piace andare a pescare, a prendere l'acqua, ti basta stare solo, ormai questo l'ho capito, e nei momenti catastrofici non ci sei mai».

«Ma cara, adesso sono qui, farò tutto il possibile, sai quanto fossi affezionato a Fufi».

«E se adesso prendessimo un beagle? Sono tanto di moda».

«Ma come, Fufi ci ha appena lasciati e tu già pensi al sostituto?».

Quando uscirono dalla caserma dei Carabinieri non si aspettavano un'accoglienza del genere. Stefania fu circondata da una ventina di persone, e sotto la pioggia fu sottoposta a un bombardamento di interviste: giornalisti e cameramen si affollavano, si spintonavano, per avere notizie sul caso dell'ennesimo cane ucciso.

Stefania fu prodiga di notizie, rispose a tutti, davanti a una telecamera non esitò a dire: «No, questa non è venuta bene, rifacciamo».

Solo dopo un'ora Walter riuscì a portarla via, in pieno stato di eccitazione.

Tornati a casa Stefania, pur ondeggiante per il dolore e vaneggiante per lo strazio, si sintonizzò subito sui canali locali, e si rivide al video. Non si sa come ma i giornalisti televisivi erano riusciti a procurarsi una foto di Fufi, che diffondevano in rete a intervalli regolari.

«Walter, come sono venuta in ripresa? Guarda che occhiaie! Ma d'altronde, in una simile situazione di disperazione. Era meglio se mi mettevo gli occhiali scuri... me lo faresti un tè con qualche fetta di pane abbrustolito, burro e pasta d'acciughe?».

Poi vi fu una lunga serie di telefonate, di tutti coloro che l'avevano vista in TV: «Ma come stavi bene... e poi sei stata bravissima e fortissima, con quello che è successo...».

Walter, andando e venendo dalla cucina – a un certo punto Stefania, perennemente al telefono, gli aveva chiesto delle crêpes alla Nutella – intercettava saltuariamente qualche frase tipo: «No, quel cretino era a pescare, forse se lui non fosse stato a pescare tutto questo non sarebbe successo», oppure: «Ma figurati, cosa vuoi che combini quel mollusco», «Lui va a pescare... con quello che succede lui va a pescare...».

Passata l'ondata di telefonate Stefania si buttò sul letto, esausta. Lasciò a Walter una consegna precisa, di annotare con scrupolo ogni telefonata in arrivo, ora, nome e motivo.

Finalmente Galati poté dedicarsi a quello che più gli premeva, e passò l'ora successiva, fra una telefonata e l'altra, alla ricerca di notizie sulla morte violenta di Pozzobon, avvenuta nell'isola di Procida la notte precedente. Eppure non trovò niente, niente di niente. Possibile che la signora Luculescu, che forse, chissà, era anche la mandante, non se ne fosse ancora accorta, non avesse denunciato il fatto?

La miriade di siti web che si occupavano della cronaca campana, e anche quelli specifici sulle isole e su Procida in particolare, non riportavano alcuna notizia in proposito. Poteva anche darsi che la Luculescu avesse chiamato la Polizia, e che questa non avesse ancora rivelato niente pubblicamente, per non turbare le indagini. Oppure poteva anche darsi che la Luculescu o chi per lei avessero proceduto a occultare il cadavere, forse l'omicidio era stato «fatto in casa», ma non stava in piedi. Le attività svolte dall'Agenzia venivano pagate in anticipo, e allora che senso aveva pagare tutti quei soldi per poi agire da soli? Sempre più Galati si convinceva che gli avevano teso una trappola, ma non ne capiva assolutamente la struttura.

Provò addirittura a telefonare, con le dovute precauzioni, a casa Pozzobon, non rispose nessuno.

Allora gli venne un'idea, telefonò a casa della tedesca che lo aveva ospitato per qualche ora, la signora Karola. Ne aveva annotato il numero la notte precedente, non si sa mai, oltretutto era il suo alibi, no?

Questa gli rispose, e lo salutò calorosamente: «Quando venite trovarci n'atra vota, signor Russo?».

Walter scambiò quattro chiacchiere, non gli fu facile entrare in argomento, era un po' pericoloso chiedere notizie direttamente. E poi cosa avrebbe potuto dire? Ma non è morto nessuno stanotte lì a Procida?

Comunque sia riuscì a sapere che Pozzobon era effettivamente morto, ma di morte naturale, non c'era nessuna altra versione, autopsia, indagine. Probabilmente si era trattato di una crisi cardio-respiratoria, d'altronde il Pozzobon era malato da tempo, e senza ossigeno respirava a fatica, ma ormai anche con quell'ausilio aveva difficoltà.

Walter attaccò il telefono e si mise a pensare alla casamatta privata di cui disponeva nelle vicinanze di Castelfranco. Era una vecchia struttura militare, dove fino alla metà degli anni ottanta aveva sede una polveriera, fatta come si facevano una volta, con edifici in pietra e cemento, interrati e coperti di manto erboso. Adesso la struttura era abbandonata e Walter ne utilizzava una piccola porzione come magazzino bellico, dove lui poteva entrare, grazie a due cancelli di ferro dei quali solo lui possedeva le chiavi. Uscì di casa assicurando a Stefania che sarebbe tornato subito.

La Banda dei Quattro era in crisi nera. La minaccia tramite il sasso lanciato in albergo non aveva avuto alcun effetto, anzi la Coppo in mattinata si era rifiutata di conferire con Trentanove e con chicchessia. Aveva parlato nuovamente col direttore, sostenendo che lei andava protetta, perché i risultati della sua ispezione avrebbero sollevato un putiferio.

Dunque la Banda dei Quattro si riunì di nuovo. Arrivarono all'osteria La Frasca che erano tutti bagnati.

«Voi che pensate di fare?».

«Io penso di andarmene via, non credo ci sia altra soluzione, siamo tutti nella merda».

«Ma tu sei pazzo, io sono a un anno dalla pensione, come pensi che ci rinunci?».

«Fai come cazzo ti pare, ma qui finiamo tutti male, te ne rendi conto?».

«Ma in fondo cos'ha lei su di noi?».

«Lei ha tutto quello che le serve, e non è così scema come sembra, o come vuole darci a bere».

«Io penso che non abbiamo molte alternative».

«Vale a dire?».

«Vale a dire che non abbiamo alternative, mi pare di aver parlato chiaro».

«E cioè?».

«Ma che me lo chiedi a fare, hai capito benissimo».

Seguì una pausa prolungata di silenzio.

«E secondo te come facciamo?».

«Non lo so, ma qualcosa dobbiamo fare».

«Quella donna deve sparire, minacciarla non serve a niente».

«Ma la figlia? Si era detto di lavorare sulla figlia».

«Io non me la sento, preferisco lavorare su di lei, a me l'idea di rapire la figlia non mi convince».

«Quanti anni ha?».

«Undici».

«Tanto per fare un'ipotesi, come potremmo comportarci con lei?».

«La dovremmo fare sparire, sequestrarla. La andiamo a prendere a scuola e quella non c'è più».

«Ma voi siete matti, io queste cose non le faccio».

«Anch'io penso sia meglio lavorare direttamente sulla Coppo, e il più rapidamente possibile».

«Allora la stessa cosa la dobbiamo fare direttamente su di lei, sulla ispettrice».

«Se la facciamo fuori il reato è meno grave che se la rapiamo».

«Dobbiamo trovare un'idea brillante, mica mi verrai a dire che chiamiamo qualcuno che ce la faccia fuori?».

«Io non saprei a chi rivolgermi».

«Io so che ci sono delle agenzie specializzate, però costano un sacco di soldi».

«Tanto per fare una cifra?».

«Decine di migliaia di euro, come minimo».

«Stai scherzando? Per duemila euro trovi gente disposta a tutto».

«Potremmo pensare a un incidente stradale. Un bel frontale. Oppure un'auto pirata la mette sotto, e chi si è visto si è visto, succede tutti i giorni».

«E chi la mette sotto, tu? E se la manchi?».

I quattro si logoravano le meningi.

«La cosa, qualsiasi cosa, la dobbiamo fare noi».

«Ma vuoi rapirla? E poi che ne facciamo? Facciamo prima ad ammazzarla».

«Ah, ragazzi, io non me la sento, non è roba per me».

«Voi siete pazzi...».

Seguirono dieci minuti di pesantissimo silenzio.

Fu Parolin a romperlo.

«Io continuo a pensare che sia meglio tornare alla strategia della corruzione. Metterla nella condizione di non nuocere. Se la eliminiamo poi di ispettore ne potrebbe arrivare un altro e siamo da capo. Io un'idea ce l'avrei».

«Allora tirala fuori».

«Voi siete pazzi».

«No, che hai capito, a quella non le facciamo niente, ma la mettiamo nei guai, la mettiamo nelle condizioni di non nuocere».

«Ma con chi, con un maschio? Guarda che quella sta attenta, pensi che ci caschi? E dove glieli metti in mano i soldi, in ufficio?».

«L'ho letto su un libro, non ci vuole niente, troviamo la persona adatta e poi scattiamo le fotografie, facciamo un set. Le consegniamo 400.000 euro in contanti e riprendiamo tutto, e poi vediamo se non si calma. Rischia più lei di noi».

«Ma come facciamo, e dove?».

«Beh, la portiamo dove sappiamo, e poi le mettiamo in mano i 400.000. Filmiamo e poi la accusiamo di concussione. Se lei abbozza e se li prende, pace. Se lei fa storie la minacciamo, rischia più di noi».

«Domani bisogna farla venire al casolare, o portarcela direttamente noi».

La Lorenzin, che aveva passato il weekend a Jesolo, entrò nella stanza senza neanche bussare. Nonostante fosse piovuto sempre era tornata abbronzata, quasi carbonizzata.

«Ah, meno male che vi trovo tutti insieme. Mi dovete mettere delle firme. Me l'ha detto la dottoressa Coppo».

I quattro si erano zittiti bruscamente, ma che voleva quella deficiente?

«Sono proprio stanca, oggi quella là me ne ha fatte fare di tutte».

Non le davano molta retta, ma Parolin, tanto per alleggerire la situazione, fece un errore gravissimo, chiese alla Lorenzin: «Come va?».

Quella non se lo fece dire due volte. Appoggiò i fogli firmati e si sedette sul tavolo. «Sapeste cosa mi è successo...».

Trentanove cercò di intervenire, di stopparla, ma ormai era troppo tardi.

«Lasciatemi stare che stamattina proprio non è aria».

«E perché, cosa le è successo?».

«Ah, guardate, non ne posso veramente più».

«E di che? E perché?».

«Per via del test del parcheggio».

«Un test del parcheggio?».

La Lorenzin ne tirava fuori sempre di nuove, e succedevano tutte a lei.

«Avevo trovato un bel garage, proprio sotto casa mia, lo affittavano per una cifra ragionevole, vi pare che possa continuare a posteggiare la Mini per strada? Insomma vado a vederlo, un garage molto piccolo, però a me andava benissimo, non ho mica un SUV o una Mercedes... Insomma a me la cifra andava bene, mi sembrava proprio un bel colpo di culo, eccetera. Però il proprietario mi ha detto che prima di finalizzare voleva che io facessi una prova di posteggio. Mi viene a dire che in passato aveva avuto un sacco di problemi, gente che gli rovinava l'ingresso, che gli sfrisiava i montanti, e poi, per via che il garage era piccolo, se ne andava via, dopo un mese. E lui doveva ricominciare da capo. Mi ha anche chiesto se avevo intenzione di cambiare macchina, nei prossimi anni.

No, gli ho detto io, l'ho comprata adesso adesso, si figuri.

Insomma mi ha fatto fare la prova dell'ingresso nel garage, entrare a marcia avanti e a marcia indietro. A marcia avanti tutto okkey, solo che una volta che ero dentro non riuscivo ad aprire lo sportello, mi è toccato uscire dall'altra parte. Allora lui mi ha detto che la soluzione migliore, anzi l'unica, era quella di entrare a marcia indietro, e mi ha fatto fare la prova. Io con le manovre in macchina me la sono sempre cavata, ho detto, va bene. Però, con lui lì davanti, che mi controllava, ero un po' nervosa.

Guardi che ne ho altri che vorrebbero il garage, mi dice quello stronzo. Insomma, riesco a entrare a retromarcia, dopo tre o quattro tentativi, ma capisco che c'è del pregiudizio nei confronti delle donne: il solito sessismo, donna al volante pericolo passante e via di seguito. E io non voglio che finisca in quel modo.

Insomma vado fuori e rientro dentro, a marcia indietro, e che ci vuole. Solo che a me gli esami mi hanno sempre messa in agitazione, anche quelli medici. Mi sono incasinata, non riuscivo a centrare l'ingresso del garage, ho anche sfiorato la sbarra di ferro laterale, un graffio sulla carrozzeria. Il padrone scuoteva la testa, come a dire che se lo immaginava. Insomma, a quel punto ho capito che il garage non me lo dava, bastardo sessista di merda. Che se lo tenga per sé quel garagino del cazzo. Sono partita a tutta velocità, e per poco non ci lascio la coppa dell'olio, all'inizio della rampa. Ma che stronzo!».

Gli altri speravano che il racconto fosse terminato.

«Lui e il suo garagetto di merda! Probabilmente era stato costruito per una FIAT 600, o al massimo una 850, una volta le macchine erano più piccole. Adesso lo denuncio, quello stronzo».

«E per cosa, lo denunci?».

«Per discriminazione nei confronti delle donne, vi pare?».

Perché le prede nelle grinfie del predatore si mettono a gridare

Ci sono dei comportamenti che dal punto di vista darwiniano non hanno facile spiegazione. Uno di questi è che molti animali, una volta che sono catturati da un predatore, nell'imminenza della morte certa, cominciano a urlare, a fare versi rumorosissimi, anche animali che per natura sono molto silenziosi, come per esempio i conigli. Oppure uccelli e primati.

Fra questi anche gli esseri umani si distinguono per mettersi a gridare, ma su questi, se ci sarà tempo, torneremo alla fine.

Dunque la domanda è quale possa essere il vantaggio immediato, oppure evolutivo, di produrre molto rumore una volta che il predatore ti ha agguantato.

Una mente antropomorfizzante potrebbe suggerire che gli animali lo facciano per chiedere aiuto ai loro cospecifici. In realtà è l'esatto contrario. Un'altra potenziale vittima di un predatore non si sogna nemmeno di avvicinarsi al luogo dove ormai sa che si trova il predatore stesso. Potrebbe finire anche lei nelle grinfie del leopardo, della iena o del gatto, senza avere alcuna risorsa per difendere il cospecifico, cosa che peraltro non rientra nelle sue prerogative e intenzioni, e dunque al suono delle grida la sua reazione sarà semmai quella di allontanarsi. In effetti alcuni spiegano il fenomeno proprio come un allarme, rivolto ai propri simili: il consiglio di darsela immediatamente a gambe. Al soggetto interessato urlare non servirà a niente, ma magari sarà utile alla sua prole, oppure ai membri della sua stessa specie. Anche se la difesa della propria specie non è affatto regola generale.

Dunque se urlare non rappresenta una richiesta di aiuto, di che cosa si tratta? Potrebbe essere un comportamento rivolto a spaventare il predatore o a confonderlo, non certo a impietosirlo. Pensare che sia una pura espressione di dolore pare una semplificazione infantile: l'espressione del dolore si è evoluta perché e quando serve, altrimenti è inutile e viene cassata dall'evoluzione.

Oltretutto il pianto, una volta dimostrato che non ottiene risposta, recede. In certe tribù di pellerossa nomadi si usava allontanare i bambini dalle madri, subito dopo la nascita. Venivano portati lontano, a una distanza sufficiente perché la madre non potesse percepire il loro pianto. Le madri non si struggevano e i bambini dopo pochi giorni, non avendo alcun beneficio a farlo, smettevano di piangere. E il fatto che nell'accampamento i bambini piangessero era una circostanza che la tribù, sottoposta ad attacchi continui, non poteva permettersi.

Dunque si piange e si urla per essere ascoltati, e se lo fanno gli animali agguantati dai loro predatori ci deve essere un motivo. Spaventare il predatore? In realtà, dopo accurati studi, pare essere il contrario: il coyote per esempio a sentire le urla della sua vittima ha un rinforzo positivo, raddoppia energie e rapidità di esecuzione.

Una fra le ipotesi più accreditate è che l'urlo della vittima sia volto a richiamare l'attenzione di altri predatori. L'ha ipotizzato l'etologo Hogstedt.

La preda potrebbe cercare di far in modo che si avvicinino altri predatori, i quali potrebbero entrare in conflitto con quello che l'ha afferrata, e in questa confusione la preda potrebbe avere qualche chance in più di cavarsela.

È una tesi interessante, però in quante circostanze le prede, anziché mettersi a fare un rumore infernale, simulano di essere morte prima che ciò sia veramente avvenuto?

Tornando agli esseri umani, è fuori dubbio che si mettano a urlare per influenzare il predatore, per richiamare altri cospecifici, per chiedere aiuto, o semplicemente per paura. In effetti da studi fatti risulta che gli appartenenti alla stessa specie perlopiù si allontanino. Il predatore forse può temere che qualcuno si avvicini e lo attacchi a sua volta, ma lo fa perché non è un esperto di etologia. Il predatore, così come fa il coyote, si può anche eccitare a sentire le grida, e avere un rinforzo positivo. Testimonianze storiche dimostrano che anche nel caso degli esseri umani in molti casi la simulazione di essere morti produce risultati assai migliori di mettersi a strillare all'impazzata. Quest'ultima evenienza potrebbe stimolare il predatore ad abbreviare i tempi, anche soltanto per far smettere la preda urlante di fare tutta quella confusione, che richiama concorrenti e allontana altre prede possibili.

In effetti l'urlo è qualcosa che snerva, e in certi casi il predato può fare uscire dai gangheri il predatore, prendendolo per esaurimento. Questa forse è un'evenienza esclusivamente umana: chi urla sa che riesce a produrre una qualche misura di esasperazione in chi lo attacca.

Già da diversi anni a Jesolo, frequentatissima località balneare della costa veneta, si parlava di creare un quartiere a luci rosse, con case di tolleranza in stile, alberghi benessere-sesso, strade alla maniera dei vecchi tempi, con vetrine illuminate, sul modello degli outlet, il tutto abbinato a case da gioco, locali di strip, topless bar e a ciò che è necessario per garantire un servizio accurato nel settore.

La cittadina balneare, che conta d'inverno 25.000 abitanti, d'estate ne ospita qualche milione, e ha vissuto un grande impulso allo sviluppo a partire dal trapasso del millennio. Si è investito molto, e si sono realizzate strutture costosissime, con lo scopo di trasformare Jesolo in una beach-city, come si dice in gergo, praticamente la beach-city dell'Adriatico. In questa direzione si sono scelte delle archistar di varia provenienza e a loro è stata affidata la progettazione di alcuni grattacieli, alti più di settanta metri, secondo il concetto della «nuova centralità». Fra questi la torre Merville, 24 piani, progettata dal portoghese Gonçalo Byrne, la torre Aquileia, dello spagnolo Carlos Ferrater, 22 piani, e le dominanti torri di piazza Drago, dello Studio

Ortica & Zanforlin e altri. Il pezzo forte avrebbe dovuto essere lo Jesolo Lido Village, dell'americano Richard Meier, senza dimenticare il nuovo Porto Turistico, il Palazzo del Turismo, e gli Exotic Villages.

Gli appartamenti nei grattacieli erano stati messi in vendita a cifre iperboliche, l'idea era quella di un circolo virtuoso che portasse capitali (russi e simili) a Jesolo, che sarebbe diventata la Miami dell'Adriatico: stilisti, miss, personaggi famosi, calciatori, chi avrebbe resistito a una penthouse che dominava il mare e la laguna? In effetti, forse a causa della crisi economica, molti hanno resistito, e la maggior parte degli appartamenti dei grattacieli è rimasta invenduta, e Jesolo non è diventata la Miami del Veneto, anche per la miopia e l'ostinazione di forze conservatrici, che hanno combattuto a lungo contro l'idea che in un ex paesino di pescatori sulla laguna si costruissero grattacieli di 70 metri.

Tornando ai servizi a luci rosse, non è che questi mancassero, nella cittadina affluivano prostitute e prostituti da tutt'Italia e dall'estero, e relativi operatori intermedi e accessori. Gente di tutte le provenienze, classi di età, di censo, e per tutti i tipi di tasche. C'erano alberghi specializzati, uffici di collocamento e agenzie che trattavano il giro delle escort, canali informatici preposti e anche iniziative creative come la sex boat, che stazionava al largo del Cavallino e la sera faceva il carico, la notevole quantità di topless bar dotati anche di servizio baby sitter per posteggiare i bambini, il gran teatro dell'esibizione, strip e servizi per sole donne e per donne sole, e anche una bella sezione gay o fusion.

Il problema è che tutta questa offerta era disordinata, non coordinata, e affidata al liberismo più selvaggio, e in buona sostanza mancava di una programmazione a livello centralizzato, che lasciava Jesolo scoperta di fronte alle bordate della concorrenza. Vicino a Grado avevano saputo organizzarsi molto meglio, e riuscivano a raccogliere una certa proporzione della clientela tedesca e austriaca.

Per non parlare della Slovenia e della Croazia, che avevano investito molto e bene nel settore, e adesso dominavano il mercato. Hotel, resort, villaggi, casinò, locali di primissima categoria che ormai si erano fatti un nome, e che si potevano permettere ospitate Rai e Mediaset.

Eppure cosa aveva Jesolo in meno? Piuttosto aveva qualcosa in più, per esempio Venezia a due passi, due aeroporti internazionali nel giro di trenta chilometri, accessi dal mare e porticcioli turistici perfettamente attrezzati, poche ore da Vienna, Monaco di Baviera, Praga.

Ma mancava un centro di coordinamento, il che andava a svantaggio di tutti i settori. Il turismo di famiglia, stabilimento, gelato e pizza, non gradiva troppo la commistione col mercimonio in mezzo alla strada, e lo stesso i turisti sessuali preferivano situazioni con maggiore privacy e tranquillità.

Il sindaco Antonio Culicchia non ci dormiva la notte, aveva il chiodo fisso. La sua idea e quella della Giunta era di realizzare finalmente un quartiere a luci rosse di «livello europeo». Proposta sulla quale ci fu un totale accordo di maggioranza.

Naturalmente le idee erano tante e diversificate. Si decise di istituire una fase di discussione, un briefing generale.

Qualcuno propendeva per la creazione di un villaggio in stile, con casette basse e in armonia con le architetture tradizionali di quell'area del Veneto, magari un po' più curate e colorate, insomma una specie di outlet del sesso in stile Murano, che contenesse ricostruzioni di vecchi quartieri di Venezia, quelli più loschi e liberi, con vetrine stile Amsterdam e gondole.

Uno studio di architettura aveva esposto un progetto compiuto che si chiamava «La costa dei Pirati», o anche «Sexy Ville», e che prevedeva la costruzione di due grandi alberghi con SPA e tutti i servizi, un quartierino presunto losco, fatto di stradine con ambientazione settecentesca, un'area che imitasse quella dei bordelli parigini e una che ricordasse le case di tolleranza italiane, per i nostalgici o per i neofiti.

All'esordio il progetto, per non dare troppo nell'occhio, si sarebbe chiamato Hotel Italian Beauty, un piccolo villaggio – altri lo volevano chiamare Nostalgia – che per la prima fase era previsto fosse utilizzato come Golf Hotel, e svariati altri cantieri che avrebbero beneficiato di permessi provvisori, in attesa che fosse ufficializzata la nascita di Sex City.

Nel canale avrebbe transitato la barca dell'amore, forse per scambisti, ma la struttura avrebbe dovuto essere flessibile, multitarget, per gli utilizzi più svariati.

Altri invece, più realisti del re, sollevavano il problema dei grattacieli, e degli appartamenti perlopiù invenduti. E se uno dei grattacieli fosse diventato la «Spada di fuoco», con le finestre illuminate di rosso, con luci rosse sempre più intense procedendo dal basso verso l'alto?

Alcuni proposero addirittura di creare un insediamento deputato sull'Isola di Sant'Erasmo, fra Punta Sabbioni e Murano. Era poco abitata e ricca di aree dedite alle coltivazioni, alcune delle quali, ancora di proprietà dell'Arcidiocesi, erano assai appetibili e qualche esponente di area cattolica non si era dimostrato contrario in linea di principio a uno sviluppo «turistico» della zona.

Certi organismi ecclesiastici, pur se con maggiore diplomazia, avevano manifestato un parziale dissenso con la possibilità che una certa area fosse deputata al mercimonio del sesso, e che l'intera cittadina diventasse una nuova Sodoma e Gomorra, più di quanto non lo fosse già diventata. Però anche nella Curia al proposito c'era una vivace discussione, alcune frange si mostravano più possibiliste, bastava che le strutture alberghiere e di attività sociale preposte all'utilizzo fossero nettamente separate e distinguibili dal centro abitato e balneare.

Alla fine l'ipotesi sulla quale ci fu una sostanziale convergenza fu quella di scegliere Lio Piccolo, un insieme di isolette semiabbandonate, con un minuscolo centro abitato, per di più raggiungibile in macchina, in posizione strategica, fra il lido a Jesolo, Burano, Punta Sabbioni e l'aeroporto.

Ovviamente i soliti Verdi, ecologisti, stronzi missionari della natura e dell'immobilismo, avevano sollevato un vespaio su ognuna di queste ipotesi, ma si trattava di obiezioni timide e sporadiche.

Non erano queste le critiche che preoccupavano il sindaco e i faccendieri che lavoravano a stretto contatto con lui.

Si puntava molto su cordate di investitori stranieri, preferibilmente dai paesi dell'Est europeo.

E c'era anche da considerare l'imprenditoria locale, quella da coinvolgere per gli investimenti, ed era stata coinvolta anche troppo, c'era chi si era ritirato, che aveva cercato di realizzare anche a cifre non concordate. Ma di particolare importanza era l'imprenditoria del settore, quella che gestiva tutto il comparto del divertimento sessuale, se così si può chiamare, delle escort, delle agenzie che regolavano l'attività di spogliarelliste e spogliarellisti, fra i quali anche Pinin e Loris. Purtroppo l'imprenditore chiave del settore non era altri che Danilo Bustaz.

Estenuato, Walter Galati, dopo aver trasportato decine di chili di materiale, sotto la pioggia, che fra l'altro poteva mettere tutto a repentaglio, non aveva ancora finito.

Con la Volkswagen procedeva a bassa velocità, con prudenza. All'altezza di Borgo Fiume sentì un rumore forte, come di un urto di materiale plastico, cosa aveva investito? Accostò sulla destra.

Arrivarono subito in tre, lamentandosi.

«Tu ha preso specchietto, guarda come ridotto». Uno dei tre mostrava a Walter uno specchietto retrovisore in mille pezzi.

Walter pensò che potesse trattarsi del trucco del trucco: ovverosia che qualche professionista serio facesse finta di adottare con lui il trucco dello specchietto. Gli sembrava una buona idea, anche lui era ricorso a uno stratagemma del genere, in passato. Farsi passare per un delinquentello da strada talvolta è la migliore strategia per mascherarsi. Quella volta aveva scippato una vecchia signora: si erano fermati tutti, e lui era rimasto con la borsa in mano. Il suo obiettivo era tra gli spettatori, che per curiosare sullo scippo aveva dimenticato di stare attento a se stesso. Trenta secondi che per quello là, nonostante fosse scortato da quattro persone, si sarebbero dimostrati fatali. Chi è che non si ferma a guardare cosa succede in caso di scippo? Centinaia di curiosi, che poi non fanno niente. Bisogna sfruttare queste circostanze. E quella volta Walter la sfruttò, freddando l'obiettivo da una distanza di due metri, situazione che non era assolutamente facile da predeterminare.

E adesso cercavano di attuare contro di lui una strategia simile?

Gli sembrava impossibile. Dal vano portaoggetti della Volskwagen estrasse la Desert Eagle, e se la infilò dentro la cintura. Uscì, rassegnato. Se erano dei professionisti per lui non c'era alcuna possibilità, ma se non lo erano?

Cercò di ragionare in tempi brevi: se i tre erano quello che lui temeva occorreva abbatterli velocemente, subito, e poi eclissarsi, definitivamente. Fuggire con la macchina? E per andare dove? Probabilmente era proprio quello che volevano, probabilmente ce n'erano altri tre all'incrocio successivo, oppure un camion di traverso.

Bah, forse mi conviene comportarmi come se fossi una persona normale, fare quello che farebbe una persona normale, pensò Galati. Se volevano seccarmi lo avrebbero già fatto.

Allora uscì dalla macchina, sotto la pioggia.

Se si erano travestiti da disgraziati lo avevano fatto benissimo.

I tre cominciarono a inveire, continuando a mostrare a Walter lo specchietto retrovisore ridotto in pezzi. Walter lo osservò, guardò analiticamente i tre, se il loro intento era semplicemente quello di fermarlo, ok, ci erano riusciti, ma questi non erano mica armati.

Forse. Walter le aveva già pensate tutte. No, quelli lì, anche se la storia dello specchietto fosse stata solo una sceneggiata per distrarlo, a quest'ora lo avrebbero già giustiziato, ammesso che la parola giustiziato fosse quella corretta.

«Tu mi ha rotto lo specchietto», disse uno di quelli. Più passavano i secondi e più Walter si convinceva che quelli erano degli sfigati che facevano per davvero il trucco dello specchietto. Avevano una vecchia Volvo, uno specchietto termico costa quasi quattrocento euro.

Gli si misero intorno, per spaventarlo.

Che palle, pensava Walter, ma non sarà che veramente sono un gruppetto di stronzi?

«Va bene», disse Walter, tenendo la mano sopra la Desert Eagle. Era fortemente tentato di rispondere che

227

lui comunque non cacciava niente, e che occorreva chiamare la Municipale.

Ma chi lo farebbe? Mettiamo che mi sorveglino. Cosa faccio, sollevo un casino? Oppure gli sparo nelle ginocchia? Questi tre stronzi se lo meriterebbero.

Ci pensò un attimo. Poi decise che non ne valeva la pena. Invitò i tre a entrare in un barretto all'angolo.

«Sentite», disse «io so che non ho rotto nessuno specchietto retrovisore, eppure sono disposto a darvi cento euro, e la faccenda finisce qui. Purtroppo ho impegni molto onerosi, e non ho tempo da perdere. In altri momenti magari mi sarei preso la briga di rompervi gli arti inferiori, o di spararvi in testa». Walter mostrò al terzetto la Desert Eagle, i tre sbiancarono. «Ma adesso non ho tempo né voglia per farlo». Estrasse cento euro dal portafoglio e li consegnò a quello dei tre che pareva il leader.

«Se poi siete gente dell'Agenzia, complimenti a voi, in primis perché non mi avete fatto secco subito, confondendomi le idee, in secundis perché vi siete mascherati benissimo, e sembrate veramente dei morti di fame».

I tre, alla vista della pistola professionale, sarebbero voluti svanire all'istante, eppure il leader ritirò i cento euro, e allora se la svignarono.

Walter scosse la testa. Se questa volta era andata così come sarebbe andata la prossima?

Intorno alle tre del pomeriggio Marino e Santino arrivarono alla villa di Bustaz sul Terraglio, il cancello era aperto e loro entrarono con il BMW X6.

Al citofono dissero che erano venuti per via della faccenda del cane. Bustaz riconobbe l'accento meridionale e pensò si trattasse di due carabinieri, o poliziotti, o gente della questura.

«Accomodatevi».

«Lei è il signor Bustaz?».

«Eh, beh, sì, sono io».

«Lei sa chi siamo noi?».

«Siete della questura?».

I due sorrisero. «No, non siamo della questura».

«Davvero non si immagina chi siamo? Non nota alcuna somiglianza?».

Bustaz credeva di capire, anche se la cosa sbagliata. Eppure lui era in regola.

Quello dei due che non parlava aveva con sé un enorme borsone, che conteneva qualcosa di rigido. Armi? Bustaz cominciò a sudare freddo.

«No, non lo so, non lo immagino. Ma che volete da me, io mi sono sempre comportato bene, chiedete a Marghera, io...».

«Allora lo sa chi siamo noi?».

«Beh, forse sì».

«E secondo lei perché siamo qui?».

«Secondo me c'è stato un errore, io...».

«Lei che cosa?».

«Io ho sempre pagato le quote».

«Quali quote? A noi?».

Bustaz cercava il telefonino in tasca a tastoni, ma quelli ci stavano attenti. Pensava a chi poter chiamare.

Il tipo serio si fece consegnare il cellulare.

229

«Posso bere qualcosa? Ne volete anche voi?», domandò Bustaz.

Estrasse una bottiglia di cristallo, piena di un liquido ambrato.

«Lei era il proprietario di Terminator, un cane, vero?».

Bustaz tremava tutto, non solo le mani, ma questa domanda lo colse di sorpresa.

«Sì, e perché? Me l'hanno ammazzato dei balordi due giorni fa».

«Dei balordi, eh?».

Santino non poteva sopportare quando quel cretino di Marino faceva la conversazione da film, ripetendo le frasi almeno due volte, un po' come il direttore dell'INPS, che però lo faceva per altri motivi, come quando uno a scuola ripete la domanda.

«Lei è sposato signor Bustaz?».

«Sì, due volte, perché?».

«Ah, si è sposato due volte?».

«Sì».

«E sua moglie quanti anni ha? Quella di adesso».

«Ne ha trentacinque».

«E lei quanti ne ha?».

«Ne ho... insomma, a voi cosa interessa?».

«Quanti anni ha?».

«Ne ho sessantanove, ma cosa c'entra?».

«Mi sa che c'entra, cornutissimo signor Bustaz».

«Ah, ma voi scherzate, lo so che scherzate, chi è, il Porla che vi manda, forza beviamoci sopra».

Marino bevve.

«E così noi stiamo scherzando, vero? E mi dica, dov'è sua moglie adesso?».

«Cosa ne so, sarà in palestra, passa tanto tempo in palestra».

«Quale palestra?».

«Ma non so, una di Jesolo, un fitness center».

«Un fitness center?».

Santino era estenuato, ma che c'era ancora da parlare?

Era inutile andare avanti. Fece un cenno a Marino di spostarsi, tirò fuori il lanciafiamme dall'enorme borsa, lo accese e cominciò a bruciare Bustaz. Quando questi cercò di fuggire aveva già preso fuoco e si accasciò a terra, urlando.

Dopo essersi assicurato che Bustaz fosse rosolato a puntino, ma senza troppa fretta, un po' alla volta, in modo che se ne rendesse conto, Santino appiccò fuoco a tutta la casa. A cominciare dalla scala di legno che portava al primo piano, dove evidentemente c'erano le camere. Questo Bustaz si era fatto fare una casa all'americana, anche i pavimenti erano tutti di legno.

Quando videro che il fuoco ormai aveva preso dappertutto Marino e Santino se ne uscirono in fretta, in pochi secondi raggiunsero la BMW X6, e fecero in tempo a bagnarsi fino al midollo.

«Ma che cazzo di posto è questo, qui piove sempre».

«Come faceva Salvatore ad abitarci?».

«Io non ci starei nemmeno se mi pagassero».

Nonostante la pioggia battente e l'umidità che penetrava nei muri, per non parlare del terreno che era

231

allagato marcio, la villa di Bustaz prese fuoco come un fiammifero. Si vedevano la fiammata e il fumo nero da lontano.

In macchina, sulla strada per Treviso, Santino e Marino incrociarono un paio di mezzi dei Vigili del Fuoco a sirena spiegata che andavano in senso opposto.

Marino telefonò al padre.

«Papà, tutto a posto».

«Come tutto a posto?».

«Eh, abbiamo sistemato tutto».

«E cioè?».

«Te lo dico meglio quando siamo a casa».

«Stai tranquillo, questo è un telefonino sicuro. E allora?».

«Allora lo abbiamo sistemato».

«Ma chi?».

«Uno che si chiamava Bustaz».

«E chi cazzo era?».

«E che cazzo ne so io?».

«Come che cazzo ne so?».

«Era quello che Salvatore gli ha seccato il cane».

«E perché gli aveva seccato il cane?».

«Questo non lo so. Se gli ha seccato il cane un motivo ci sarà pur stato, no?».

«E quello ha fatto fuori il mio Salvatore per via del cane? Ma che erano, scommesse?».

«E che ne so io?».

«E così l'avete sistemato senza sapere un cazzo? Almeno con questo Bustaz ci avete parlato?».

«Solo un poco, non c'è stato il tempo».

«Io a te Marino ti rompo le corna».

Marta Coppo non si sentiva tranquilla e non aveva nessuna intenzione di tornare in albergo. Decise di farsi una passeggiata per Treviso, città ricca di attrattive storico-artistiche e che non conosceva affatto. Le pareva in quel momento di dover prestare maggiore attenzione alle sue mosse di quanta non ne avesse posta fino ad allora. Non voleva assolutamente prendere la macchina, era troppo individuabile. Sì, le sarebbe piaciuto farsi un giro, per esempio fino a Jesolo, di cui aveva tanto sentito parlare, ma con tutta quella pioggia...

Così, uscita dagli uffici INPS, arrivò al museo. Come si chiamasse le sfuggì. Pareva strano che fosse aperto, ma le autorità si erano impegnate: la città non deve soccombere all'emergenza meteo, i trevigiani nel corso dei secoli ne hanno viste di tutte, e non sarà un po' di pioggia a farli arrendere.

Il museo aveva sede in una chiesa, per Marta si trattava solamente di un rifugio dove raccogliere le idee, indisturbata. In effetti era l'unica visitatrice. Era talmente immersa nei suoi pensieri che non badò a niente di ciò che era esposto, finché non arrivò alle *Storie di sant'Orsola*, un ciclo di affreschi staccati opera di Tommaso da Modena. Arrivata ai pannelli didattici smise di pensare ai casi suoi, la figlia Giada, la testa del cane, i dipendenti INPS, il signor Galati, e si lasciò un po' andare alle vicende della martire sant'Orsola, che a quanto pareva veniva dalla Bretagna. Era una bellissima principessa e la voleva in sposa il figlio del sovrano d'Inghilterra. A quel punto lei si rifiutò, almeno provvisoriamente, e si avviò in pellegrinaggio verso Roma, con un seguito di undicimila vergini.

Che cazzo, pensò la Coppo, va bene che nel Medioevo erano creduloni, ma undicimila vergini! Di quei tempi, poi, dove la gente non è che andasse troppo per il sottile. Sesto secolo dopo Cristo, i tempi di Attila, re degli Unni, che la povera Orsola si riprometteva di convertire. Non ci riuscì e lei, con le undicimila vergini, furono tutte massacrate.

Marta guardava gli affreschi staccati, alcuni sembravano dei disegni a fumetti, altri erano più colorati. La scena madre ovviamente era quella del massacro: il martirio della santa e delle vergini. Tutto il mondo è paese, pensava Marta, che pure di storia dell'arte non si intendeva molto. Basta mettere in scena un po' di ammazzamenti di donne giovani e nude e la gente si interessa, presta attenzione, come nelle copertine dei libri gialli, dove c'è sempre una bella bionda sul punto di essere accoltellata.

Rifletteva, con quel distacco che si ha quando si rimugina giusto per passare un po' di tempo, su cose delle quali sostanzialmente non ce ne frega niente. Quello che doveva fare invece lo sapeva molto bene, non aveva da pensarci ancora.

Eppure continuava a guardare l'affresco del martirio delle undicimila vergini. Veramente bello. Dal nulla emergevano volti di bellissime ragazze, nel momen-

234

to in cui venivano affettate da spade da guerra, vesti-
te di tutto punto, oppure aggredite da uomini piccoli
ma maligni. Sant'Orsola, bella e svenevole, nel mezzo
della scena si apprestava alle più atroci sofferenze. Ma
possibile, pensava Marta, così, senza secondi fini, possibile che siamo sempre lì? Per fare un bel quadro ci
vogliono un po' di belle donne sbudellate? Eppure
nell'affresco non c'era una stilla di sangue. Questo
Tommaso da Modena doveva essere un bel furbacchione, lui e sant'Orsola, che probabilmente non era
mai esistita. Undicimila vergini?

Sant'Orsola di solito, spiegava il pannello divulgati-
vo, è raffigurata colpita da una freccia. Non lo so, pensava Marta fra sé e sé, nella freccia ci deve essere un
simbolismo che non capisco, basta pensare a san Sebastiano. Che sarà?

Erano già le cinque del pomeriggio. Marta uscì dal
museo e si infilò in un caffè, a bere una cioccolata calda. Ci sarà un cinema aperto a Treviso?

In serata la città fu scossa da questa nuova terribile
notizia: il signor Danilo Bustaz, noto imprenditore del-
l'intrattenimento, re delle discoteche, dei locali notturn-
ni e del divertimento di ogni tipo, aveva perso la vita
nell'incendio di casa sua, che era finita rasa al suolo. E
questo dopo che il suo cane era stato barbaramente ucciso due giorni prima. Chi c'era di mezzo? La camorra
o altra criminalità organizzata? Ricatti? Taglieggiamen-
ti? Oppure si trattava semplicemente di una tragica fa-
talità? In ogni caso non c'era proporzione fra la rilevan-

za data al caso del killer dei cani e quella della morte, forse violenta, del commendator Bustaz: dieci a uno.

Stefania, in casa da sola, si svegliò dopo un breve sonno. Pensava al funerale di Fufi, che adesso era nel gelo dell'obitorio. Quando gli avrebbero restituito le spoglie?

Pensava di preparare una sorta di feretro con la cuccia del cane, tappezzato di nero, con candele rosse e tutto l'occorrente. Voleva dire a Walter che era certa che l'anima di Fufi sicuramente sarebbe andata nel Paradiso dei cani, nonostante il cagnetto avesse un caratterino tutto suo e certe volte avesse dato dei morsi a un paio di bambini. Ma erano stati loro ad aggredirlo, a dargli fastidio, a volerlo carezzare a tutti i costi. E poi, si sa, molto spesso i cani non amano i bambini, perché sono dei gran rompicoglioni.

«Ma Fufi quando me lo ridaranno?», urlava, per farsi sentire da quell'ameba.

Chiamò Walter, ripetutamente e a pieni polmoni, ma quello non arrivò. E dove era andato adesso quello scemo?

E proprio allora suonò il campanello. Oddio, e adesso chi è? Guarda come sono conciata.

Erano i vicini del piano di sotto, che venivano a portare le condoglianze.

Stefania dal bagno disse loro di accomodarsi in salotto, sarebbe arrivata subito. Cercò di mettersi un po' in ordine, recuperò una vestaglia di popeline nero che non aveva mai usato, finalmente raggiunse il salotto, traballante, reggendosi ai montanti delle porte.

«Signora Galati, non sappiamo come esprimerle il nostro dolore, lo sa che il nostro Pippo ha preavvertito la sventura? Lui lo sentiva che stava succedendo qualcosa, solo i cani hanno questa sensibilità... quanto ci dispiace...».

Stefania si sedette in poltrona, lentamente, e non gradì per niente il riferimento a quello stronzetto di Pippo, cane che Fufi non aveva mai sopportato, e che era ancora vivo.

«Grazie, grazie, come siete cari».

«Sa, è una vera tragedia, dopo la decapitazione di Fufi, la città non parla d'altro, nonostante l'emergenza maltempo».

Stefania si comportava come se gli fosse morto il marito, chiamò a sé i vicini per abbracciarli e pianse disperatamente. Gridava, o tentava di farlo, che Fufi sarebbe stato vendicato, un giorno, che non era morto inutilmente, che il suo sacrificio sarebbe valso a risvegliare le coscienze.

«Mi hanno detto che il corpo di Fufi è in obitorio, è stato ricomposto?».

Stefania, innervosita da questa perversione, non rispose.

«Avete già effettuato il riconoscimento?».

«No cara, il riconoscimento non sarà necessario, Fufi aveva il tatuaggio, e anche il chip».

«Ah, meno male».

A quel punto la signora si decise a comunicare il messaggio per il quale si trovava lì.

«Senta signora Galati, so che non è il momento, ma avrei da riferirle una missiva... lei senz'altro sa che in città, proprio a partire dal nostro quartiere, si è formato un Comitato contro la violenza sui cani».

«Sì, ne ho sentito parlare».

«Ecco, il presidente, nientemeno che il presidente, ci chiedeva se potevamo domandarle di venire alla riunione che ci sarà questo pomeriggio, alle 18. Per il Comitato sarebbe un onore, e la sua presenza sarebbe importantissima, dopo quello che è successo».

«Io, adesso, al Comitato? Ma non vedete in che condizioni sono?».

«Sappiamo che per lei sarebbe duro, ma pensi a tutti i proprietari di cani, pensi a come, in sua presenza, il Comitato avrebbe più credito, più risonanza...».

A Stefania di tutti gli altri cani e soprattutto di tutti gli altri proprietari di cani non importava assolutamente niente, ma necessariamente il suo pensiero andò al fatto che davanti a migliaia di persone al centro dell'attenzione ci sarebbe stata lei. E così cedette all'insistenza dei vicini di casa.

«D'accordo, mi farò forza, se è per i poveri cani... datemi una mezz'ora che mi vesto».

«Benissimo signora, la veniamo a prendere fra trenta minuti, la porteremo noi in macchina, non si preoccupi di niente».

Erano contentissimi che venisse, così le loro credenziali nel Comitato sarebbero salite vertiginosamente, visto che con loro avevano la proprietaria di Fufi.

Stefania, come una vedova in gramaglie, vestita tutta di nero, si fece forza ed entrò nella enorme sala dove si teneva la riunione plenaria del Comitato contro la violenza sui cani. Indossava pesantissimi occhiali da sole e un cappellino nero con veletta. Il pubblico in massa si scansava e lasciava spazio per il passaggio della derelitta, e mormorava: «Che forza che ha quella donna, dopo quello che le è capitato. Un modello per tutti».

«Che coraggio, che determinazione», commentavano altri membri del Comitato.

Lei raggiunse a fatica una sedia in prima fila, quasi svenne, ma si riprese, scosse la testa, trovò le energie per sedersi. Alcuni, timidamente, le si avvicinarono, per presentare le condoglianze. Lei, impenetrabile visti gli occhialoni da sole, abbassava la testa, ringraziava con un semplice cenno del capo, ma non diceva niente, pietrificata.

Walter aveva finito, ma non aveva nessuna voglia di tornare da Stefania.

Era certo che in casa sarebbe arrivata gente di tutti i tipi per esternare il proprio cordoglio, le sue amiche e altri, anche sconosciuti. E lui avrebbe dovuto servire il tè, il vino rosso e magari qualche formaggio, che peraltro in casa non c'era e quindi sarebbe dovuto andare a comprarlo al supermercato.

A proposito di supermercato... Walter sapeva che la ex moglie del Pozzobon ne possedeva uno a Camalò. E forse valeva la pena di spingersi fino a laggiù, a dare un'occhiata. In quel paese c'era stato tanto tempo prima, forse una decina d'anni. Non riconosceva quello che una volta era soltanto un gruppo di case. Ades-

so avevano costruito lotti residenziali fino all'inverosimile da quelle parti, e il supermercato della Pozzobon,
all'origine una cattedrale nel deserto, oggi serviva un'a-
rea ad alta densità di popolazione. La Meneghello in
Pozzobon doveva averne fatti di quattrini.

Fuori c'era scritto Supermercati Meneghello, il che
forse voleva dire che ce n'erano anche altre filiali, nelle frazioni di campagna, divenute nel frattempo centri
di piccola e media industria.

In quel momento le vetrine erano allestite per una
settimana di promozioni dei prodotti tipici dell'Irlan-
da del Nord, in particolare birre speciali.

Il fatto che la casa del signor Bustaz fosse andata a
fuoco smosse parecchie acque: chi era stato?

La scomparsa di un uomo così importante negli equilibri economico-turistici della provincia di Treviso creò
molti traballamenti, subito, nel mondo politico della
città.

Chi era che lo aveva fatto fuori? Quali centri di potere potevano avere interesse alla sua scomparsa? Quell'uomo smuoveva centinaia di milioni, e quella sembrava un'e-
secuzione mafiosa. Eppure era lui che gestiva i rapporti
con le associazioni a Mestre, e prima di mettersi contro
Bustaz chiunque ci avrebbe pensato due volte.

Nel Trevigiano dopo la diffusione della notizia ci fu
uno scambio intensissimo di telefonate, perché la gente non sapeva più cosa fare.

A quanto sembrava c'era stata un'esecuzione in piena regola, ma Bustaz?, chi avrebbe mai pensato a una

cosa del genere? Avevano colpito il vertice, e allora tutto poteva succedere.

Nel Triveneto in quel periodo andava molto forte una trasmissione televisiva che si chiamava *La Sibilla*, e che parlava di meteo, di casi del cuore e di Padre Pio. A questo proposito va detto che le proteste da parte delle migliaia di associazioni, fondazioni, confraternite intitolate a Padre Pio non si contavano. Accusavano la Sibilla di essere una millantatrice, e di non avere alcun diritto di usurpare il nome del santo, né di utilizzarlo a scopo di lucro.

In onda alle 19 di ogni giorno, si stabiliva un collegamento con una donna anziana, cieca, nascosta in un antro, una grotta situata in alta montagna. Un luogo segreto, che la Sibilla non avrebbe mai abbandonato, però era molto malata, e nella grotta – chi avrebbe mai saputo se era il suo vero rifugio o un set televisivo costruito ad hoc? – la donna, vestita di cenci, stava rannicchiata sul suo giaciglio, con una flebo nel braccio sinistro e un'altra nel braccio destro. Una complessa strumentazione da reparto di terapia intensiva, monitor e altro, era sempre attaccata alla Sibilla, perché il suo stato di salute era agli sgoccioli. Così le trasmissioni avevano come colonna sonora il bip bip del suo cuore, un battito irregolarissimo, con pause di secondi e tachicardie parossistiche.

La caratteristica principale della Sibilla era che quando emetteva il suo vaticinio piangeva sangue. Sì, da entrambi gli occhi. Gli spettatori al telefono ponevano le loro domande, concentrate sullo stato del meteo e su affari di cuore e lei così rispondeva. Questo perché si diceva che la Sibilla soffrisse per tutti i mali del mondo, e quindi era perennemente in stato di prostrazione.

Certe inquadrature facevano intuire che fuori della grotta ci fosse la neve. Era l'ora del collegamento, in linea una signora di Portogruaro.

«Signora, parli pure, la Sibilla la ascolta», disse la voce fuori campo, che apparteneva al regista dello show. «Ma stia attenta, lei sa che la Sibilla soffre enormemente, lei prova allo stesso tempo tutti i dolori dell'umanità. E se lei la farà soffrire il suo patimento sarà straziante».

La signora al telefono pareva incerta e intimorita. «Prontooo... Buonasera. Sono Vittoria, da Portogruaro».

La Sibilla fece un accenno, come di aver capito, mugolava.

«Signora Sibilla, mi è capitato un guaio».

La veggente cominciò a tremare, a contorcersi, il suo battito cardiaco a fibrillare. Vittoria, impaurita, rimase in silenzio.

«Parli, parli pure signora Vittoria, la Sibilla la ascolta».

«Ecco, si tratta di mio marito. Sa, ho paura che mio marito mi dice le bugie... è disoccupato. Sta via tutto il giorno e dice che passa il tempo a cercare il lavoro, ma io ho paura che non è vero. Per me ha un'altra, lo capisco perché a letto mi trascura».

La Sibilla si contorse violentemente, lanciò un grido strozzato, pareva che non ce la facesse più a respirare.

«Signora Sibilla, io ho paura che mio marito mi tradisce, e non pensa alle creature, quell'infame. È vero?».

La Sibilla sbarrò gli occhi da cieca, di un bianco lattiginoso, come sempre faceva prima di emettere il suo responso. Improvvisamente un fiotto rosso uscì dall'occhio destro, e un altro da quello sinistro. Sussultava come presa da una crisi epilettica.

Il sangue era uscito, il responso positivo, il marito di Vittoria la tradiva.

Partì la pubblicità, per dare tempo alla Sibilla di riprendersi. Seguirono le previsioni meteo, a cura della Sibilla stessa. Quella volta assicurò che in trance aveva incontrato Padre Pio, in cielo. Non è che sul meteo lei parlasse molto chiaro, bisognava interpretare i suoi accenni. Questa volta disse, con un filo di voce gracchiante: «Padre Pio incontrai... intorno a lui una nuvola di sole...» e perse i sensi. Insomma non si sapeva se sarebbe piovuto ancora o no.

In macchina, Marino e Santino erano stanchi, e avrebbero voluto riposare un po'. Si erano liberati del lanciafiamme gettandolo nel Sile, poi si erano fermati al Bingo di Treviso a prendersi un caffè, e il barista aveva domandato se volevano un caffè «solo».

«E che minghia è un caffè solo?». Santino, che era più sveglio e aveva girato un po' il mondo, sapeva che il caffè solo è il caffè non corretto, perché di default in certe zone del Veneto e del Trentino servono quello corretto.

Alla volta dell'hotel, in macchina Marino si era levato le scarpe che aveva comprato il giorno prima a Jesolo, in un negozio di grandi firme.

«Madonna santa Mari', rimettiti le scarpe».

«Santi', non ce la faccio più, mi sono venute delle galle che mi sanguinano».

«Ma minghia se sei scèmo... e tu per lavorare ti metti le scarpe nuove... ma quando crescerai nella testa...».

«Mi hanno fregato... quando me le sono provate mi calzavano come un guanto... adesso sembrano di cemento, e guarda questi pedalini, sono tutti insanguinati. Guarda che roba...».

«Guardala tu... e tienimeli lontani quei pedalini, che vado a sbattere».

Posteggiarono il grosso SUV nel parcheggio dell'albergo Parc e du Lac, accanto a una Citroën blu scuro. Pioveva da fare schifo, ma né Marino né Santino avevano con sé un ombrello. Santino corse via verso l'ingresso dell'albergo, riparandosi con la giacca.

«E muoviti, no?».

Marino non si voleva bagnare le scarpe, che aveva pagato quasi cinquecento euro. Dette un'occhiata attraverso il finestrino e vide che dentro la Citroën c'era un bell'ombrello a quadrettoni, di quelli grandi. Sparò contro il vetro dell'auto e ci infilò il braccio dentro, aprì la porta, per afferrare l'ombrello.

Ci fu un'esplosione che sarebbe stata avvertita a Mestre e forse anche a Venezia. La Citroën scoppiò e fu proiettata verso l'alto per una ventina di metri, come l'auto di Carrero Blanco. Quello che ne era rimasto cadde fuori del parco dell'Hotel Parc e du Lac, scavalcando la recinzione. Sfondò una vetrata e si infilò dentro il tinello dei signori Ballan, che per fortuna al momento non erano in casa. Il loro cane però fu sopraffatto dalla situazione e non ce la fece, rimase schiacciato sotto l'autovettura. Che fosse un segno? Un altro cane vittima della follia umana? Santino assistette alla scena dalle vetrate dell'ingresso dell'albergo e fu spazzato via dal ritorno di fiamma, che fracassò le vetrate, il lounge e la concierge, interamente. Della BMW X6 non era rimasto che un ammasso fumante di ferraglia.

Nel luogo dove era avvenuta l'esplosione si era formata una voragine profonda alcuni metri, tutta la fiancata dell'Hotel Parc e du Lac era distrutta, come fosse stata bombardata. L'incendio fu rapidamente spento, più dalla pioggia torrenziale che dai Vigili del Fuoco. Dopo che le ambulanze che avevano caricato Santino, il portiere cieco e un paio di avventori russi dell'albergo, tutti in condizioni abbastanza gravi, se ne erano ripartite, arrivarono un paio di Pantere della Polizia.

I pezzi di Marino furono ritrovati sparpagliati da per tutto, a una distanza variabile fra i dieci e i cinquanta metri.

5
Mors omnia solvit

Fratelli e sorelle,
ormai l'Apocalisse è arrivata nella nostra città di Treviso.
Non è più un interrogativo il nostro, ma una certezza.

Perché il Signore Onnipotente ha deciso di sprofondare la nostra città nell'Apocalisse?

È il diluvio che ci sta colpendo, e ha gonfiato i nostri fiumi che stanno per distruggere tutto. I fiumi sono usciti fuori dall'alveo naturale e mietono vittime: uccidono gli animali e cercano prede fra gli umani.

È la fine imminente quella che sta minacciando la nostra città. E adesso, nuovi segnali ci vengono inviati. Un altro cane è stato trovato morto, selvaggiamente ucciso, un piccolo cane innocente, anche lui decapitato dalla furia satanica. Ma questi sono segnali che preludono a qualcos'altro, e questo qualcos'altro è accaduto: non è bastato che avantieri le acque in piena dei nostri fiumi abbiano restituito un corpo, il corpo di un uomo, un giovane, che a quanto pare non è affogato, vittima della furia degli elementi, è stato sgozzato da un altro essere umano! Sempre che di umano ci sia qualcosa in questi atti! Nel pomeriggio di ieri un nostro illustre concittadino ha trovato la morte in mezzo alle fiamme. Devastazioni! Acque e fuoco, che

altro si riserva a questa città corrotta dal peccato? E quan-
te altre vittime usciranno dall'acqua, dalle rogge, dai ca-
nali? Quante altre saranno bruciate come all'inferno?

E adesso, l'ultima e definitiva notizia, un'enorme vo-
ragine si è aperta nel cuore della città. Un'esplosione de-
gna di un conflitto mondiale. Un attentato terroristico, una
bomba mortale che ha sollevato un'automobile di trenta
metri, facendola volare fino al cielo. Ne è seguita morte
e distruzione. Che altro dobbiamo aspettare?

Oh Signore, proteggici dal Maligno. Il Maligno è pene-
trato nelle nostre famiglie. Pentiamoci! Siamo sempre in
tempo per farci perdonare dal Misericordioso.

Don Carlo Zanobin
Omelia del celebrante
Parrocchia di *** (TV)

La mattina dopo tutta Treviso era devastata e travolta dall'attentato dinamitardo avvenuto la sera del giorno precedente presso l'albergo Parc e du Lac. L'emergenza maltempo aveva raggiunto il colore rosso, e molte persone avevano già abbandonato le proprie case per
il rischio alluvione. In molti luoghi l'acqua aveva già superato da giorni i limiti di sicurezza. Era uscita dal Sile a Riviera, a Quinto di Treviso, a Casale e in mille atri
luoghi, per non parlare del corso a valle di Treviso. Jesolo e tutti i centri abitati vicini alla riviera erano già in
parte sommersi dall'acqua. Per fortuna molti abitanti di
quei luoghi possedevano dei grossi SUV, e potevano guadare i passaggi più complicati.

All'albergo Parc e du Lac regnava un'atmosfera surreale. Sotto la pioggia decine di addetti in tuta fosforescente cercavano di proteggersi dagli agenti atmosferici: i Carabinieri indossavano tute con strisce fosforescenti bianche, i poliziotti portavano casacconi fluo bianchi e azzurri, quelli della Protezione Civile invece andavano sull'arancione e sul rosso acceso, quelli del RIS giacche impermeabili bianche candide, catarifrangenti quasi da abbagliare, rifrangevano le luci dei Vigili del Fuoco, anch'essi in tuta fosforescente arancione. Un bravo pittore ne avrebbe cavato fuori qualcosa, ma si sa, oggi gli artisti non sanno dipingere.

Nonostante la pioggia insistente curiosi e giornalisti si affollavano al di là della recinzione disposta dai vigili della Municipale, anche loro in giacconi tecnici, che davano sul verde ramarro, forse in omaggio alla reggenza politica della città. La zona era stata recintata con barriere di alluminio, a una distanza di più di 50 metri dal luogo dell'esplosione.

Nel posteggio dell'hotel c'era un cratere di circa sette metri di diametro, profondo quasi altrettanto, provocato dall'esplosione di un'enorme quantità di tritolo. Un attentato vecchia maniera, come quelli che usavano negli anni settanta. Sia a causa della pioggia che della rottura di numerose tubature il cratere era pieno d'acqua marrone, i pompieri erano al lavoro con una grossa pompa per cercare di vuotarla, ma la buca si riempiva di nuovo, all'istante. Ci fu qualche discussione fra i Vigili del Fuoco sull'opportunità di continuare, o se fosse meglio cambiare l'approccio. Il lato sud dell'albergo era squarciato e crollato. Le finestre tutte implose, il muro di cinta abbattuto, anche qualche albero del parco era stato sradicato dall'esplosione.

Intorno era orrore e distruzione, sembrava una città bombardata della seconda guerra mondiale.

Fra il pubblico c'era chi stabiliva delle associazioni col famoso bombardamento di Treviso, una specie di Dresda all'italiana apparentemente senza motivazioni strategiche precise, che aveva distrutto il 7 aprile del 1944 la città e i suoi immensi tesori artistici, oltre ad aver ucciso un migliaio di persone. L'attacco aereo, a opera di 159 Fortezze volanti, era durato neanche cinque minuti. Era stato chiamato il bombardamento del Venerdì santo perché nel '44 il 7 aprile era Venerdì santo, e guarda caso che giorno era oggi? Il 16 aprile. Non era Venerdì santo, anzi non era proprio venerdì, ma alcuni pensavano che non facesse differenza. La distruzione originata dall'esplosivo aveva prodotto effetti molto simili. Poteva essere una coincidenza?

Erano venuti il questore e il procuratore capo in persona, e subito si erano diffuse delle voci su chi fosse il morto, incredibilmente uno solo, vista l'entità dell'esplosione. Pareva che la vittima dell'attentato fosse un calabrese, tal Marino Fichichi, un membro del clan dei Fichichi, giovane ma già carico di precedenti penali. Presto era emerso anche il fatto che il fratello del Fichichi, Salvatore, era stato trovato morto due giorni prima nelle acque di un canale del Sile.

Non ci volle molto a trarre alcune conclusioni: la 'Ndrangheta, la cui presenza sul territorio trevigiano era già stata segnalata da tempo, si stava contendendo il potere nel Veneto, e si era arrivati a una resa dei conti. Lo Stato doveva entrare in guerra, prima che fosse troppo tardi, prima che il Trevigiano si trasformasse in definitiva terra di conquista. Ma le dichiarazioni ufficiali furono brevi e provvisorie, la situazione era nelle mani dei magistrati inquirenti.

I giornalisti volevano anche sapere se si pensava a un collegamento col terribile incendio doloso che aveva distrutto la villa del signor Bustaz, nel pomeriggio del giorno precedente, nel quale aveva perso la vita proprio il proprietario. Tutto ciò dopo che il suo cane era stato ferocemente ucciso quarantott'ore prima.

Su questo nesso nessuno spese una parola ufficiale, ma era evidente che ci fosse un collegamento, visto quello che era emerso.

Gli osservatori più acuti ipotizzavano che fosse già in corso una guerra per assicurarsi la *pole position* nella fase di ricostruzione post-alluvionale. I danni erano già ingenti, ma probabilmente c'era chi scommetteva sul fatto che l'entità della catastrofe si sarebbe moltiplicata all'ennesima potenza, ci sarebbe stato da ricostruire tutto. Era forse un caso la morte del signor Bustaz Danilo, imprenditore del divertimento, edile, faccendiere di primo piano, intorno al quale ruotavano progetti miliardari che interessavano il territorio?

Dunque fazioni nemiche della 'Ndrangheta adesso cercavano di predisporre il terreno: prima o poi sarebbe arrivato il commissario ministeriale, assieme a saccate di milioni.

Già dalla sera precedente i clienti dell'albergo Parc e du Lac erano stati trasferiti in altre strutture di ospitalità, compresa la signora Coppo, la cui auto era saltata in aria come quella del Fichichi, avendo la sventura di trovarsi proprio accanto alla grossa BMW del morto.

La città, o quello che ne restava, visto che era semiabbandonata per l'emergenza meteo, era in tumulto, e tendeva a leggere la storia dei cani ammazzati come qualcosa di preparatorio per la resa dei conti fra le fazioni mafiose.

I più preoccupati erano i mafiosi stessi, per meglio dire i membri delle 'ndrine locali, la più importante delle quali era quella di Porto Marghera. Loro erano certi che in quel casino non ci entravano niente, ma che era successo? Gente da fuori? Gruppi di cani sciolti? Ma come era possibile?

Al volante di una macchina che non conosceva Walter cercava di impratichirsi, al più presto possibile. C'era un'infinità di orpelli elettronici, due tom-tom, uno di servizio e uno ausiliario, contatori, dispositivi radio (che aveva spento), oltre naturalmente a un tassametro digitale il cui funzionamento gli pareva veramente insondabile. In macchina suonava qualcosa ogni cinquecento metri – *bip*, *pip*, *zic*, *sdeng* – che cazzo, era difficile orientarsi in tutti quegli avvisi acustici. Provò la frenata, provò l'acceleratore, anche l'ABS, non poteva trovarsi impreparato. Ai semafori, a ogni sosta, il motore si spegneva, perché si riaccendesse bastava accelerare. Walter non ci aveva mai visto chiaro in quella trovata, c'era veramente un risparmio di carburante e un minore impatto ecologico? Si spinse in campagna, attraversò una zona boscosa. Si fermò in mezzo agli alberi: in quella zona c'erano difficoltà di segnale, non si sapeva mai, non voleva che rintracciassero la macchina col GPS, si infilò dove cominciava una mezza galleria abbandonata.

Era ancora presto.

Aveva una mezz'ora di tempo per riposarsi e prepararsi. Da dentro l'ingresso della galleria vedeva il bosco gocciolante, le foglie degli alberi erano piegate verso il basso, stremate.

Le persone normali tendono a ricordare poco o nulla di quando erano bambini, le loro memorie più antiche possono risalire a dieci, undici anni di età. Walter invece si ricordava distintamente alcuni episodi di quando aveva addirittura sette anni, o meno.

Per esempio quella volta che era rimasto tutta la notte nel bosco.

Sua madre amava andare a cercare funghi, era una vera appassionata. Si portava dietro il bambino. A Walter piaceva camminare nel bosco, la mamma faceva in modo che qualche fungo lo trovasse anche lui. Solo che lei quando cercava i funghi veniva presa da una sorta di demone, andava avanti col sangue agli occhi, non si sarebbe fermata mai.

Quella volta erano già diverse ore che camminavano, si inerpicavano, setacciavano. E di funghi ne avevano trovati parecchi. Era già tardi, stavano per tornare indietro, alla macchina, quando la mamma scorse un versante molto promettente e ripido. Disse a Walter di aspettarla lì, in una radura dove c'era un gran masso. «Torno subito».

Lei si inoltrò e trovò quattro porcini. Una fungaia! A quel punto perse la testa, come un cane che insegue la preda.

Walter si sedette su un tronco, ad aspettarla.

La mamma, come capita a tutti i fungaioli, perse il senso del tempo e anche ogni prudenza, scivolò giù per una scarpata, cercando di raggiungere altri porcini.

Dopo vari tentativi di risalire, capì che non ci sarebbe mai riuscita, allora cercò di aggirare il burrone. Ma non fu possibile, cominciò a correre e a gridare, disperata, si perse, si allontanava sempre di più. Cadde ancora, si ferì, si graffiò nei roveti, si punse, ormai era buio.

Nella notte una donna urlante rompeva il silenzio del bosco.

Finalmente trovò una strada forestale, la percorse in discesa per chilometri, esausta, alle cinque del mattino incontrò delle case abitate. Era ridotta uno strazio, la portarono dai Carabinieri, che capita la situazione si mobilitarono immediatamente, chiamarono la squadra di soccorso. Iniziarono le ricerche.

La madre stravolta portò i Carabinieri dove aveva lasciato la macchina, e con terrore vide che il bambino non era lì.

Riprese il sentiero che aveva fatto all'andata, e a mezzogiorno il bambino fu ritrovato, tranquillo, che aspettava dove lo aveva lasciato la mamma. Aveva bevuto l'acqua della borraccia e mangiato un panino avanzato. Aveva patito un po' il freddo, ma non tanto, non aveva dormito.

In effetti nel corso della notte Walter non aveva provato nessuna paura, si era avvicinato un grosso cinghiale, puzzolente. Fra i rumori nella notte, quello del gufo e di altri uccelli notturni.

Lo rivestirono di coperte, gli dettero il tè caldo. Lui in realtà voleva solo andare a casa.

Gli fecero molte domande: «Non hai avuto paura?».

«No».

«Non ti sei messo a gridare aiuto?».

«No».

«Non ti sei mosso per tornare alla macchina?».

«No, la mamma mi ha detto di aspettare lì».

«E la notte, com'era la notte?».

Gli fecero domande anche i Carabinieri, e un signore vestito elegante con la cravatta. Sembravano tanto preoccupati per lui e per la sua mamma.

Anni dopo, quando aveva imparato a leggere, Walter aveva trovato il ritaglio di giornale che sua madre aveva conservato: «Bambino si perde nel bosco: ore di terrore. Ritrovato dalla squadra di soccorso».

Ma quell'articolo diceva un sacco di inesattezze, per esempio che il bambino era scomparso, e la mamma si era persa nel cercarlo, solo nella notte era riuscita a trovare aiuto. Non era mica vero niente che lui si era perso, era la mamma che gli aveva detto di aspettarlo lì. Nel corso degli anni avrebbe capito perché la versione sul giornale era diversa dalla realtà: sua madre, se avesse raccontato che era stata lei a lasciarlo nel bosco, avrebbe potuto anche passare dei guai. Ma Walter lo sapeva che quando c'erano i funghi di mezzo la mamma non capiva più niente. Non aveva affatto intenzione di liberarsi di lui. Se la avesse avuta lo avrebbe fatto in un'altra maniera. Però lui quella notte non ebbe alcuna paura. Invece la mamma sì, e le ci sarebbero voluti mesi, se non anni, per riprendersi.

Mose arrivò alla riunione del Comitato contro la violenza sui cani trevigiani che la sala era già quasi del tutto gremita. Trovò posto in decima fila.

Dopo il quarto d'ora accademico la Giunta di presidenza si installò al tavolo dotato di microfonazione. Sembrava di essere a una conferenza stampa governativa, tutti parlavano al telefonino, altri si scambiavano nell'orecchio le ultime novità, altri ancora scattavano fotografie, c'era anche un certo numero di giornalisti, e alcuni di questi avevano con sé un cameraman, che riprendeva il tutto.

Finalmente la riunione ebbe inizio, a quel punto molta gente era rimasta fuori, coloro che si erano portati dietro anche i cani di proprietà non riuscivano a impedire che abbaiassero ininterrottamente.

«Amici», esordì il presidente. «Ormai siamo vicini all'obiettivo. Con tutta probabilità con i nostri mezzi e le capacità e l'abnegazione dei volontari siamo convinti di aver trovato la strada. Il killer dei cani presto sarà assicurato alle forze dell'ordine. Adesso non possiamo fare nomi, non possiamo rilasciare dichiarazioni ufficiali, ma state certi che siamo vicini, molto vicini, anche grazie alle notizie in esclusiva che ci ha fornito la coraggiosissima signora Stefania Galati, nonostante proprio ieri la furia dell'assassino decapitatore si sia scatenata sul suo cane, Fufi».

Mose non ci capiva niente, ma che stava dicendo quello lì? L'avevano trovato? E allora? E allora bisognava che lui arrivasse sull'obiettivo prima degli altri.

«Abbiamo qui il colonnello Mario Mistretta ed è lui che dobbiamo ringraziare. Ha stretto le maglie attorno al colpevole, e sta per consegnarlo alla Polizia. Ci mancava soltanto una testimonianza chiave e adesso ce l'abbiamo. È la signora Stefania Colledan in Galati, che nonostante il dolore terribile per la perdita del suo cane Fufi ha visto quello che c'era da vedere e ha testimoniato, presso i nostri organismi».

La moglie di Walter sedeva al tavolo della presidenza. In gramaglie, annuiva con serietà alle affermazioni del presidente, trasformando il suo lutto in un atto di volontà propositiva. Mai più. Mai più. Mai più dovevano succedere cose del genere. Il presidente avrebbe voluto che Stefania facesse una dichiarazione, ma lei con un cenno si sottrasse.

«... Il cerchio si è stretto intorno all'assassino, ma per il momento non possiamo dire di più. Pazientate! Forse il colpevole ha dei complici, che potrebbero restare in azione. Con queste bestie non si sa mai!».

Una scarica di applausi incoronò la rapida conclusione del presidente, che aggiornò l'assemblea all'indomani, con la fretta del funzionario di Stato che non ha troppo tempo da perdere con l'opinione pubblica.

Mose si alzò e si indirizzò verso il colonnello Mistretta. Questo sembrava indaffaratissimo a distribuire incarichi, a prendere appuntamenti telefonici, sventolava dei tabulati.

Mose riuscì a beccarlo da solo mentre questo, sotto la pioggia, risaliva in macchina.

«Signore», chiese Mose, «come si chiama questa persona che ha ucciso i cani?».

«Ma lei chi è? Cosa vuole? Chi la manda? Lo sa che non posso dirglielo».

Mose non ebbe bisogno di minacciare né tantomeno di picchiare il colonnello. Gli bastò stringergli con una certa decisione la mano senza lasciarlo andare. Quello si smarrì, si guardò intorno sperando di trovare qualcuno da chiamare ma che purtroppo non c'era e glielo disse prima che quello finisse di stroncargli la mano.

Così anche Mose venne a sapere che la principale sospettata era una persona che veniva da fuori, una certa dottoressa Coppo. Questa era stata vista nel parco la sera in cui era stato ucciso il primo cane, la testa del quale era stata ritrovata sotto la finestra della sua camera d'albergo. Inoltre, proprio secondo la testimonianza della signora Galati, era presente nel parco nel momento in cui Fufi era stato sgozzato. Sul caso di Terminator non c'erano testimonianze, ma ciò che era a disposizione bastava e avanzava.

Dopo essere stato un po' maltrattato da Mose, si intende psicologicamente, il colonnello Mistretta ci mise un po' a riprendersi, raccontò immediatamente l'episodio alla Giunta esecutiva del Comitato contro la violenza sui cani.

«Quell'uomo, un uomo immenso con i capelli rossi, era un vero e proprio orco, è stato sul punto di minacciarmi, che non sia lui il colpevole dell'assassinio dei cani?».

«Ma no colonnello, quello è il Mose, è buono come il pane, e poi ama i cani».

Alla notizia che Marino, il figlio maggiore, era esploso per la carica di qualche centinaia di chili di tritolo e che aveva fatto, ridotto in pezzi, un volo di trenta metri, la reazione della famiglia Fichichi non corrispose pienamente ai canoni del *fair play*.

«Io li ammazzo tutti», disse il capofamiglia, «anche se mi dovessi fottere per sempre... Marino... Salvuzzo... anime mie».

Pianse per un paio di minuti, poi si fece relazionare da Santino, l'unico di cui si fidasse veramente, sull'accaduto. Santino era appena tornato da Treviso, assai malconcio, venuto via dall'ospedale nonostante i medici avessero tentato in ogni modo di trattenerlo, aveva ustioni al volto e su tutto il corpo. Riferì sui fatti, dopo aver assicurato che in quei posti piove sempre.

«Ma che minchia è successo?».

La situazione era piuttosto complicata, una volta ricostruita. Questo Bustaz, contro il quale Salvatore si era messo e al quale aveva ucciso il cane, era un pezzo grosso, il numero uno delle luci rosse sulla costa veneta. Aveva accordi con il clan di Mestre, gente di Siderno ormai impiantata da una ventina d'anni a Porto Marghera, che i Fichichi rispettavano e nessuno di loro si sarebbe neanche sognato di andargli a rompere i coglioni. Ma evidentemente Salvatore, pace all'anima sua, l'aveva fatto, e con ciò si era reso responsabile di una grossa cazzata, che quelli di Mestre non gli avevano perdonato. Un bel casino. E quando Marino era andato su, e Santino aveva dato Bustaz alle fiamme, non si immaginava chi aveva davanti. D'altra parte Marino non era un uomo di pensiero. Non lo faceva mai, di pensare. E quelli di Bustaz, quelli di Mestre, o altri, chi lo sa, si parlava anche di sloveni, o croati, in poche ore gli avevano messo sotto la macchina una tonnellata di tritolo, che gli aveva fatto fare un volo di trenta metri, come si usava una volta. Il patriarca dei Fichichi immaginava che Salvatore avesse sollevato qualche polverone, magari per una femmina di quelle di Bustaz.

E ora i miei «gioielli» non esistono più, rifletteva amaramente Guelfo Fichichi. Non sono venuti intelligenti, io che ci posso fare, erano due coglioni, ma io gli volevo bene, pensava il capostipite. E adesso che campo a fare? Ma prima a qualcuno lo farò pentire di essere nato, sennò non mi chiamo più Guelfo Fichichi.

Guelfo convocò subito una riunione. Gli uomini scarseggiavano e la città di Treviso, lassù in montagna, doveva essere blindata dalle forze dell'ordine, dopo il casino che era successo.

Guelfo noleggiò tre uomini di fiducia dai Barbacane, gente sicura.

«Allora domani sera si parte tutti, armi e bagagli, io mi metterò d'accordo col magistrato, mi farò dare una licenza per un giorno... per via della morte dei miei figli. Voglio tutti con me, andiamo in quella fogna di merda in mezzo alla neve e gli facciamo vedere chi siamo. Santino provvede all'artiglieria e la distribuisce, faremo tre macchine, io vado in aereo, mi faccio organizzare un consulto medico a Verona, là ci sono i migliori ospedali d'Italia, voi mi venite a prendere lì, sabato sera».

Intanto, tramite persona di massimo rispetto, aveva organizzato un abboccamento con quelli di Mestre, per dire loro che c'era stato un grosso fraintendimento. Quelli di Porto Marghera a Guelfo Fichichi manco ci pensavano, non sapevano nemmeno chi fosse, però l'abboccamento era stato fissato così in alto che andarono in preoccupazione, e subito pensarono all'omicidio Bustaz e all'attentato a base di tritolo.

Nonostante la richiesta di un incontro pacifico, quasi per dare delle spiegazioni, Guelfo aveva programmato una missione di squadra, un raid, al completo. «Gli faremo passare la voglia di essere nati».

La dottoressa Coppo si trovava in un agriturismo molto carino a conduzione familiare posto in una frazione di Treviso, si chiamava Il miciolino. Lì era stata trasferita dopo il disastro all'Hotel Parc e du Lac. Stava facendo colazione.

Quattro chiacchiere con la padrona, una bella signora alta, bionda e robusta, che in braccio teneva un bimbo serafico e grasso, otto mesi circa.

«Ah, sapesse che sventura mi è capitata, non ci crederebbe».

«Assaggi questa marmellata di pere, sono le pere del mio pero».

«La mia macchina, che era praticamente nuova, me l'hanno distrutta, con una bomba, ci pensa?».

«Una bomba? È l'attentato che dicevano al telegiornale?».

«Eh sì, la mia macchina era accanto a quella che volevano distruggere, ed è volata via, un salto di venti metri».

«Venti metri?».

«Oddio, insomma, sono stata anche fortunata, perché che cosa sarebbe successo se fossi stata nelle vicinanze? O addirittura nella mia macchina?».

Il bambino grasso cercava di arraffare un biscotto sul tavolo, dopo vari tentativi ci riuscì.

La Coppo si lamentava che la Citroën l'aveva appena comprata e che l'assicurazione non gliela avrebbe pagata mai, trattandosi di un attentato.

«La Polizia mi ha rassicurato, dice che la mia macchina si trovava lì per ventura, la bomba era destinata ad altri. Sì, ma a me la macchina chi me la ridà?».

Effettivamente il poco che era rimasto della sua Citroën era sotto sequestro, nel parcheggio dell'hotel c'era una voragine enorme, e poco si capiva del fatto che l'esplosivo era stato collocato proprio sotto la C5 della Coppo.

Dopo altre chiacchiere disse alla signora che avrebbe avuto bisogno di un mezzo per andare in un paese del Trevigiano, col suo lavoro aveva quasi finito. Finalmente aveva appuntamento con questo impiegatuccio di nome Galati, che evidentemente viveva momenti di paura. Le aveva detto di trovarsi in un certo paesino, Volpago del Montello, perché non voleva che li vedessero insieme in città.

Dopo un po' arrivò una macchina. Il tassista, coperto fino alle orecchie, parlava solo veneto, ma capì l'indirizzo. A modo suo fece intendere alla cliente che avrebbero dovuto fare un giro un po' strano perché molte strade non erano praticabili, per via delle piogge e degli allagamenti. Chissà quanto mi prende questo, pensò la Coppo, che però non aveva alternative.

Approfittò del viaggio per chiamare la figlia, che le aveva lasciato svariati messaggini, dichiarandosi disperata. La Coppo non aveva messo il vivavoce ma la bambina urlava così forte che si sentiva lo stesso.

«Ma si può sapere che è successo?».

«È quella merda della Sere, che sabato fa una festa per il suo compleanno».

«E allora?».

«Come e allora? Allora mi ha invitato per terza, quando tutti sanno che siamo migliori amiche».

«Vabbè, sarà stato un caso».

«Un caso? Vuoi scherzare? L'ha fatto apposta, e adesso tutte ridono di me».

«Ma dai Giada, figurati, è roba da niente».

«Tu non capisci mai un tubo, tu non capisci mai».

Evidentemente la figlia si era messa a piangere.

«Dai, tesoro, amore mio, non te la prendere. Vedrai che sarà una bellissima festa e vi divertirete tanto».

Quella non smetteva di piangere.

«Sai che ti ho comprato un regalo? Sabato, quando torno, te lo porto».

La sola parola «sabato» riscosse la bambina, che continuava a piangere.

«Non vuoi sapere che regalo è?... Pronto... pronto... ma mi senti?».

Il segnale se ne era andato.

L'autista non aveva fatto una piega all'ascolto della conversazione telefonica. Probabilmente non capiva nemmeno cosa dicevano.

Alla Coppo il viaggio sembrava eccessivamente lungo, in fondo si trovavano a sei-sette chilometri da Treviso, ma viste le esondazioni... Erano ancora in piena campagna. Oppure quel furbacchione... forse avrebbe dovuto trattare la cifra a forfait, in anticipo. Per le strade e stradine che sceglieva il tassista non c'era assolutamente traffico.

Poco prima del bivio per Trevignano un furgone, che proveniva da una viuzza sterrata sulla sinistra, non si fermò, non dette la precedenza. Prese il taxi in pieno, sullo sportello dell'autista, e il taxi FIAT Punto Evo fece un mezzo testacoda fino ad infilarsi con le due ruote di destra nel fosso. Per fortuna che la strada era bagnata, sennò il taxi avrebbe potuto anche cappottarsi, l'urto era stato violento. Il tassista sembrava stordito, la Coppo si era messa a urlare per la paura, ma non si era fatta niente. Dal furgone uscirono tre persone intabarrate e mascherate che si avvicinarono di fretta al taxi, aprirono la porta di dietro, infilarono un cappuccio nero in testa alla Coppo e la portarono via di forza, sotto una pioggia grossa e insistente. Quella urlava disperata, ma in giro non c'era proprio nessuno. Uno dei tre individui colpì in testa il tassista, che pareva svenuto già di per sé, con un manganello o qualcosa del genere. Cacciarono la dottoressa Coppo nel furgone, che all'inizio stentava a ripartire. Il cofano fumava, vibrava alle scosse del motorino d'avviamento, ma il motore non si rimetteva in moto. «Zio porco», commentò l'autista, e a quel punto, come per miracolo, il motore si accese.

Erano passati pochi minuti, sufficienti al tassista a riprendersi. Uscì dalla macchina in fretta, ormai il furgone stava ripartendo. Si sdraiò per terra, nel fango, estrasse dalla tasca posteriore due automatiche Desert Eagle e prese di mira le ruote del furgone. Il caratteristico rumore della pompa ad aria delle pistole riempì il silenzio di quelle campagne di bassa, oramai quasi del tutto abbandonate.

In quel momento un fulmine gli cadde accanto, schiantandosi su un albero a non più di sei metri di distanza. Lui volò via, sul ciglione, mentre le pistole continuavano a sparare all'impazzata. Due signori anziani, marito e moglie, che erano usciti di casa, muniti di ombrello, per vedere che era successo per strada, furono spazzati via dalle raffiche.

Walter si allontanò, claudicando un po', dopo aver riposto le due automatiche nella grossa tasca posteriore del giaccone impermeabile da caccia. Era furioso. Eh no, però, pensava, così non vale, l'hanno aiutata, non se n'era neanche accorta che ero io, non ci aveva pensato. Però l'hanno aiutata, così non vale. A meno che non sia altra gente, assunta da lei stessa. Ma questo va contro le regole, allora mi procuro un carro armato e vediamo come va a finire.

Walter già da tempo pensava a quella esasperata idea di fare sempre tutto da soli, quest'idea del lavoro in solitudine adesso gli pareva anacronistica. Ma io voglio andare in pensione, non voglio metter su una società. E poi di chi potrei fidarmi?

Indipendentemente da ciò che poteva pensare Walter Galati, la Coppo non fu trattata con tutti i riguardi. Forse neanche lei doveva saperlo, forse, avrebbe potuto immaginare Galati, le hanno dato una chance, perché in realtà si era fatta fregare come una pera cotta. L'avevano prelevata in extremis. Lei non ci aveva neanche pensato a sparare nel collo del tassista, o perlomeno a fargli capire che sapeva chi era, per il semplice fatto che non lo sapeva. E questa sarebbe stata la professionista numero uno?

La Coppo fu scaricata dal furgone e spinta, sotto il diluvio, per una trentina di metri, poi fu fatta entrare al coperto, in un edificio col pavimento di pietra, anzi di sassi. C'era puzzo di marcio lì dentro. Nessuno dei tre parlava. Uno controllò cosa c'era nella borsa: non armi, soltanto uno spray anti-stupro al peperoncino. Addosso l'avevano già perquisita nel furgone.

La portarono in una stanza dalla quale si sentiva molto forte il rumore della corrente di un fiume. La buttarono su un letto di ferro con un materasso fradicio, la signora Coppo avrebbe voluto gridare «Che volete da me? Chi siete?», ma le avevano infilato uno straccio in bocca. La legarono al letto e se ne andarono, velocemente.

La Coppo restò sola, mascherata e imbavagliata, immobilizzata su un giaciglio puzzolente. L'unica esperienza sensoriale, oltre a quella dell'odore di acqua marcia, erano i rumori che sentiva, quelli di un fiume in piena, che scorreva vicinissimo alla cella dove era stata depositata.

Stefania accese la TV, cercava notizie fresche di cronaca, magari qualche ripresa televisiva della riunione del Comitato contro la violenza sui cani, avrebbero potuto non inquadrarla? Certo con la veletta sarebbe stata difficile da riconoscere. Aveva un po' esagerato? Si tolse una grossa caccola dal naso.

Troppo presto per la nuova puntata della Sibilla, stavano trasmettendo però la replica di quella del giorno prima. Una signora, di nome Tecla, telefonava proprio da Treviso, in quanto il suo cane George, un carlino, era scomparso ormai da un giorno intero. Aveva sentito parlare del killer che uccideva e decapitava i cani, e allora voleva sapere dalla Sibilla se il suo animale era stato rapito, se era ancora vivo: «Dov'è il mio George? Sibilla, aiutami tu!».

L'oracolo, nel suo antro ipogeo, prese come al solito a contorcersi, a sussultare, a stridere e a ringhiare.

«Sibilla, dov'è il cane della signora Tecla? È in ceppi? Oppure... oppure... ha fatto la stessa fine degli altri?».

La Sibilla sbarrò gli occhi cerulei da cieca, gracchiò qualche parola confusa: «Vedo... vedo.... Non vedo...». Poi improvvisamente si paralizzò. Immobile, sul suo giaciglio simil-ospedaliero, raggiunse la trance. «Vedo George! Lo vedo... è vivo... è vivo!».

«Ma Sibilla, il cane è in pericolo?».

E siccome la risposta era sì, ecco il momento atteso, la Sibilla cominciò a piangere sangue, a fiotti. Arrivò un tipo in camice, il Dottore, molto preoccupato, compariva sempre a un dato punto della trasmissione. Tastava il polso della vecchia, la auscultava, e scuoteva la testa, perché la donna pareva sull'orlo del trapasso, dopo l'ennesima crisi. Le lenzuola erano impregnate di sangue. La Sibilla era spossata, perse i sensi. Li avrebbe mai ripresi?

«Oddio Giorgio, dove sei?». Anche la signora Tecla, al telefono, si mise a piangere. «Che ti hanno fatto, Giorgio, Giorgio mio!». Partì la pubblicità: Autocarrozzerie Meneghin, Merlengo.

Dopo un'ora circa, nei pressi del bivio per Trevignano, la scena all'incrocio si era popolata, nonostante le condizioni climatiche non fossero cambiate, ed erano arrivate due Pantere della Polizia, da Montebelluna. Il taxi FIAT Punto Evo – Siracusa 14 – era sempre nella stessa posizione, ovvero con le ruote nel fosso e gli sportelli aperti. Erano giunti dei curiosi, e anche qualche giornalista, la stradina stretta era intasata di automobili.

Gli agenti si erano concertati fra loro e avevano delimitato l'area dove erano stati ritrovati, poco fuori di casa loro, i due anziani, crivellati dai colpi di armi automatiche e proiettili da guerra. Era evidente che ormai le forze dell'ordine non avessero personale a sufficienza per seguire tutti questi massacri.

Rapidamente i telegiornali locali impazzarono con i reportage, si sosteneva che era venuto il momento di chiamare l'esercito, l'emergenza stragi era all'ordine del giorno, che altro si doveva aspettare? Chi erano i due anziani e perché erano stati giustiziati? Non c'erano testimoni, ma un taxi era stato trovato sul luogo del delitto, abbandonato. Il taxi era stato rubato in mattinata a Treviso, e il proprietario, immobilizzato e legato, trovato per fortuna vivo dentro un sifone.

Walter comunque non aveva intenzione di darsi per vinto. Bisognava trovare urgentemente i rapitori della Coppo e il luogo dove era stata condotta. In fondo aveva visto il furgone. Forse i rapitori non erano dei professionisti, perché il furgone era stato noleggiato, una soluzione dilettantesca. Non gli fu difficile sapere dove era stato preso a nolo e da chi, un certo Mario Rossi. Cauzione versata in contanti.

L'infanticidio delle scimmie

Le scimmie sono sempre state un campo di studi fertile, per analizzare dinamiche comportamentali, in qualche modo, anche non volendo, connesse con l'investigazione dei comportamenti umani.

Una specie particolarmente studiata è quella dei Langur di Hanuman, o scimmia grigia di Hanuman della famiglia dei *Cercopithecidae*. Queste scimmie slanciate, di medie proporzioni, la cui vita è basata su solide strutture di gruppo, vivono nel nord dell'India. Hanno buoni rapporti con gli esseri umani che danno loro da mangiare e in certi luoghi le considerano sacre. Hanuman è un personaggio mitologico del poema epico *Rāmāyaṇa*, dall'aspetto di scimmia e aiutante di Rama.

Le scimmie Langur conducono vita di gruppo, dominata da un maschio e, di solito, dalle sue due mogli.

Uno dei motivi per cui questa specie ha suscitato particolare interesse è che in essa i maschi praticano l'infanticidio: attaccano selvaggiamente e feriscono circa un quarto della prole delle femmine, determinandone nella maggior parte dei casi la morte.

Non sono l'unica specie di mammiferi, per non parlare di altri ordini, dove venga praticato l'infanticidio.

Nelle scimmie Langur l'infanticidio pare essere prerogativa dei maschi che si sono insediati di recente al primo posto della scala gerarchica: uccidono i piccoli di cui non sono padri, in molti casi stroncando loro la colonna vertebrale. Ma questa operazione non è così facile, le femmine, e non solo la madre del piccolo attaccato, combattono strenuamente per difendere i figli, e il maschio deve consumare molta energia per riuscire nel suo intento e per non patire danni gravi, che talvolta subisce.

Perché dunque lo fa? Qual è il suo vantaggio prossimo, e quale il vantaggio evolutivo di consumare tanta energia?

Il suo vantaggio prossimo potrebbe essere quello di nutrirsi del piccolo, cosa che però non è stata mai osservata. Dunque l'operazione potrebbe garantirgli un rifornimento energetico in momenti particolarmente stressanti, come sono quelli dopo aver appena conquistato il vertice sociale, risultato ottenuto certamente a patto di combattimenti all'ultima stilla di energia con altri maschi.

Il cannibalismo è frequente nei mammiferi, e anche nei primati. Per esempio l'allegra bertuccia, tanto cara ai britannici perché porta fortuna a Gibilterra, lo pratica abitualmente. Ma ci sono numerosi esempi anche fra gli uccelli e i ragni.

Ci sono varie altre interpretazioni.

Una evidenzia il fatto che queste scimmie, nutrite spesso dagli esseri umani, conoscono situazioni di sovrappopolazione, le quali produrrebbero reazioni patologiche, una sorta di follia omicida, che forse tanto folle non è in quanto potrebbe tendere a ridurre gli effetti stessi della sovrappopolazione, eliminando degli individui in eccesso. Nonostante esistano specie, come i lemming, che pare dispongano di un meccanismo autolimitante del numero di individui della popolazione, questa ipotesi non è quella più accreditata.

Un'altra ipotesi, sostenuta da Sara Hardy, enfatizza l'aspetto di fitness genetica: dato per scontato che ciascun individuo di una specie cerca di migliorare il più possibile il successo riproduttivo suo e del suo patrimonio genetico, appare possibile che il maschio di Langur ambisca a eliminare altri patrimoni genetici: inoltre la femmina, privata dei compiti di accudimento della prole, torna rapidamente a essere sessualmente recettiva, pronta a copulare con il nuovo leader, e a dargli una prole.

Una teoria del genere è accreditata da molti paralleli nel mondo dei mammiferi che hanno strutture di gruppo simili a quelle delle scimmie Langur: per esempio i leoni. Spesso il leone dominante di nuova nomina uccide i piccoli: in tal modo la femmina torna rapidamente ad avere un ciclo, che altrimenti, con la prole da allattare e allevare, sarebbe interrotto per almeno due anni. Questa notazione fornisce anche un'interpretazione evoluzionistica del film a cartoni animati *Il re leone*, abbastanza arbitrario nei suoi fondamenti etologici in quanto nei leoni la carica di maschio alfa non è ereditaria.

L'infanticidio naturalmente non è appannaggio esclusivo dei maschi: per esempio in alcune specie di cimici d'acqua è la femmina che distrugge le uova covate dal maschio: questo, una volta che non ha più uova da curare, sarà nuovamente disponibile all'atto riproduttivo.

Nel nuovo spazio artistico di Jesolo, la Shade Gallery, era in programma una mostra di grande spessore di arte contemporanea. Il sindaco Culicchia aveva chiesto, scusandosi per la sua ignoranza, chi fosse l'artista contemporaneo più importante, quello che «smuoveva» di più. Gli avevano detto che senz'altro era l'inglese Damien Hirst, quello della mezza mucca sotto formalina, quello del teschio tempestato di diamanti, ma che si viaggiava su parecchi zeri.

«Non importa», aveva detto il sindaco, «i soldi li troviamo, ci penso io», in realtà sapeva di poter contare sull'intervento di Bustaz e soci, le figure di spicco dell'imprenditorialità «culturale» a Jesolo e zone limitrofe.

L'idea era quella di stabilire una connessione solida con la Biennale di Venezia, che avrebbe aperto un «link» turistico-artistico fra il Cavallino e il Lido di Venezia, così vicini ma così lontani, almeno culturalmente.

La gente va a Venezia a vedere le mostre, o a farsi vedere alle mostre, ma poi viene a chiavare qui a Jesolo, o a giocare a carte, o a divertirsi in generale, pensava il sindaco, che ancora credeva nell'ipotesi che Jesolo sarebbe diventata la Miami del Nord-Est.

Insomma, tramite alcuni operatori nel mondo artistico e del mercato dell'arte si era riusciti a far arrivare due teche di Damien Hirst, che per motivi di assicurazione e di sdoganamento erano rimaste più di una settimana in un magazzino portuale.

Le due teche contenevano, secondo uno standard di mercato, un paio di animali dimezzati, nella fattispecie due primati, la scheda tecnica non diceva molto altro, perché l'artista non aveva voluto svelare di più.

Già si sapeva che l'esposizione dei primati morti – gorilla? Orangutan? Bonobo? Langur? – avrebbe suscitato polemiche a non finire, con gli animalisti, gli animisti, e chiunque altro avesse cercato una porzione di visibilità polemizzando con l'esposizione. D'altronde se si temono reazioni del genere, un artista come Damien Hirst che si invita a fare? A parte il fatto che il verbo «invitare» non era propriamente applicabile, visto che l'artista britannico aveva chiesto una cifra spropositata, «in front», come si dice nei paesi anglosassoni, gli organizzatori si aspettavano giustamente polemiche a non finire, anzi, le esigevano.

Così quel giorno alcuni tecnici specializzati, accompagnati da un funzionario dell'assicurazione – i due pezzi erano assicurati per un valore complessivo di venti milioni di euro – erano finalmente riusciti a ritirare le due opere d'arte, imballate in pesantissime casse di legno.

I due pacchi, svolte tutte le pratiche burocratiche, furono finalmente caricati su un autosnodato, e trasferiti a Jesolo. C'era una forte emozione allo spazio Shade, che fra l'altro vuol dire ombra, che in Veneto si riferisce a tutt'altra cosa, anche se forse c'era dell'intenzionalità. I colli furono trasferiti con la massima delicatezza possibile negli spazi espositivi.

Per aprire le ingombranti casse di legno fu necessaria la presenza di una serie interminabile di funzionari, gli stessi dell'assicurazione, quelli delle Belle Arti, quelli degli enti locali e molti altri ancora. Secondo la volontà dell'artista il contenuto non avrebbe dovuto essere svelato se non al momento del vernissage. Tecnici, montatori, dirigenti, avrebbero avuto occasione di visionare il contenuto delle teche, ma non avrebbero dovuto rivelarlo a nessuno. L'artista e i suoi consulenti e legali, persone assolutamente non indifferenti alle questioni economiche, avevano stabilito una penale di 10 milioni di euro se il contenuto delle opere, tantomeno una qualche immagine, fosse stato diffuso prima dell'apertura ufficiale della mostra. Ovviamente era tutt'altro che vietato diffondere ai media l'esistenza di queste condizioni restrittive, che dovevano far montare l'interesse per le opere. Si poteva comunicare che all'interno delle teche c'erano dei primati, e questo fu fatto, secondo programma. Come previsto si scatenò immediatamente la protesta degli animalisti, che su tutti i social cominciarono a inveire contro Hirst e il suo uso commerciale dell'immagine degli animali, eccetera eccetera. Non era la prima volta. Un tam tam, o can can, pubblicitario previsto, desiderato e gratuito.

Ma quando le teche furono liberate dall'imballaggio, dai legnami e dagli strati di protezione imbottiti, tutti i presenti furono veramente sorpresi. Diavolo di un Damien Hirst, anche questa volta aveva fatto il colpaccio.

Perché effettivamente di primati si trattava. Ma erano primati piuttosto evoluti, individui appartenenti alla specie di *Homo sapiens*. In ciascuna teca c'era un uomo, un uomo contemporaneo, un maschio. I due erano nudi, abbronzati, pareva artificialmente, pieni di tatuaggi e col membro in erezione.

Ci fu agitazione e costernazione fra gli osservatori. L'opera sembrava veramente un pochino forte. Forse che Hirst era venuto a conoscenza del fatto che a Jesolo c'era un grosso giro di marchette e di postriboli, e aveva voluto lavorare sul tema?

Ok, gli organizzatori erano pronti a sostenere le polemiche che sarebbero insorte, diciamo anzi che la mostra era stata organizzata apposta, la Chiesa, i benpensanti, le autorità.

Ma qui si andava giù duro, e questi due sembravano due veri esseri umani in formalina, appena deceduti, col vigor mortis. In più mostravano ferite sul collo e su tutte le parti del corpo, tumefazioni, e uno aveva anche una gamba contorta, girata dall'altra parte, completamente slogata.

Ma di che cos'erano fatti, di cera? Oppure erano di polivinile? Sembravano veri, un lavoro veramente ben fatto. I presenti erano sbalorditi, per di più sapevano che di quello che avevano visto non potevano fare menzione a nessuno. Alcuni non resistettero, scattarono delle foto col telefonino. Due agenti della Security

279

gli strapparono dalle mani i cellulari, e li accompagnarono fuori.

Ma il vero giro di volta fu rappresentato dalla dichiarazione, non sollecitata, di un macchinista presente al disvelamento delle opere.

«Ma questi sono il Pinin e il Loris, quelli che lavorano allo Strip Top!».

I presenti si domandarono se l'artista megastar avesse creato delle copie dei due spogliarellisti, e se d'accordo con loro li avesse riprodotti come se fossero stati uccisi. Che genio!

Il fatto era che la notizia che il Pinin e il Loris erano spariti da qualche giorno ed erano introvabili la sapevano in molti. Beh, ecco perché sono scomparsi, fa parte dell'accordo con l'artista, pensarono i presenti, ma comunque la situazione era a dir poco imbarazzante.

A sbloccarla furono gli operatori assicurativi che erano in possesso di fotografie dettagliate delle opere quando erano state imballate nei laboratori di Hirst, in Inghilterra. Non corrispondevano minimamente. Nelle foto all'origine le teche erano occupate da una orangutan femmina, divisa in due, che vegliava il suo piccolo morto, diviso in due anche quello.

E allora chi ce li aveva messi quei due *Homo sapiens* nelle teche?

Fu chiamato il sindaco.

Gli sintetizzarono la situazione. «Come dobbiamo comportarci?».

Culicchia avrebbe voluto morire sul posto. Era inevitabile convocare la Polizia.

Fra l'altro il sindaco sapeva benissimo che lo Strip Top apparteneva al fu signor Danilo Bustaz.

Walter era assai dolorante. Aveva preso colpi sul costato, sul bacino, e in testa. Nell'urto automobilistico aveva picchiato il fianco contro il cambio di quella macchina di merda, e un ginocchio contro il volante. Zoppicava e gli doleva tutto il corpo. Prese una pasticca gigante di arnica, oltre a due Tachidol da 500 mg.

Mose non possedeva un telefonino, non leggeva i giornali, non guardava i telegiornali e figuriamoci se aveva un collegamento internet o altro. Si basava soltanto sulle rapide ed essenziali comunicazioni verbali, faccia a faccia, che sapeva ricevere ed esprimere, soprattutto in certe osterie da lui frequentate, che considerava come suoi recapiti. Per cui non seppe niente di quello che era successo al signor Bustaz il giorno precedente, e di tutte le altre vicende orribili che avevano interessato il Trevigiano, finché non andò al bar, da Bepi el Venesian, che era quello che di solito visitava per primo.

Così venne a sapere dell'esplosione all'Hotel Parc e du Lac, ma non è che ci avesse fatto troppo caso, roba di terroni che si ammazzano fra di loro. Poi gli raccontarono quello che era successo al Bustaz, e qui la faccenda era un po' più seria. In quel momento lui stava lavorando per Bustaz, che peraltro lo aveva anche già pagato e gli aveva lasciato carta bianca. Così la situazione diventava complicata.

Uno al bar diceva che secondo la Polizia si era trattato di un incidente. Mose non fece commenti, d'altronde non ne faceva mai. Del resto quello che era successo a Bustaz non erano fatti suoi, ne prese semplicemente atto. Valutò inevitabilmente che la morte di Terminator forse era una questione un po' più complessa di quello che pareva all'inizio. Ma questo, né tantomeno il fatto che il suo cliente era morto, non significava che il suo incarico fosse concluso.

Per trovare chi aveva ucciso Terminator era stato pagato, e non per altro, poi si sarebbe visto. Mose aveva un'etica professionale solidissima.

Era uno che non mollava la presa e non conosceva pensieri malinconici. Qualcuno aveva fatto fuori Terminator e lui l'avrebbe rintracciato.

Adesso sembrava che il cerchio si stesse chiudendo su questa signora, Marta Coppo, e lui avrebbe trovato il modo di capire se era stata lei.

E dunque si mise alla ricerca della dottoressa Coppo.

Si era informato, sapeva che questa signora risiedeva all'Hotel Parc e du Lac. Ci andò. Ma non si poteva entrare, l'area era recintata con dei nastri bianchi e rossi, messi dalla Procura. Si avvicinò lo stesso e da lontano intravide l'enorme cratere prodotto dall'esplosione. Ne rimase tecnicamente impressionato. Avvicinò gli agenti di guardia e disse che doveva parlare con Gino, il portiere di notte, se potevano chiamarlo gli dicessero che c'era il Mose, e che lui aspettava lì fuori, sotto la pioggia. L'agente andò a chiamare il Gino, che arrivò immediatamente, con l'ombrello.

Gino, che sembrava temere assai il Mose, disse che nell'albergo non c'era più nessuno. Su richiesta esplicita di Mose il portiere riferì in quale hotel si era trasferita la signora Coppo.

«Ma mi raccomando, io non ti ho detto niente».

Mose prese la macchina e andò all'indirizzo segnalato, c'era da fare qualche chilometro. All'agriturismo Il miciolino si fece servire una bottiglia di Verduzzo del Piave. Venne a sapere che la signora Coppo se ne era andata via la mattina in taxi e non era ancora tornata. Fra l'altro era venuta anche una macchina della Polizia a cercarla, e avevano fatto un sacco di domande alla proprietaria, che in collo teneva un bel bimbone pacifico al quale Mose toccò il nasino con le sue mani enormi, non ci aveva capito niente, però di quella signora sapeva solo che aveva una figlia di circa 11 anni.

Mose se ne andò, sarebbe tornato il giorno dopo.

Alle quindici e trenta il direttore convocò nel suo ufficio Trentanove, Quagliarella, Parolin e Mammì, ovvero la Banda dei Quattro. Era cinereo in volto, impressionato e sconvolto.

«Signori, vi devo comunicare una notizia terribile, la signora Marta Coppo è scomparsa. Me lo ha comunicato personalmente la Polizia, che mi ha convocato in questura. Mi ha chiesto notizie. A quanto pare oggi la Coppo ha preso un taxi, e il taxi ha avuto un incidente dalle parti di Volpago. Ebbene il taxi è stato ritrovato, gli occupanti no. Non si trova il tassista, non si trova la Coppo. Non si sa cosa possa essere successo. Ovvero, il tassista è stato ritrovato, ma non era quello che guidava il tassì quando c'era sopra la Coppo. Il tassì era stato rubato. Tuttavia pare che il tassista, quello falso, abbia esploso numerosi colpi di pistola, e che due signori anziani, ritrovandosi nelle traiettorie, abbiano perso la vita. E la Coppo è sparita, non si sa dove possa essere finita, che sia stata giustiziata anche lei? Avevo un appuntamento con lei alle quindici di oggi, e a quanto diceva era arrivata a delle conclusioni per la sua ispezione. Aveva già inviato una bozza di rapporto al suo ufficio centrale, dove si facevano nomi e cognomi».

I quattro reagirono con atteggiamenti diversi. Trentanove chiese spiegazioni: «E che mai può esserle accaduto?».

Parolin chiamò immediatamente la moglie, che dato il maltempo e il pericolo di allagamento si era rifugiata nella seconda casa a Borca di Cadore, dove peraltro pioveva a catinelle.

La Quagliarella ebbe quasi un mancamento, disse che vedeva tutto nero.

«E adesso che facciamo? Ma si può sapere cosa ha scritto in questo rapporto?».

«Non lo so, non me lo ha detto. Mi ha solo comunicato che intravedeva nel caso la centralità dell'impiegato Walter Galati, col quale avrebbe voluto avere un confronto. Dice che lo ha anche cercato, ma questo non si è fatto trovare, e non era stupita del fatto che proprio in questa settimana avesse preso le ferie. La Coppo mi ha detto che la moglie di Galati le ha riferito che il marito era andato a pescare, in un luogo che lei non conosceva di preciso».

La reazione della Banda dei Quattro fu composta in superficie ma scomposta in profondità.

I quattro non sapevano bene cosa potesse succedere e cosa fare, ma adesso bisognava prendere una decisione, trovare una soluzione, e quella che pensavano di trovare era, a grandi linee, di far accusare Galati del rapimento, portandolo sul luogo dove la Coppo era imprigionata.

D'altronde sarebbe stato necessario far risultare che la mente di tutto il piano era Galati, e che gli intestatari dei conti erano stati trovati da lui e versavano i soldi a lui. Quello forse si poteva rimediare.

Ma questa era solo una variante fra i vari piani che i quattro cercavano di elaborare, e alla fine non fu l'opzione scelta.

Il sindaco Culicchia avrebbe voluto picchiare la testa contro il muro, e non pensarci più. L'emergenza maltempo lo stava travolgendo. Il livello delle acque della laguna veneta aveva raggiunto e superato ogni soglia di sicurezza, solo gli argini sembravano al sicuro, e le strade che ci passavano sopra. A Eraclea Mare, a Cortellazzo, al Lido di Jesolo, dal Cavallino fino a ca' Pasquali le acque già stavano cominciando a invadere i campi e le aree più basse. Tutte le diramazioni del Sile vomitavano una quantità di acqua smisurata nella laguna, che peraltro si opponeva, con forti correnti contrarie, impedendo alle acque fluviali di raggiungere il mare. Jesolo era deserta, così come le altre città balneari della Riviera, gli alberghi avevano chiuso, chi aveva potuto aveva spostato mobilia e attrezzature ai piani superiori. Ma in quella zona molte case il piano superiore non ce l'hanno. I cantieri erano bloccati, si erano portate via ruspe ed escavatori, le strade praticabili erano intasate di veicoli transumanti, dalla palude alla collina. Ormai la viabilità era un problema, molte strade, anche provinciali, erano allagate. Numerosissimi volontari, la Protezione Civile, le municipalità cercavano di operare con regimentazioni improvvisate, si pensò di creare una sorta di cassa di espansione del Sile a monte di Jesolo, dalle parti di Caposile, ma mancava il coordinamento per un'operazione del genere, che poi non si sapeva neanche che conseguenze avrebbe potuto avere, visto il livello già altissimo delle acque nella laguna. La Giunta Comunale aveva creato un centro direzionale nell'unica collinetta del Lido di Jesolo, comunque raggiungibile per la strada sopraelevata e lì il sindaco si era asserragliato.

Ma nonostante questa emergenza i suoi pensieri erano rivolti altrove. Dopo la morte di Danilo Bustaz il sindaco aveva cominciato ad avere paura, molta paura. Non era un avvertimento, era un fatto, e il primo cittadino si sentiva nella merda, alta. Lo avevano avvertito, gli sloveni, i croati, non è gente che scherza. E adesso le circostanze confermavano questi avvertimenti. Lui fino al giorno prima si era sentito al sicuro perché aveva l'appoggio di Bustaz, che trattava con i calabresi di Mestre e ci pensava lui. Accanto a Bustaz c'era Sanipoli, ex ammiraglio della Marina, in buoni rapporti col prefetto, con l'Esercito e anche con l'Arcivescovado. Fra Bustaz e Sanipoli non correva buon sangue, ma si era creato un certo equilibrio, e il sindaco era garantito sul fatto che non ci sarebbero stati grandi problemi, ma adesso? A Bustaz avevano fatto la festa, dopo averlo minacciato facendo fuori il suo rottweiler da competizione. E adesso l'attentato al calabrese della cosca Fichichi: cos'era, una guerra senza confini fra gruppi che cercavano di impadronirsi di Jesolo? E che sarebbe successo a Sanipoli? Anche lui avrebbe fatto la stessa fine? A meno che non fosse stato proprio lui a far scattare questa operazione «militare». Chi poteva dirlo?

Per non parlare dei due marchettari nelle teche dell'artista Hirst. Questa era un'operazione in grande stile. Due impiegati di Bustaz, ritrovati morti ammazzati dentro le opere che dovevano rappresentare il fiore all'occhiello dell'amministrazione di Jesolo. Una mostra importante, che alla municipalità era costata un capitale, e che doveva dimostrare che Jesolo non era solo divertimento, puttane e culattoni, ma anche cultura ai livelli più alti! E qui si andava a colpire, senza sconti!

Il questore era in fibrillazione, e anche se aveva dato l'ordine di rilasciare dichiarazioni che escludessero nella maniera più assoluta una connessione fra la morte di Bustaz, per ora definita accidentale, l'orribile attentato di Treviso, di stampo terroristico, e il ritrovamento dei due cadaveri a Jesolo, una storia di gelosie sessuali, intuiva che quel nesso c'era eccome.

Il sindaco non sapeva a chi telefonare, non voleva fare errori. E se si fosse defilato, almeno per un po'? Pensò di accusare un malore e di farsi ricoverare da qualche parte, magari in un luogo sconosciuto, forse in Polonia, dove conosceva molte persone. Ma aveva paura e sapeva che lo avrebbero ritrovato, se avessero voluto, anche in capo al mondo. E allora forse sarebbe stato conveniente venire subito a patti con questa gente, ma chi erano? Certamente non quelli di Mestre, i calabresi di lì, o quelli di Monfalcone. Erano gente nuova, che si era presentata così, magari in connessione con gli sloveni o i croati. Oddio, che casino.

Il sindaco riuscì a convocare una riunione informale con Sanipoli e col luogotenente di Bustaz, che però era una mezza calzetta e non contava niente. Bustaz faceva tutto per conto suo. Si videro in privato in un albergo nell'entroterra. Erano smarriti e fortemente preoccupati, convinti che una *grossa* organizzazione si fosse spinta, a dispetto degli equilibri precedenti, nel territorio. E come è naturale che sia chi vuole fare la propria comparsa in un territorio già assegnato lo fa a suon di morti. Probabilmente erano stati gli sloveni a chiedere l'intervento di un altro gruppo di calabresi. E forse erano stati i croati a far saltare l'auto del killer calabrese. Era guerra aperta, ma possibile che non se ne sapesse niente? Forse Bustaz era in qualche modo al corrente, per questo lo avevano bruciato in casa sua. Forse Bustaz aveva fatto il doppio gioco, cioè il passo più lungo della gamba. Ma ormai...

E inoltre stavano per arrivare i russi, i maggiori finanziatori del progetto Sex City.

Alba Romagnoli era nel fiore dei suoi quarantotto anni, essendo nata nel 1967 a Castions, in provincia di Pordenone. Una vita dedicata all'arte, al teatro. Per meglio dire una carriera mediocre di attrice, con un picco nel 1989, nel periodo in cui frequentava l'Accademia di arte drammatica a Roma, anni in cui recitò sotto la regia di Capitanati, una piccola parte di sei battute. Purtroppo la sua carriera aveva conosciuto più bassi che alti, e come succede a molti teatranti che non sanno come sbarcare il lunario si era messa a insegnare recitazione. Con il suo compagno di allora aveva fondato la Compagnia Molière 2000, e anche una scuola di teatro del gesto. Nel corso degli anni si era dovuta adattare parecchio, negli ultimi tempi lavorava con le scuole elementari, dove faceva circolare dei laboratori. Un'altra cooperativa che si chiamava Teatrart. Insomma si barcamenava, però le feste di compleanno dove avrebbe dovuto recitare la parte della strega, quelle no, non le faceva.

Negli ultimi tempi si procurava da vivere con un'antenna locale, Tele Treviso Italnews, con la quale aveva firmato un contratto che a prima vista le era parso una manna dal cielo, con questi chiari di luna, ma che in seguito si era rivelato una trappola. Quando l'avevano reclutata firmò, senza pensarci due volte. Si trattava di partecipare a uno show che come tema principale aveva quello delle previsioni del tempo: lei avrebbe registrato tre puntate due volte alla settimana, che andavano in onda una volta al giorno, nel tardo pomeriggio: una trasmissione, compresa la pubblicità, di venti minuti. Il suo ruolo era quello di una specie di comparsa, in ogni caso sarebbe stata mascherata e truccata, nessuno l'avrebbe mai riconosciuta. Inoltre, per motivi che poi si capiranno, il suo nome non sarebbe mai comparso, nessuno avrebbe *mai* dovuto sapere che interpretava quel ruolo.

Alba accettò volentieri, e sottoscrisse tutte le clausole: era più che sollevata per il fatto che questa orribile marchetta non sarebbe mai stata rivelata nell'«ambiente». Lei che aveva lavorato con Capitanati recitando Shakespeare.

Per sei puntate alla settimana, la domenica la trasmissione non andava in onda, le davano 60 euro, lordi, a puntata. Per registrarne una ci voleva un'ora e mezza, massimo due. Alba doveva recitare poche battute, sollecitata da una specie di intervistatore.

A questo andavano aggiunte un paio d'ore necessarie per il trucco: Alba veniva radicalmente trasformata, per sembrare una vecchia di novant'anni. Ogni volta le incollavano sulla faccia una maschera di gomma, che avevano fatto fare a Roma da una ditta specializzata di Cinecittà. E poi c'era il particolare dispositivo, con sottilissime tubature che passavano dentro la maschera e raggiungevano le palpebre. Ebbene sì, Alba era la Sibilla.

Doveva gracchiare con voce rauca i suoi responsi meteorologici e d'amore, poi gli occhi le cominciavano a sanguinare, e lei perdeva irrimediabilmente i sensi. L'avevano scelta per i suoi occhi celesti incredibilmente chiari, un po' appannati, in effetti era l'unica sua caratteristica fisica notevole. Gli occhi li doveva tenere sbarrati verso l'alto, come quelli di una cieca. Altro non doveva fare.

All'inizio eseguiva quello che le chiedevano, senza aggiungere caratterizzazioni personali al personaggio: dire le scemenze previste dal copione, andare in trance mugolando e strepitando. Poi doveva cominciare a sussultare, come tarantolata, e, alla fine, assumere una totale immobilità, come fosse morta.

«Sibilla, pioverà domani?».

Lei si contorceva, ragliava, era percossa da dolori indicibili, poi il responso: gli occhi spillavano sangue, voleva dire che avrebbe piovuto. Rivedendo le puntate montate lei si faceva pena, aveva vergogna, d'altronde 360 euro a settimana per lei erano proprio una bella cifra.

Incredibilmente la trasmissione prese piede, e conquistò sempre di più un pubblico fedele. Soprattutto il personaggio della Sibilla era diventato famoso: in Veneto erano veramente pochi quelli che non sapevano chi fosse – la Sibilla del Grappa alcuni la chiamavano – e che non avessero in mente i suoi lineamenti orribili e atroci. Su YouTube le puntate venivano viste da migliaia di persone, poi da decine di migliaia, interessate a questo capolavoro del trash, in tutt'Italia.

Le sembianze orripilanti della Sibilla, la sua voce terrificante, i suoi vaticini senza senso e soprattutto, senza ombra di dubbio, l'immancabile scena degli occhi che cominciavano a spruzzare sangue, o quel che era, acchiappavano il pubblico di vari ordini e gradi: alcuni si divertivano, gli snob, altri ci credevano, e avevano nello stesso tempo paura e fiducia nella Sibilla.

Così fu deciso di cambiare registro, e la trasmissione cominciò a essere trasmessa in diretta, con l'intervento del pubblico, le persone potevano telefonare alla Sibilla ed esporle i propri problemi. Fu un successo.

Alba cercò di rinegoziare un po' le sue condizioni contrattuali, visto che il suo impegno era cambiato e che inoltre il suo personaggio stava riscuotendo un grande successo, era estremamente popolare, si era impegnata per sei puntate settimanali. Non ottenne granché, solo un incremento dei buoni pasto.

Per il resto il contratto parlava chiaro, era già prevista anche la possibilità della diretta, lei aveva firmato per sei anni, e se avesse dato forfait, se non per gravi motivi di salute, avrebbe dovuto pagare una penale molto salata.

Alba ebbe un moto di orgoglio: «Allora me ne vado dalla concorrenza! Tutti cercano me, sono io la Sibilla! Come fareste senza di me?».

«Primo, la concorrenza non esiste. Secondo, se tu rivelassi a qualcuno, soprattutto alla concorrenza, o alla stampa, che tu sei la Sibilla, devi pagarci una penale di due milioni di euro. I diritti sul personaggio della Sibilla sono nostri, non tuoi. Tu di fatto non esisti.

Terzo, ti possiamo sostituire quando vuoi, ne troviamo a decine disposte a fare quello che fai tu, per la stessa cifra o anche meno. Se sei stufa puoi pure andare, torna a fare i corsi di teatro del gesto. Ma ricorda che la penale la paghi lo stesso».

Alba dovette ridimensionare molto la sua presa di posizione, nonostante avesse lavorato con Capitanati. Che poteva fare? Cercò di convincere il produttore, River, che poi era anche il regista e la voce fuori campo, che il suo ruolo era impegnativo, e che viveva uno sdoppiamento di personalità. Che in fondo al personaggio aveva dato tutta se stessa, e che se lo sognava di notte.

«Se vuoi mollare molla, metteremo la cosa in mano agli avvocati». Che poi era uno, Bordolan.

Alba tornò a casa con la coda fra le gambe. Non voleva ammetterlo a se stessa, ma in fondo adesso sarebbe stata contenta se nell'ambiente si fosse saputo che era lei la Sibilla. Molte persone tuttavia pensavano che la Sibilla esistesse davvero, imprigionata in una grotta di montagna, sempre sul punto di morte.

Il casolare sul fiume dove era stata condotta la dottoressa Marta Coppo era antico e pittoresco. Da fuori non si capiva bene quale fosse stata la sua funzione in passato, se un mulino, o un piccolo setificio, o una microscopica cartiera. Di fatto l'acqua si infilava proprio sotto il casolare, in una roggia che usciva dall'altra parte.

L'edificio da fuori sembrava abbandonato, gli intonaci erano rovinati e cadenti, gli infissi malfermi e marci, il tetto malridotto, molte tegole erano rotte o fuori posto. Oddio. Il luogo era abbastanza suggestivo. Anche se adesso, con tutti i corsi d'acqua in piena, sembrava piuttosto pericoloso. Ma chissà quante ne aveva viste di piene il casolare. Accanto al quale, rasentando le mura, scorreva una marea di acqua incazzata e marrone scuro.

Dentro c'era la Coppo, ma da fuori non si vedeva niente, perché la finestra della stanza dove si trovava era in alto, e per vederla si sarebbe dovuti salire sul davanzale, cosa impossibile perché era il muro che dava sul fiume, e l'acqua arrivava a non più di un metro e mezzo dalla finestra. Neanche con un gommone la si sarebbe potuta raggiungere, data la violenza della corrente.

In ogni caso, in quel momento non c'era nessuno che aveva intenzione di fare una cosa del genere, perché nessuno sapeva che dentro quel casolare ci stava la dottoressa Coppo. E dunque nessuno sapeva in quali condizioni si trovasse, se al sicuro, protetta, o se invece sotto attacco, imprigionata, tenuta sotto chiave chissà da chi e perché.

La persona che più di tutti avrebbe voluto sapere in quale posto si fosse rifugiata la Coppo e in quali condizioni si trovasse era senza dubbio Walter Galati, a cui la situazione era imprevedibilmente sfuggita di mano.

Ripresosi dall'incidente stradale, anche se un ginocchio gli faceva molto male, si immaginava che la Coppo fosse stata portata subito molto lontano.

Aveva lasciato il taxi nel luogo dell'incidente, e dopo la sparatoria si era riparato in una microscopica cappellina con l'immagine della Madonna Immacolata. Là dentro non pioveva, e di lì si poteva osservare ciò che accadeva nel luogo dell'incidente. Nel giro di quarantacinque minuti erano arrivate due auto della Polizia, gli agenti si erano messi a ispezionare il taxi nel mezzo della strada, e poi erano andati a studiare i cadaveri dei due anziani, ormai impregnati d'acqua, nel fango.

Galati trovò il modo di muoversi, scese dal crinale opposto. Gli sembrava di scansare i fulmini a uno a uno. Arrivò nei pressi di un capannone agricolo, il proprietario era lì fuori che stava caricando il suo Toyota Hilux con alcune gabbie di conigli e galline. Galati aspettò che il tipo entrasse nel pollaio per fare un ulteriore carico e si infilò al posto di guida del pick-up, mise in moto e se ne andò. Siccome lo sportellino posteriore del vano di carico non era chiuso le gabbie piene di polli e conigli scivolarono giù, al suolo, alla prima curva.

Walter era sollevato, per fortuna sua quel signore non era andato a prendere il fucile da caccia e quindi era ancora vivo.

La Coppo intanto lottava contro l'umidità, la situazione era impossibile, entrava l'acqua dentro, dal tetto e dal pavimento, dalle mura.

L'ultima cosa che avrebbe desiderato era di rimanere in quel posto di merda, impossibilitata a muoversi o a comunicare con chiunque. E si chiedeva un'infinità di cose. Mi ammalerò, qui mi ammalerò di sicuro, e mia figlia? Che sarà successo a scuola oggi? Eppure non le posso parlare, e chissà per quanto. E poi questo posto è a rischio, in ogni momento mi posso trovare sommersa dalle acque, ma sono pazzi?

Oh, la Coppo era veramente sconsolata, cosa che di solito non rientrava nelle sue abitudini, per lei di norma le risposte erano sì o no.

Si faceva domande anche sul tassista. Era stato lui a sparare quei colpi che aveva sentito mentre la spostavano sul furgone? Cioè, quello non era affatto un tassista, era qualcuno che cercava lei? Ma come aveva fatto a non accorgersene?, avrebbe pensato, se non fosse stata in quel momento sdraiata su un pagliericcio fradicio, sconvolta dall'umidità e dalla situazione.

Qui se non mi vengono a prendere ci lascio le penne, pensava, ma come faccio ad andarmene? Non so neanche dove mi trovo, e se ci sarà un allagamento chi mai mi verrà a recuperare? Nella zona non c'è più nessuno. Sarebbe il colmo, fare la fine del topo proprio qui, quando la mia missione ormai era arrivata a conclusione, e avevo dimostrato tutto quello che c'era da dimostrare.

Il livello dell'acqua continuava a salire, eppure nel casolare c'era una donna, che probabilmente sapeva perché era lì, ci sono dei particolari, delle evenienze, che nessuno riesce a controllare, a gestire, e l'acqua ormai aveva superato ogni limite. Ma ci avevano pensato quei mentecatti? Evidentemente no, avevano perso il controllo, anche loro.

Parrà strano non menzionare cosa pensasse la Coppo intorno ai suoi sequestratori. Non si chiedeva chi fossero? No. Evidentemente non ce n'era bisogno.

Walter Galati tornò a casa azzoppato, fradicio e distrutto, anche nel morale. Per un professionista come lui la giornata era risultata molto faticosa, e in un certo senso fallimentare. Non era riuscito a raggiungere il suo obiettivo, così come non ci era riuscito il giorno prima, e adesso sapeva che aveva a che fare con qualcuno forse più forte, organizzato ed efficiente di lui. Non gli era mai successo. Aveva bisogno di farsi una doccia, di riscaldarsi un po' e di mangiare qualcosa di caldo, era dalla mattina che non metteva niente in bocca.

Eppure Stefania, appena lo vide, lo aggredì.

«E tu adesso torni, e guarda come sei ridotto, mi hai lasciata sola tutto il giorno, e perché non rispondi al telefono? E non ti sognare di camminare per casa ridotto come sei, sporchi tutto di fango, ma sei matto? Ma dove sei stato, incosciente, e con quello che è successo a me? E a Fufi non ci pensi? E al comitato? Lo sai che ci saranno i funerali domani? Già, ma che lo dico a fare a un deficiente come te, qui se alle cose non ci penso io...».

Walter per la prima volta in vita sua pensò di chiudere la bocca a Stefania in maniera definitiva. Si spogliò e andò a fare la doccia ma prima rassicurò la moglie: «Non hai idea di quante ne abbia fatte oggi, ho svolto delle indagini, sono sulle tracce di una persona che potrebbe essere l'assassino di Fufi, e forse anche degli altri cani».

«Tu delle indagini? Ma sei scemo? Dovresti venire invece al Comitato contro la violenza sui cani, quella è gente che ci sa fare, anche loro dicono che sono vicini a trovare l'assassino, e non lo diranno alla Polizia, troveranno il sistema di fargli passare la voglia, a quello stronzo».

«Ma tu sai chi è?».

«No, non lo hanno detto, non vogliono propalare le notizie».

«Propalare?».

Dopo la doccia Walter si sentiva meglio e decise di resettarsi e di cominciare da capo a ricostruire la faccenda. Estrasse dal surgelatore una minestra di verdure e fagioli che aveva preparato tempo addietro. La decongelò, la scaldò nella pentola di coccio, aggiungendoci formaggio, pepe e peperoncino. Stefania si era già mangiata una Paella Andalusa di Quattro salti in padella.

Era inchiodata davanti alla televisione, a seguire i notiziari, facendo zapping di canale in canale. Purtroppo si parlava poco del killer dei cani, la precedenza assoluta era per l'attentato terroristico dell'hotel Parc e du Lac, dove aveva trovato la morte un camorrista. Che palle, e chi se ne frega se si ammazzano fra di loro, pensava Stefania.

Un po' più interessante era la notizia del ritrovamento, a Jesolo, di due cadaveri dentro due scatole trasparenti di plexiglass: a quello che diceva la giornalista si trattava di due giovani che lavoravano nell'intrattenimento sulla Riviera, erano ballerini e si esibivano nudi in spettacoli di striptease maschile. E nudi li avevano ritrovati dentro la formalina, in pose sexy e, diceva la giornalista, a quanto pareva con il membro in erezione!

Si diceva che questi omicidi potevano essere collegati a quello del camorrista, o quel che era. Fra l'altro suo fratello era stato trovato morto in un canale di Treviso, il giorno prima.

Per pochi secondi fu trasmessa anche l'immagine di Salvatore Fichichi, ma Stefania non la vide perché era intenta a leggere dei messaggini di cordoglio.

Riprese a guardare la TV e apprese che c'era dell'altro, il giorno prima aveva perso la vita a causa di un incendio nella sua casa il noto imprenditore Danilo Bustaz, il re delle luci rosse della costiera veneta. E guarda caso Bustaz era il proprietario dell'agenzia nella quale lavoravano i due giovani spogliarellisti.

La situazione era poco chiara ma ormai si affacciavano panorami inquietanti: su tutto ciò gravava l'ombra della mafia, dei regolamenti di conti, di una guerra in piena regola. Che stava succedendo a Treviso?

Seguivano le notizie sul maltempo.

«Ma cosa ti sei fatto a quella gamba? Perché zoppichi?».

«Ho fatto un appostamento in campagna, e sono scivolato, mi è preso un crampo e sono caduto».

Stefania sbadigliò, scuotendo la testa.

«Sei proprio un cretino».

Walter aveva sentito le notizie del telegiornale, ma non si interessò molto alle faccende criminose di Treviso, delle quali più o meno sapeva già tutto, alla fonte: di uno dei cani uccisi, dei due Fichichi, del Bustaz, dell'attentato, dei due ballerini nelle teche di Damien Hirst. Invece al telegiornale non avevano parlato della scomparsa della signora Marta Coppo, e su questo lui non sapeva proprio tutto, per esempio dove l'avessero portata. Probabilmente era già in un posto sicuro. Eppure c'era qualcosa che non gli tornava, una domanda che proprio non aveva risposta.

Qual era il nesso fra la dottoressa Coppo e il signor Pozzobon? Non era possibile che tale nesso non sussistesse, ma a lui proprio sfuggiva, e se lo avesse trovato avrebbe anche trovato la soluzione, forse.

«Ah, dimenticavo», disse Stefania prima di andare a letto, «ti ha cercato una tizia, una signora, una certa Coppo, chi è?».

«Coppo? Marta Coppo?».

«Sì, quella lì».

«Ma quando, a che ora?».

«Che cazzo ne so, in giornata».

«Ma in giornata a che ora?».

«Non me lo ricordo, forse nel pomeriggio».

6
Il passato è sotto terra

Il passato è sotto terra

Fratelli e sorelle,
ormai l'Apocalisse è arrivata nella nostra città di Tre-
viso. Ormai la morte che falcia tutte le teste si è stabilita
nei nostri territori, e colpisce a destra e a manca, senza pietà.

Non bastava il diluvio che mette a repentaglio le nostre
vite. I fiumi sono usciti fuori dall'alveo naturale e mieto-
no vittime: adesso il Male si è insediato nelle nostre case,
nelle strade, forse è anche qui, nella casa del Signore.

A parte i cani selvaggiamente uccisi, quanti sono i no-
stri fratelli che sono morti?

Il giovane sgozzato, restituitoci dalle acque del Sile,
non è stato che il primo. Un nostro illustre concittadino
ha trovato la morte in mezzo alle fiamme. Devastazioni!
Acque e fuoco, che altro si riserva a questa città corrotta
dal peccato?

Una grandissima esplosione ha tolto la vita a un altro
individuo: un attentato, una bomba da guerra, ed è stato
un caso che non ci siano state altre vittime, vista la po-
tenza dell'ordigno. Si parla di vendette mafiose, di orga-
nizzazioni criminali, e cosa sono queste se non il Male in-
carnato? E il Male pervade Treviso.

E ieri, due persone anziane, due onesti lavoratori della

terra, sono morti crivellati di colpi, chissà da chi, chissà perché.

Ma fosse solo questo! Due giovani maschi, due corpivendoli abituali, sono stati ritrovati dentro due opere d'arte di un discusso artista inglese, immersi nella formalina. Ah, fino a che punto può arrivare la degenerazione del genere umano! Due morti diventano delle opere d'arte! O Dio mio, ti chiedo pietà per l'abiezione dei nostri fratelli congeneri.

Fratelli e sorelle! Quante altre vittime usciranno dall'acqua, dalle rogge, dai canali, dalle mostre di arte degenerata? Quante altre saranno bruciate come all'inferno?

Che altro dobbiamo aspettare?

Vorrei aggiungere una piccola cosa, in questa nostra terra stanno tornando a essere frequentati riti pagani, superstizioni che si rifanno a vecchie tradizioni oracolari. Fratelli, diffidate di queste sibille, anche se si richiamano al Santo! Sono soltanto strumentalizzazioni infedeli, probabilmente guidate da Satana in persona. Diffidate degli oracoli, e diffidate dei veggenti pseudoscientifici. L'unica possibilità di salvezza è nel nostro Signore.

Oh Signore, proteggici dal Maligno. Il Maligno è penetrato nelle nostre famiglie, nei nostri campi, nei nostri centri commerciali. Pentiamoci! Siamo sempre in tempo per farci perdonare dal Misericordioso. Urliamo la nostra preghiera al Signore: perdonaci!

Don Carlo Zanobin
Omelia del celebrante
Parrocchia di *** (TV)

Le tre vecchiette presenti alla messa mattutina di Don Carlo urlarono, con un filo di voce fioca: «Perdonaci Signore!». Tuttavia, anche se non potevano ammetterlo, erano tutte e tre fedeli seguaci della trasmissione *La Sibilla*.

Il funerale del signor Pozzobon era fissato per le otto del mattino, nella fredda pioggia, a Camalò. Le campagne, le strade erano un unico pantano, con l'acqua marrone che si gonfiava in ogni canale. E usciva invadendo i prati e le aree di servizio. Molti capannoni, piccole aziende, magazzini, avevano trasferito tutto quello che potevano in luoghi un po' più rilevati, su verso il Montello, Montebelluna, Asolo, anche se pure quelle zone trasudavano acqua ed erano a rischio di frane.

Proprio vicino al cimitero stavano caricando una trentina di mucche pezzate su dei camion, facendole salire su una rampa di legno. Le mucche, fumanti, non parevano gradire il trasferimento e muggendo cercavano di opporsi, fu necessaria qualche bastonata, gli addetti bestemmiavano con continuità. Via via i camion partivano, gli zoccoli delle mucche percuotevano i pianali, occorreva metterle in salvo.

Galati, vestito di nero, si recò al rito funebre di colui che era stato ucciso dalla concorrenza, anche se ufficialmente era morto di morte naturale. Perché? Perché la famiglia, cioè la Luculescu, aveva optato per questa scelta? Ma se così doveva essere, perché non lo avevano soffocato?

Posteggiò la Mercedes nera noleggiata nello spiazzo asfaltato a ridosso del cimitero, isolato in mezzo a campi coltivati completamente impregnati di acqua. Il luogo era squallido e tetro, c'erano alcune tettoie, che coprivano la zona dei loculi, dove era possibile ripararsi dalla pioggia. Nella piccola cappella di forma esagonale, dove era stata posizionata la bara del Pozzobon, e dove a fatica entravano i partecipanti, il prete stava dando luogo alla funzione, semplificata, senza messa.

Erano presenti una quindicina di persone, divise nettamente in due gruppi. Da una parte la moglie e la figlia, dall'altra un gruppetto più elegante di gente che non dava loro molta confidenza.

Walter era venuto apposta per vederci un po' più chiaro. Quegli uomini in blu non capiva chi potessero essere, probabilmente i proprietari delle cinque o sei Mercedes e BMW posteggiate nello spiazzato asfaltato davanti al cimitero.

Sulla bara del Pozzobon campeggiava una sua foto, risalente a qualche anno prima. Galati scrutava il ritratto con serietà e compunzione, come si trattasse veramente di un ultimo saluto. Il personaggio fotografato lo fissava negli occhi, il vecchio porco che qualcuno aveva fatto fuori giusto prima di lui. Eppure quella faccia lui l'aveva già vista, ne era sicuro. A Treviso? Possibilissimo, quello abitava a pochi chilometri, e Walter era in possesso di una memoria fotografica straordinaria, una faccia non se la scordava mai. Ma le date non tornavano, lui si era trasferito a Treviso poco dopo che il Pozzobon si era spostato a Procida nel 2005. E allora dove?

La moglie e la figlia di Pozzobon sembravano avere una gran fretta, e non parevano troppo interessate alle esequie. Beh, c'era da immaginarselo, il Pozzobon le aveva abbandonate, anche se non in miseria, per andarsene a vivere di rendita con una figona dell'Est, così l'avrebbero definita la signora Meneghello e figlia, e almeno così poteva essere definita a quei tempi.

C'era anche lei, la Luculescu, una sgiambardona adesso ultracinquantenne, vestita con la classe di Valeria Marini, era l'unica che piangeva. La signora Meneghello manteneva un atteggiamento rigido e implacabile, la figlia passava il tempo a mandare messaggi col telefonino. Galati sembrava un impiegato delle pompe funebri, e nessuno fece caso a lui, neanche i veri impiegati delle pompe funebri, che pensavano fosse un addetto del cimitero.

Il prete fu rapido e sintetizzò alla veloce la vita del Pozzobon, sul fatto che solo attraverso la speranza nella Resurrezione la morte aveva un senso, e che il povero defunto, malato da molto tempo, ci avrebbe atteso da qualche parte.

La bara sarebbe stata portata in un deposito, perché la tomba dove erano sepolti i suoi genitori non era ancora pronta.

Le persone più eleganti neanche si sognarono di andare a salutare la ex moglie e la figlia, tantomeno la Luculescu.

A funerale terminato ci fu un fuggi fuggi, tutti risalirono sulle proprie vetture cercando di bagnarsi il meno possibile. Galati si trattenne qualche minuto in più nella cappella, esattamente come farebbe un coscienzioso funzionario delle pompe funebri. Prima che i veri funzionari si dedicassero alla rimozione della bara e al caricamento sull'autolettiga Walter agguantò la fotografia di Pozzobon e se la infilò in tasca. Anche lui poi montò sulla Mercedes e decise di andare dietro a una delle macchinone, quella più grossa, una BMW 625.

Nonostante oltre il 60% delle abitazioni del Trevigiano fosse stato abbandonato, i cittadini non cessavano di convincersi che dovevano agire in prima persona. Sapevano che se avessero aspettato la Protezione Civile, i Vigili del Fuoco e altre organizzazioni preposte, i loro seminterrati sarebbero rimasti pieni d'acqua, come la cantina di Eugenio Montale, che almeno dalla vicenda tirò fuori la famosa poesia.

D'altronde il territorio è proprio un intreccio di corsi d'acqua, di canali, e in certe aree più depresse l'acqua ristagnava, percolava, si incanalava per le vie in discesa e andava a riempire sottosuoli, garage, cantinette dotate di barbecue.

Ognuno si lamentava fortemente del fatto che le autorità stessero a guardare, però al tempo stesso cercava di darsi da fare per conto suo. I veneti, almeno a sentire quello che dicono loro, sono una razza indomita, e non un cumulo di ubriaconi bacchettoni come pensano i terroni.

I pochi rivenditori autorizzati esaurirono presto le riserve di magazzino delle pompe da svuotamento con motore a benzina. Naturalmente le classiche pompette a immersione ad alimentazione elettrica non servivano a niente. L'elettricità nella maggior parte dei casi non era garantita. Ci volevano potenti pompe autonome e di facile utilizzazione.

A testimonianza della energia imprenditoriale del triangolo del Nord-Est, non mancò chi smobilitò il camion per andare a rifornirsi, presso il produttore, di una bella dotazione di pompe da svuotamento, un articolo che a questo punto nel Trevigiano era introvabile.

Il signor Pavan Luca era andato fino in Trentino, e aveva fatto un investimento cospicuo, comprando franco fabbrica una cinquantina di motopompe a benzina, con motore monocilindrico a quattro tempi di 163 cc.

Il produttore di pompe si dimostrò assai sensibile alla causa, l'alluvione in Veneto, e praticò uno sconto sostanziale all'acquirente, praticamente questo ebbe cinquanta pompe al prezzo di venticinque. La fattura comunque riferiva dell'acquisto di otto pompe, le altre, come si dice, erano al nero.

Le pompe furono trasportate fino a Treviso, e immediatamente commercializzate nel vasto posteggio di un centro commerciale. Andarono via tutte in meno di due ore, pagamento in contanti, circa 275 euro l'una.

In seguito sarebbero nate polemiche su episodi di questo genere, perché questo non fu l'unico, altri lavorarono sui generatori, altri, più tardi, su piccole imbarcazioni a canotto. Davanti al camion i soliti sparuti indignati sostenevano che non era giusto approfittarsi di una situazione di disagio per fare affari, sparando a zero sulla bieca legge del mercato.

L'imprenditore affermava sicuro di sé che invece la sua azione era di tipo umanitario, cercando di ovviare a carenze dell'assistenza pubblica. Inoltre lui non si era minimamente approfittato della situazione, perché aveva fatto pagare le pompe a prezzo di listino, anzi, in molti casi ci aveva rimesso, perché data l'emergenza e l'indigenza dei clienti era stato costretto a praticare forti sconti.

In realtà era vero che lui aveva fatto pagare le pompe a prezzo di listino. Su quanto poi le avesse effettivamente pagate lui, che differenza faceva? Era lo Stato che sarebbe dovuto intervenire, distribuendo gratuitamente le pompe e i gommoni. Ma lo Stato pensava solo a fare affari con la Protezione Civile e neanche si sognava di venire incontro ai cittadini. D'altronde queste pompe furono vendute alla cifra che si è detto, che nel Trevigiano non faceva tremare le vene e i polsi a nessuno.

Di camionate simili l'imprenditore Pavan riuscì a farne quattro. Alla quinta fu fermato sulla statale della Valsugana dalla Guardia di Finanza, che riscontrò alcune irregolarità nel trasporto. Il Pavan, che indossava una tuta arancione fosforescente, millantò di lavorare per una certa associazione Onlus di soccorso. La Guardia di Finanza, tetragona, non ci credette.

Sembra che cose del genere siano accadute anche in occasione dei tifoni e delle conseguenti alluvioni in Florida. Nel 2005 l'intera area fu rasa al suolo da uragani devastanti, i famosi Katrina e Rita. Il signor David Medina, di Miami Beach, acquistò in North Carolina, a 1.400 chilometri di distanza, dei generatori. Avendoli pagati 529 dollari l'uno li rivendette a 900 nei luoghi del disastro.

Tuttavia in Florida esistono leggi severissime contro chi specula sulle disgrazie altrui: Medina fu arrestato, gli furono confiscati i generatori invenduti, e dovette pagare una multa di 1.000 dollari per ogni generatore venduto.

Secondo alcuni economisti ultraliberisti, in fondo il Medina non avrebbe arrecato danno a nessuno. In un testo di economia che segue quella impostazione si è commentato: «la possibilità per i venditori di fissare un prezzo più alto costituisce un incentivo a produrre quantità maggiori... La legislazione anti-speculazione, in altre parole, fa sì che le comunità colpite dai disastri naturali debbano affidarsi alla generosità del prossimo e alla lenta macchina degli aiuti statali, costrette a rinunciare alla terza via, rappresentata dall'intraprendenza degli imprenditori».

Chissà se il Pavan si era ispirato alle gesta del signor Medina. Probabilmente no, non ne aveva assolutamente bisogno. In ogni caso non fu sottoposto ad alcuna azione legale, e non dovette pagare nessuna multa. Evidentemente le sane leggi non scritte del liberismo più sfrenato funzionano meglio in Italia che in Florida.

Purtuttavia una importante coincidenza c'è: il Medina abitava a Miami Beach. E la riviera veneta aspirava a essere la Miami dell'Adriatico, se non di tutto il Mediterraneo.

In ogni caso le pompe da svuotamento dettero un sacco di problemi a coloro che le avevano acquistate. Nella maggior parte dei casi non funzionavano, e quando funzionavano dimostravano una capacità di drenaggio insufficiente. Ci furono delle proteste, o per lo meno delle intenzioni di protestare, il Pavan non si fece più vedere in zona.

Un grosso ratto, una pantegana, come le chiamano nel Triveneto, era salito sul pagliericcio dove si stava riposando Marta Coppo. Le annusò le ascelle e poi il pube, e si accovacciò da quelle parti, calde, umide e odorose. In effetti la ispettrice, almeno secondo i suoi standard personali, avrebbe avuto bisogno di una doccia, ma questo evidentemente le sarebbe stato impossibile per un bel po'.

Quando la dottoressa si rese conto che un ratto le era addosso si agitò parecchio, schifata e terrorizzata. Non poteva muovere le mani e le gambe, perché tutti e quattro gli arti erano legati al ferro del letto, che sembrava di tipo ospedaliero. Il talpone se ne andò, chiedendosi: «E che le ho fatto di male?». I ratti sono intelligenti e disponibili a rapporti con gli esseri umani, non in pochi, soprattutto nei paesi anglosassoni, li trattano come animali domestici. Invece nel Veneto, a causa di un evidente ritardo culturale, li schifano, li prendono a colpi di scopa oppure gli sparano con la carabina.

Il ratto montò sul tavolaccio di legno dove c'erano alcune derrate alimentari, lasciate lì, con incuria: pane in cassetta, marmellata, formaggino Mio, yogurt alla frutta. Il ratto lanciò un segnale, di pantegane ne arrivarono altre tre, che si dettero al banchetto. Marta li sentiva che gioivano e squittivano, immaginò che ce ne fossero a migliaia.

Così la Coppo visse lunghi momenti di terrore, poi i ratti si misero tranquilli, tutto sommato sarebbero anche stati disponibili a fare qualche coccola a quell'essere umano, sentivano che emanava segnali di stress e di paura, odori fortissimi per i loro sensibili olfatti.

Adesso qui è difficile sapere cosa potesse veramente passare nella testa di Marta Coppo: per un verso, se lei fosse stata un membro dell'Agenzia, avrebbe potuto pensare che sì, l'avevano salvata, ma che lei aveva perso dei punti perché non si era accorta che il tassista era Walter, cioè il suo obiettivo. In poche parole il pensiero di Walter era quello giusto, e anche lui rivendicava dei punti a suo favore, era prossimo a vincere la sfida con la Coppo, almeno secondo il suo modo di vedere le cose. E quindi la Coppo rischiava la vita, perché quelli dell'Agenzia erano stati chiari, o tu o lui. Ma se la Coppo non si era accorta che il tassista era Walter Galati, come faceva a sapere che l'aveva fregata?

Per l'altro verso, se la Coppo non era affatto un'agente di primo livello dell'Agenzia, allora l'avevano semplicemente rapita, e rinchiusa in un luogo che diventava sempre più pericoloso. Che volevano da lei? E chi erano? E quei colpi di arma da fuoco che aveva sentito una volta che l'avevano caricata sul furgone?

Cercò di capire con che cosa l'avessero legata, mani e piedi. Mosse i polsi e le caviglie. Era stoffa.

In quel momento sentì un gran scombussolio nella stanza, i ratti si erano messi a correre da una parte e dall'altra. Doveva essere arrivato qualcuno.

In effetti qualcuno era arrivato, miagolava forte, quasi ruggiva perché i ratti erano tanti e anche una gatta agguerrita e abituata ad avere a che fare con le grosse pantegane sapeva che quelle si coalizzano e a un gatto sono in grado di fargli la festa. Marta sentì uno squittio fortissimo, evidentemente la gatta aveva attaccato, a titolo di avvertimento, senza perdere tempo.

Seguì un gran casino, salti, miagolii, rincorse, non si capiva chi potesse avere la meglio, la gatta si doveva essere rifugiata sopra un mobile, i suoi versi gutturali di tonalità bassissima arrivavano dall'alto, intorno c'era un gran movimento. Poi i ratti tacquero, si bloccarono, era arrivato qualcun altro. I ratti scapparono ma l'altra gatta impediva loro la via di fuga: Marta non riusciva a capire cosa stesse succedendo ma era una fine del mondo, un Armageddon, una resa dei conti, a un certo punto sentì qualcosa di animato e velocissimo che passava sul suo corpo. Dopo poco fu tutto finito. Non era in grado di capire quante fossero le vittime che avevano lasciato la vita sul campo. Le gatte erano entrambe vive e la raggiunsero sul pagliericcio, ronfando. Una le si sdraiò accanto, l'altra le si mise ai piedi. Non sapeva perché ma intuiva che si stessero leccando i baffi. Oddio, quei ratti se li erano mangiati?

In provincia di Treviso l'ufficio ASL preposto, l'Ufficio prevenzione stress ambientali, distribuì ai cittadini un test a cui bisognava rispondere con un numero da uno a nove.

Qual è al momento attuale il suo grado di paura di una catastrofe naturale?

Pensa che una catastrofe naturale si potrà ripresentare nei prossimi dieci anni?

Nei prossimi venti?

In che misura si sente preparato individualmente ad affrontare la catastrofe?

In che misura ritiene che la collettività locale sia preparata ad affrontare la catastrofe?

In quale misura si sente legato da coesione sociale con i membri della sua comunità locale?

In che misura secondo lei a fronte dell'imminente catastrofe la comunità nazionale è adeguatamente preparata e coesa?

In che misura le catastrofi del passato sono di aiuto ad affrontare quelle presenti?

Qual è il suo grado di informazione rispetto agli eventi catastrofici in corso?

Ritiene che un'eventuale catastrofe possa segnare la sua persona per un lungo periodo di tempo? Per quanto tempo?

In che misura ritiene che lo stress generato da un'eventuale catastrofe possa produrre danni psicologici?

In che misura ritiene che l'eventuale catastrofe possa creare problemi alle giovani generazioni (ai bambini)?

Saprebbe quantificare l'entità dell'eventuale disturbo post-traumatico da stress?

Il test non ebbe un gran successo, a molti trevigiani sembrò roba da culattoni. Per giunta risultava difficile da capire che il punteggio massimo era 1, e quello minimo 9, in molti si confusero, e quindi risultò che la paura della catastrofe era minima.

Inoltre, a quel punto, di cittadini a Treviso e provincia ce n'erano pochi, meno della metà. Chi poteva se ne andava altrove, dopo aver messo in sicurezza, per quanto possibile, la casa e i beni di proprietà.

L'affare delle opere di Hirst vandalizzate, e riempite di due cadaveri, fece il giro del mondo. I telegiornali e i notiziari web davano un grandissimo rilievo all'accaduto, se ne parlava persino in Cina e in Canada. Jesolo e Porto Marghera si trovarono all'improvviso al centro del mondo, ma la pubblicità che pervenne alla località balneare non è detto che fosse positiva. A dir la verità si tendeva a dare molto più peso al nome dell'artista, al paradosso di ciò che era avvenuto con le sue opere, a certi dettagli pro e contro l'arte contemporanea, che non al fatto che in una località sconosciuta dell'Italia ci fossero stati due morti ammazzati, cosa che veniva data per scontata e frequente, e in ogni caso assai poco interessante a livello planetario.

Circolavano voci che la notizia che le sue due teche piene di formalina contenenti una orangutan e il suo piccolo, o un altro primate, divisi a metà, erano state aperte, erano stati tolti i due animali e al loro posto erano stati inseriti due cadaveri, freschi, di due giovani maschi di *Homo sapiens* muscolosi e addirittura col membro in erezione, avesse provocato nell'artista superstar Damien Hirst una reazione inaspettata. Si diceva che non solo non si era adirato perché le sue opere erano state violate e deturpate, per giunta utilizzate per accogliere due vittime di omicidio, ma aveva dimostrato un certo entusiasmo per la circostanza, che secondo lui non era un oltraggio all'arte, ma era essa stessa arte.

E questo nonostante nel settore molti esperti si fossero già espressi, dichiarando sui media che l'operazione poteva essere il frutto del delirio di qualche maniaco artistoide, che parassitando le celeberrime opere di Hirst cercava di mettere in difficoltà il mondo dell'arte, che sarebbe, secondo l'outsider, l'offerta della morte su un piatto mediatico d'argento. La situazione era abbastanza complicata da un punto di vista della teoria estetica ma evidentemente Hirst e i suoi consulenti forse non volevano apparire di retroguardia di fronte a una situazione, anche legalmente, imbarazzante. Così l'artista dichiarò ufficiosamente che se fosse stato per lui i cadaveri sarebbero potuti rimanere dentro le teche, ed esposti. Non è chiaro se la superstar avesse veramente formulato queste dichiarazioni, però nell'ambiente giravano strane voci. Fra i detrattori di Hirst ci fu chi sostenne che l'operazione era stata governata dallo stesso artista, il quale si era procurato due cadaveri freschi di giornata e li aveva inseriti nelle teche, tanto per mettersi al centro dell'attenzione mediatica, per fare scalpore. Ora, non è che si arrivava a sostenere che lo stesso Hirst avesse commissionato un omicidio, ma poco ci mancava, e la differenza non era molta. Fin dove si sarebbero spinti gli artisti contemporanei? Se non avevano remore a sfidare gli animalisti uccidendo animali vivi per infilarli in una teca di formalina, perché avrebbero dovuto trattenersi dall'usare cadaveri umani per un'operazione del genere?

Fra l'altro le dichiarazioni di Hirst avevano anche un portato finanziario non da poco, perché il danno alle opere era enorme (peraltro i due pezzi di orangutan non furono mai ritrovati, forse a questo punto galleggiavano nella laguna) e con tutta probabilità la polizza assicurativa sarebbe servita a poco, perché non comprendeva l'ipotesi che le opere fossero riconvertite in bare trasparenti, per di più per le vittime di un duplice omicidio.

Hirst aveva sostenuto, forse, che se le due opere fossero state esposte così come si trovavano, con i cadaveri dentro, avrebbe rinunciato a qualsiasi risarcimento, fosse provenuto dalla compagnia assicurativa così come dagli organizzatori, vale a dire in prima persona il sindaco di Jesolo.

La trovata era come al solito intelligente: per un verso Hirst sapeva che esporre due cadaveri è vietato, soprattutto se sono morti ammazzati. Sapeva che questa opzione era del tutto impossibile e quindi avrebbero dovuto risarcirlo con milioni di sterline (se l'assicurazione non pagava gli organizzatori erano fatti loro), ma d'altro canto sollevò un vespaio, e adesso nel mondo dell'arte non si parlava d'altro che di questo. Che fosse stato veramente l'artista a commissionare tutto quanto?

Evidentemente in seguito numerosi consulenti legali britannici avrebbero convinto l'artista a ritirare la proposta, che fra l'altro lui sosteneva di non aver mai fatto. Due cadaveri sono due cadaveri, anche nel complesso e rilucente mondo dell'arte, e per uccidere due ragazzotti e infilarli sotto formalina non ci vuole un gran progetto né molti soldi. Insomma era meglio non rischiare e Hirst non disse più nulla a proposito. Lasciò la faccenda ai suoi legali, e poi aveva un rompimento di coglioni in meno, andare a Venezia o vicino per il vernissage.

La stravagante reazione del grande artista non tolse il sindaco e i responsabili della mostra dai guai. Certo c'erano degli aspetti squassanti, vale a dire che la mostra non si sarebbe più fatta, saltava tutto, un impegno finanziario colossale per la comunità rimaneva scoperto, ci sarebbero stati enormi problemi sotto il profilo assicurativo, la scommessa era persa eccetera.

Ma che dire degli altri aspetti, come per esempio che quei due fossero dei morti ammazzati, che lavoravano per Bustaz, che fra l'altro della mostra delle opere di Hirst era uno dei finanziatori?

Evidentemente il duplice omicidio era un tassello dell'operazione contro Bustaz, che con una messa in scena così eclatante andava a colpire con precisione chirurgica il sistema di potere del comprensorio, suggerendone uno sostitutivo.

E tutto questo proprio quando stavano per arrivare gli investitori russi! Quelli che si aspettavano da tanto e che avrebbero potuto dare una svolta decisiva ai grandi progetti per Jesolo. Il loro arrivo era previsto per l'indomani. Ed era stata organizzata un'accoglienza in pompa magna, coinvolgendo la prefettura, la Squadra Mobile, decine di addetti, organizzatori, albergatori, operatori del settore turistico.

A Lamezia Terme si stava preparando una missione bellica di grandi dimensioni. Erano anni che il clan, o il sottoclan, dei Fichichi non organizzava qualcosa in grande stile, ma ormai tutti gli equilibri e le reverenze erano saltati, perché erano stati uccisi Salvatore e Marino. E allora cosa c'era da perdere? E poi basta con tutta questa politica, bisognava ritornare alla vecchia maniera.

A parte che non si sapeva con chi prendersela, ma qualcuno doveva pagare. Si sarebbe visto in loco.

Per ora Guelfo tendeva a pensare che ci fosse di mezzo una bottana, e che per quella Salvatore si era messo nei guai, con questo Bustaz del cazzo, che era uno che di bottane ne aveva parecchie. E Bustaz era uomo affiliato e amico di quelli di Mestre, probabilmente erano stati loro a mettere il tritolo sotto la macchina di Marino, perché non avevano gradito quello che aveva fatto a Bustaz. Per fare una cosa del genere bisogna essere ben organizzati, non poteva averlo fatto un marito geloso o un cane sciolto. Chissà, magari quelli di Mestre pensavano che i Fichichi volessero prendere il loro posto, negli affari di Bustaz. A cominciare dalla moglie di Bustaz, una bagascia che probabilmente aveva chiavato con Salvatore, notoriamente irresistibile alle donne. Ma era passato troppo poco tempo dalla morte di Bustaz perché loro avessero potuto piazzare l'esplosivo, quello lo avevano messo prima, quindi a Marino la festa avevano già deciso di farla. Era guerra.

Inoltre c'erano queste telefonate su uno dei cellulari di Salvatore, che venivano tutte da una certa Stefania. Ora, la moglie di Bustaz non si chiamava Stefania ma magari da lui si faceva chiamare così, chi lo sa, a Guelfo questi pensieri facevano venire il mal di testa e prudere le mani.

Aveva telefonato a questa Stefania, che aveva risposto di essere Stefania in persona. Ma la signora gli aveva detto che in quel momento non poteva parlare, perché era alla riunione del Comitato contro la violenza sui cani. E allora questa tizia era veramente la moglie di Bustaz, ed era lì per via del rottweiler?

A chiamarla ci aveva riprovato, ma quella non gli rispondeva più. Avrebbero parlato anche con lei.

L'arsenale che occorreva per la spedizione punitiva doveva partire prima e separatamente dagli uomini. Santino era un po' malridotto per occuparsene, delegò un uomo di sua fiducia, Antonio. Ordinò una ventina di armi automatiche, fra cui pistole, fucili mitragliatori e anche una voluminosa mitragliatrice, non si poteva mai sapere.

Un grosso investimento, soprattutto perché il materiale dopo l'utilizzo sarebbe stato lasciato sul posto, probabilmente gettato nella laguna, che a quanto aveva raccontato Santino era da tutte le parti.

L'arsenale partì con un camion autosnodato carico di derrate alimentari deperibili, l'autista nemmeno sapeva che cosa c'era in quelle casse pesanti, anche se poteva immaginarselo. Furono nascoste in un doppio fondo sotto il piano di carico, le sarebbero venute a prendere presso una ditta di Sacile, un distributore dove doveva scaricare salumi, sottaceti, sottoli e altri prodotti di qualità della Calabria.

Il piano logistico prevedeva che gli uomini raggiungessero Treviso separatamente e per strade diverse. Guelfo ottenne dal magistrato il permesso di andare a Verona, per la visita dal cardiologo. Riuscì a fare in modo di essere ricoverato all'Ospedale di Borgotrento, così avrebbe potuto sottoporsi a una serie di esami clinici...

Che a Treviso ci fosse da fare un riconoscimento era piuttosto improbabile perché Marino sarebbe stato comunque irriconoscibile, era in mille pezzi, e mille non era un eufemismo. Lo avevano riscostruito, per quanto possibile, ma non si può certo dire ricomposto, perché molti pezzi mancavano all'appello. La decisione di

Guelfo Fichichi fu che i funerali dei due figli avrebbero avuto luogo in Calabria.

Gli altri membri della spedizione sarebbero arrivati chi da Milano, chi da Venezia, chi in macchina direttamente, la formazione al completo consisteva di sette uomini, tre dei quali presi in affitto da Barbacane. Santino volle a tutti i costi essere della partita, aveva un braccio bendato e una fasciatura in testa, dove si era ustionato.

Walter non aveva presente se questa storia del dentista se la ricordasse personalmente oppure se il ricordo fosse una combinazione di racconti che aveva ascoltato, decine di volte, dalla mamma o da qualcun altro. Sta di fatto che quando aveva otto o nove anni dovette andare dal dentista, perché un incisivo gli stava crescendo sopra il dente da latte, senza che il dente da latte fosse caduto. Niente di drammatico. Fra l'altro la mamma aveva tentato di strappare via il dentino, senza riuscirci. Allora occorreva andare dal dentista.

Walter, come al solito, non fece una piega, non aveva paura del dentista, come di nient'altro. La mamma invece era in ansia, e cercava, come tutte le madri, di trasmetterla a tutti gli altri, compreso il medico.

«Procederà con una piccola anestesia?».

«Mah, adesso vediamo, non credo ce ne sia bisogno, un dente da latte, è un attimo».

«Soffrirà?».

«Ma no, se non ci sono cose strane, insomma, non sarà la prima volta che a suo figlio cade un dente da latte».

Il dentista riuscì a fare in modo che la madre restasse fuori. Quando fu a tu per tu col bambino cercò di essere amichevole, ma questo sembrava serissimo e imperturbabile. Evidentemente aveva una paura matta.

«Allora, Walter, adesso diamo un'occhiata al dentino».

Walter pareva calmo, però non diceva niente, muto. Per il professionista se la faceva addosso.

Naturalmente la situazione non era così semplice come poteva apparire, l'incisivo che si stava sviluppando teneva il dente che avrebbe dovuto sostituire come cementato alla gengiva, per cui non sarebbe stata proprio una passeggiata.

«Allora Walter, lo togliamo questo dentino che non fa crescere quello nuovo?».

«Decida lei».

«Sentirai un pochino male, ma giusto per un attimo».

Il bambino rimaneva impassibile, il dentista temeva che quello cedesse di botto, e andasse a piangere dalla mamma.

«Una spruzzatina di anestesia?».

«Faccia lei, lo chiede a me?».

Al dottore non era mai capitato un bambino così. Evidentemente era talmente impaurito che pareva indifferente, paralizzato. Il dottore sudava.

Comunque prese le pinze e cominciò a smuovere il dentino, che era saldissimo nella sua posizione, procedette, Walter sentiva quei rumorini di osso che si rompe e che ti salgono al cervello, ma non molto dolore.

Non fu facile per il dentista sradicarlo, ma che cazzo di dente da latte era quello? Sembrava un premolare.

Alla fine, dopo abbondanti dieci minuti, riuscì a eradicarlo.

Il bambino non si mosse, sembrava annoiarsi.

«Eccolo qua», disse trionfante il dentista. «Eccolo qua il bastardo! Hai sentito male?».

«Un pochino».

«E bravo il Walter! Non ho mai visto un bambino bravo come te».

«Perché?», chiese Walter.

Il bambino continuava a dimostrarsi impassibile.

«Abbiamo finito? Posso tornare dalla mamma?». Sembrava che lo dicesse non tanto perché desiderasse buttarsi fra le gonnelle materne, a piangere, quanto per tranquillizzarla, lei che si stava macerando nella sala d'attesa, per quella strana mania che aveva lei di stare in pensiero. Ma che c'era da stare in pensiero?

Walter una domanda del genere se la sarebbe posta infinite volte nella vita, effettivamente non riusciva a capirlo. Che motivo c'è di stare in pensiero?

Mose si era messo alla ricerca di questa Marta Coppo che a quanto pareva ammazzava i cani. La macchina della signora era andata distrutta nell'attentato ai mafiosi. E adesso era scomparsa, non aveva fatto ritorno all'agriturismo Il miciolino, neanche in serata.

Mose venne a sapere dal portiere cieco che la Coppo era un'ispettrice dell'INPS e che era venuta a Treviso per fare certi controlli sull'operato dell'ufficio.

Avvicinò all'uscita dell'INPS un'impiegata tutta abbronzata che stava uscendo, intorno all'ora dell'ombra, il bianchetto. Da questa impiegata, la Lorenzin, riuscì a sapere poco o niente, neanche con le cattive.

Se lei non gli disse niente voleva dire che non lo sapeva.

Forse l'unico a essere informato era il direttore, ma questo era partito per una destinazione sconosciuta, doveva sottoporsi ad alcune terapie, secondo regolare certificato medico, ma per la privacy aveva preferito non lasciare riferimenti sul suo luogo di ricovero, se non alle autorità della ASL. Questo la Lorenzin glielo disse. Il suo vestito, tramite il quale Mose l'aveva tenuta sollevata da terra, era tutto stropicciato.

Mose allora entrò all'INPS, si mise in coda allo sportello, e dopo venti minuti chiese del direttore o di chi ne faceva le veci (e dunque era vero che Mose ogni tanto leggeva i libri). Gli dissero che il direttore non c'era e che comunque lo avrebbe potuto vedere solo per appuntamento. Di che si trattava, di una pensione di reversibilità?

Allora Mose chiese della dottoressa Marta Coppo.

«Qui non c'è nessuna Marta Coppo».

«Ma come, l'ispettrice, quella che viene da fuori».

«Io non le so dire niente».

«Allora chiami qualcuno che ne sa qualcosa».

Mose sapeva essere minaccioso anche senza muovere un sopracciglio, aveva quell'espressione di follia sopita ma pronta a scatenarsi da un momento all'altro, per un nonnulla.

Arrivò il dottor Trentanove, che chiese chi fosse costui e perché cercasse la dottoressa Coppo.

Mose intuì che c'era qualcosa che non andava.

«Ho una cosa molto importante da consegnarle, ho bisogno di vederla».

«E di che si tratta?».

«Non posso dirlo».

Il dottor Trentanove pareva scosso e preoccupato, forse non era niente, ma Mose pensò che probabilmente valeva la pena di stargli un po' dietro. «La dottoressa Coppo non è qui, manca da ieri, se mi dà un recapito la avverto, o se preferisce lasciare il materiale a noi...».

Mose non lasciò né il recapito né il materiale.

Il volo impazzito come strategia di fuga

Fuggire dritto per dritto, alla velocità massima, non necessariamente rappresenta la strategia di fuga di elezione. Lo dimostravano le svirgolate, le rotazioni e le spirali degli Zero giapponesi, i famosi Mitsubishi A6M, noti perché alla fine del secondo conflitto mondiale erano utilizzati dai kamikaze. Per non farsi colpire si lasciavano precipitare in volo, secondo traiettorie imprevedibili. Sarebbe come correr via al modo di un ubriaco, o di un cieco.

Sembrerebbe una strategia destinata a ottenere risultati deleteri, invece molti insetti, fra cui la mantide religiosa, il grillo e moltissime specie di farfalle notturne, la adottano. In molti contesti il loro principale antagonista, il predatore, è il pipistrello. Questo mammifero, il cui sistema percettivo è basato su un ecosonar, cioè sull'emissione e la ricezione di ultrasuoni di ritorno, è identificabile proprio grazie ai suoni ad alta frequenza che emette. Grida ultrasoniche, che iniziano con l'avvicinamento alla preda, aumentano di intensità, poi decrescono diventando un ronzio. Molti insetti sono in grado di percepire queste emissioni e reagiscono, per mettersi in salvo. Per esempio la mantide durante il suo volo normalmente mantiene gli arti anteriori accostati al corpo, all'indietro, in modo che questi non interferiscano aerodinamicamente. Ma quando avverte degli ultrasuoni, spinge in avanti le zampe anteriori, davanti alla testa. Da questo momento il suo volo diventa irregolare e incontrollato, comincia a precipitare a spirale come un elicottero in avaria.

Il grillo reagisce diversamente quando avverte frequenze di ultrasuoni. Inclina una zampa, sede dell'organo recettivo degli ultrasuoni, che va a interferire con l'ala, così che il volo devia, portandolo ad allontanarsi dalla fonte dell'emissione sonora.

Certe farfalle notturne si lasciano proprio cadere verso il basso, interrompendo il battito d'ali, lasciando il pipistrello nell'impossibilità di decifrare, prevedere e intercettare la traiettoria del volo.

Dipende dalla capacità dei Nottuidi di percepire alcune particolari frequenze sonore – per riprodurle alcuni ricercatori scuotono un mazzo di chiavi – come quelle emesse dai pipistrelli, che vanno dai 20 agli 80 chilohertz. Sono fuori dalla portata dell'orecchio umano, ma non di quello delle farfalle. Queste riescono a percepire la presenza di un pipistrello, in base alle emissioni sonore, a una distanza che arriva a trenta metri. Il pipistrello, invece, col suo sistema ecosonar ha un campo di percezione di tre metri, anche se c'è chi dice sei o più. La farfalla, prima che il predatore sia giunto nelle vicinanze, ha il tempo di cambiare direzione e di allontanarsi.

Fra l'altro molte farfalle sono dotate di altre difese, per

esempio la peluria di cui sono coperte assorbe e smorza il segnale di ritorno su cui si basano i pipistrelli.

Ma il pipistrello attua delle contromosse, per esempio pratica, come tutti noi abbiamo avuto modo di vedere, un volo irregolare, mai rettilineo. Quando riesce ad arrivare nelle vicinanze della preda e ha individuato la farfalla, per quest'ultima non ha più senso tentare la fuga in velocità, sarebbe inutile. Allora essa si lascia precipitare, roteando, battendo le ali in modo asincrono, così da ottenere un volo imprevedibile anche per se stessa e da non essere intercettabile: se riesce a cadere in mezzo all'erba o ad arbusti è probabilmente salva, perché questi riverberano e confondono il ritorno degli ultrasuoni, e il pipistrello non può continuare.

In poche parole, se non so dove sto scappando, non lo può sapere neanche il predatore che mi sta inseguendo.

In certi casi la farfalla attua delle volate ancora più ardimentose, per esempio un volo rovesciato che la porta dietro al pipistrello, in una zona d'ombra dove questo non è in grado di vedere. Ci mancherebbe solo che la farfalla si mettesse in coda al pipistrello, e lì restasse, per non farsi cogliere, secondo una strategia tipica dei combattimenti aerei a partire dalla seconda guerra mondiale.

Comunque altre farfalle sono andate oltre nella loro strategia difensiva e di dissimulazione: sono in grado di emettere ultrasuoni per conto loro, a frequenze che confondono e disturbano i pipistrelli, dissuadendoli.

La zona collinare a nord di Treviso pareva meno colpita dalle intemperie, ma la terra era marrone scuro, l'erba non si vedeva più, il colore dominante era il marrone terra di Siena, o forse ancora più scuro, terra di Cassel.

Mentre inseguiva a debita distanza la BMW 625 metallizzata, che stava procedendo fra le pozze in direzione di Montebelluna, Walter ricapitolava quello che aveva scoperto nei giorni precedenti sulla famiglia Pozzobon.

Allora, il Pozzobon, improvvisamente, era fuggito con la sua amante nell'isola di Procida, nel 2005. All'epoca la sua ex moglie, la Meneghello, si era subito accordata per la separazione, senza sollevare troppi problemi al fedifrago. Evidentemente il marito aveva trovato il modo di accontentarla e di rassicurarla.

Eppure il Pozzobon non era, almeno ufficialmente, uomo di mezzi. Nella sua vita aveva svolto molti lavori, negli ultimi anni, e prima della separazione faceva l'idraulico. Ora, sui redditi di un idraulico non si può mai essere certi, però risultava poco chiaro come il Pozzobon potesse sopravvivere senza rendite né pensione, a Procida.

La cosa che sorprese Galati era che la moglie adesso gestiva un supermercato, di sua proprietà, in località Camalò, a pochi metri dalla sua abitazione. A quanto diceva lei, ai colleghi, l'attività commerciale era in perdita, o comunque faticosissima, ogni due settimane aprivano un altro supermercato nelle vicinanze, ma a giudicare dal suo standard di vita non si faceva mancare niente, soprattutto sua figlia Cinthia, adesso trentaduenne, se la passava mica male, e possedeva personalmente una BMW cabriolet modello Z4 e una «villa» vicino ad Asolo.

Galati, con un paio di telefonate, era riuscito a ricostruire il passaggio di proprietà del supermercato, avvenuto una decina d'anni prima. La proprietà precedente, la società T.T., aveva dato procura a vendere a un mediatore, tale Chierico, che con atto notarile del 15.9.2005 aveva ceduto i locali del supermarket Daisy alla Meneghello per la cifra di 347.000 euro. Ma chi glieli aveva dati alla Meneghello 347.000 euro, a ridosso della fuga del marito? Un bel mistero, sul quale tutta la comunità del paese si era fatta molte domande. Che il Pozzobon avesse da parte in contanti quella ingente cifra e che in quel modo si fosse messo d'accordo con la moglie? D'altronde se si poteva permettere un'amante giovane, straniera e prosperosa, e si era trasferito a vivere, senza lavorare affatto, in un'isola del meridione, era evidente che di liquidi disponeva. Aveva vinto al Lotto? O c'era qualche altra cosa sotto?

Per Galati era risultato abbastanza noioso ricostruire le dicerie dell'epoca. Non in molti se ne ricordavano bene, ma la farmacista di Camalò fu esaustiva: all'epoca tutti pensavano che per motivi ignoti il Pozzobon fosse entrato in possesso di una cifra cospicua, e che con quella avesse messo a posto la sua amante e anche la sua diletta moglie e la figlia. Nessuno aveva saputo niente, ma la signora Meneghello ex in Pozzobon in paese ne aveva fatta di ascesa sociale. Girava in Mercedes e possedeva almeno tre borse di Prada diverse, originali.

La BMW 625 prese una stradina sulla destra, e si fermò davanti a un cancello, che dopo poco si aprì elettronicamente.

Walter lasciò la macchina da una parte, nascosta in mezzo agli alberi, e si avvicinò al cancello. Sul campanello non c'era scritto nessun cognome, ma non gli fu difficile localizzare la villa, tramite le coordinate. Apparteneva alla società TRACHEA, di Tomat Cristiano.

Tomat? Tomat? Questo nome l'aveva già sentito, eccome.

Nonostante la pioggia battente per il pomeriggio era previsto un sit in o un flash mob in piazza dei Signori contro la mostra dell'artista inglese Damien Hirst, noto per il suo antianimalismo.

Solo che si era diffusa la voce che con tutta probabilità la mostra non avrebbe aperto i battenti, per via dello scandalo dei cadaveri umani. E dunque non si sarebbe fatta, e questa era già una vittoria. Inoltre si poneva una sottile questione: gli animalisti dovevano protestare anche se nelle opere d'arte non comparivano animali, dei primati, come annunciato? Oppure l'*Homo sapiens* non rientrava nella loro giurisdizione?

Sulla pagina Facebook degli organizzatori fiammeggiava la discussione.

Il flash mob va fatto lo stesso, dicevano alcuni.

Il flash mob non aveva più senso, dicevano altri, forse dopo aver guardato fuori dalla finestra.

JESUISSOURIS. Noi con gli *Homo sapiens*, che mi fanno schifo, non c'entriamo niente, occorre prestare attenzione alle strumentalizzazioni.

Dilettasprint. Eppure *Homo sapiens* è un primate, non lo sapevi JESUISSOURIS?

JESUISSOURIS. Certo che lo so, non sono un idiota come te. Ma è evidente che è una trappola. Hirst è furbissimo, e probabilmente ci ha messo degli esseri umani proprio per irridere il movimento animalista.

Sapra. Allora l'esibizione è comunque un atto antianimalista! L'unico scopo di Hirst è di dimostrare che anche gli esseri umani sono animali, e quindi meritano il nostro rispetto. È una provocazione! Gli esseri umani non sono animali: sono quelli che UCCIDONO gli animali.

ES21bis. Idiota ci sarai te, signor so tutto.

Vernuccio Cristina. Quindi la mostra non si fa! Vittoria! Abbiamo vinto! Siamo riusciti a bloccare l'antianimalismo. Manifestiamo per festeggiare. Tutti in piazza dei Signori!

Amoicani. Credo sia una trappola, hanno annunciato che non ci sono animali solo per tenerci la bocca chiusa. Io il flash mob aggressivo lo faccio lo stesso, tutti in piazza.

Canchedorme. Ho sentito dire che sono venuti degli infiltrati da fuori. Massima sorveglianza.

Zepp. Cancheri! È una vergogna.

Crack Ester. E le bambole insanguinate, le portiamo?

JESUISSOURIS. Dillo a quell'idiota di ES21bis SE PORTA LA BAMBOLA DI SUA FIGLIA.

Santazzera. Io questi toni non li reggo.

Cuki. A me la storia delle bambole insanguinate non mi piace, e poi l'hanno già fatta mille volte. Io porto il cane, gli spalmo addosso un po' di tinta rossa. In segno di protesta.

Crack Ester. Ma Cuki, la tinta al cane gli fa male, sei scemo?

Beth64. Hai provato col rossetto? L'effetto è buono e non crea danni al pelo del cane.

Cuki. Non ho rossetti in casa, me lo presti tu?

Roby. Ma vaffanculo Cuki!

Fido 2013. No alla tortura degli animali.

La discussione proseguì per un bel po', fra insulti e inviti a non insultarsi, comunque la manifestazione non si sarebbe fatta. Solo cinque o sei attivisti sarebbero andati sul posto a esercitare una minima sorveglianza militante.

Nel pomeriggio Walter tornò a Camalò, sostò proprio davanti alla villetta della Meneghello, una «villa» monofamiliare costruita negli anni ottanta, con delle massicce grate metalliche alle finestre, dotata di giardinetto decorato e protetto da cipressetti argentati.

Le luci erano spente, Galati si assicurò che in casa non ci fosse nessuno. Penetrò nel giardino scavalcando il muro e raggiunse la centralina dell'antifurto, che disattivò in tre-quattro minuti al massimo. Entrò in casa passando dalla porta di cucina, che dava sul retro, utilizzando un passe-partout.

Aiutandosi con una piccola torcia ispezionò la casa, arredata perlopiù con pesanti mobili in stile, imitazione noce.

Cercò nei cassetti, negli sportelli in cucina, nei comodini, la camera della figlia era ancora quella di una bambina, con le bambole di bisquit appoggiate sul letto, e manifesti di Robbie Williams alle pareti.

Galati ispezionò sommariamente gli ambienti e trovò anche un po' di documenti, estratti conto, bollette, cedole bancarie, ma niente di interessante. In salotto rinvenne materiale più importante, e cioè alcuni album fotografici, di quando gli sposi erano giovani, di quando Cinthia era una bambina piccola.

C'era una foto del Pozzobon risalente a una quindicina di anni prima, gli sembrava impossibile quella somiglianza.

Prese la fotografia e se ne andò.

Non rimise le cose a posto, aveva interesse a che la signora Meneghello sapesse che qualcuno le era entrato in casa, e che poteva fare tutto ciò che voleva. E qualcosa gli diceva che la Meneghello non avesse nessuna convenienza a chiamare la Polizia.

Nella palestra del centro fitness c'era una grande agitazione, si parlava di un possibile «sciopero» degli spogliarellisti.

«Le donne ci minacciano, ci aggrediscono, siamo sempre a rischio della vita, per non parlare dei mariti, dei fidanzati delle ragazze, che ci vorrebbero fare la pelle, vogliamo tutele, è vero guadagniamo bene, ma le nostre vite sono in pericolo...».

«Guardate che fine hanno fatto Pinin e Loris, sono stati sgozzati, e la Polizia che fa, ci protegge? Macché, ci mette all'indice, e l'opinione pubblica? Ci condanna, come se ce la fossimo cercata».

«Eppure siamo degli artisti, lo Stato ci dovrebbe tutelare, come fa con gli altri artisti».

«Noi non ne possiamo più, siamo esasperati, quando lavoravo all'estero non era così, c'era più rispetto!».

«Ma insomma, che proponete? Dobbiamo passare dalle filosofie all'azione».

«Ma che cazzo dici, dalle filosofie all'azione?».

«Insomma, dobbiamo farci sentire».

«Le spogliarelliste donne sono trattate infinitamente meglio di noi, sono iscritte all'associazione previdenziale, avranno la pensione, noi invece non siamo riconosciuti da nessuno».

«E ci trattano come gli ultimi della terra, quando siamo dei veri artisti».

«E quanto può durare la nostra carriera? Meno di quella di un calciatore!».

«E siamo esposti a mille violenze, quante volte mi è capitato di rischiare le palle. Per esempio i mariti. Loro vanno a puttane, ma se ci va la moglie non capiscono più niente».

«Dobbiamo agire».

«E cosa proponi?».

«Per esempio uno sciopero».

«Uno sciopero? Ma sei pazzo?».

«Ma certo, per un giorno incrociamo le braccia, voglio vedere che succede».

«Ma bisognerebbe essere uniti, qui invece ognuno va avanti per conto suo. E lo sai quanti sono quelli che vorrebbero prendere il nostro posto?».

338

«È la solita storia, la guerra fra poveri».

«Ma Pinin e Loris, di loro si è saputo niente?».

«Sembra che siano stati fatti fuori dopo una marchetta al Parc e du Lac».

«Ah, quello è un posto terribile, secondo me porta sfiga».

«Cazzo, ma che dici? A quelli gli hanno infilato dei chiodi in testa, con una specie di sparapunti».

«Mamma mia, e chi è stato? Il marito?».

«Non si sa, ma dopo la storia di Bustaz...».

«Lasciamo perdere la faccenda dello sciopero, qui se no finiamo anche noi arrosto».

«E allora che dobbiamo fare?».

«Io devo partire per Kranjska Gora, quando torno ne parliamo. Voi intanto prestate la massima attenzione. Cercate di saperne di più, ma non esponetevi, mi raccomando, non esponetevi!».

«Ma come facciamo a non esporci?».

«Voglio dire, massima attenzione».

«D'accordo».

Per fortuna di Marta Coppo, le due gatte avevano fatto piazza pulita dei ratti. Con spirito di squadra e di divertimento li avevano sottoposti alle più atroci torture, gli altri ratti avevano capito l'antifona solo dall'odore del terrore misto a quello dell'aggressività, e se ne erano andati da un'altra parte, a nuotare nel fango.

Ma come posso farmi aiutare da queste gatte?, pensava la Coppo.

La scena si mosse ulteriormente quando arrivarono degli esseri umani. Le gatte non parvero eccessivamente toccate, di per sé, ma quelle persone le scacciarono, come se disturbassero i loro piani.

Avevano portato da mangiare e da bere alla Coppo.

«Mi scappa la pipì», disse lei.

La slegarono e l'accompagnarono in una ritirata lercia alla turca, ma lei non se ne poteva accorgere, incappucciata com'era. Il tanfo però lo poté sentire.

Per farla mangiare le sollevarono il cappuccio quel tanto che bastava.

Le passarono un panino, senza dire niente.

Lei lo addentò, aveva fame, ma si bloccò istantaneamente.

«Fermi tutti», disse, «ma qui dentro c'è carne!».

Gli aguzzini si erano imposti di non parlare mai, e rimasero in silenzio, guardandosi negli occhi con aria interrogativa.

«Eh no, non mi potete imporre di mangiare carne, io sono vegana!».

I due rapitori, o delegati, si interrogarono a vicenda, come a dire, ma questa che cazzo vuole?

Le dettero un altro panino, un hot dog.

«Ma questo è un hot dog, c'è carne dentro, carne di maiale! Io questa roba non la mangio, piuttosto muoio, portatemi una ratatouille, anche patate lesse, un flan di melanzana, qualsiasi cosa ma non carne, altrimenti mi lascerò morire».

I due aguzzini a volto scoperto non sapevano cosa fare, si erano giurati di non parlare per non farsi riconoscere, ma tanto prima o poi la scena doveva essere montata, e quindi lei li avrebbe visti, ma ancora i tempi non erano pronti, la situazione non era matura e...

La Quagliarella uscì e cercò un market nella zona. Comprò insalata e pomodori, delle mele e delle banane.

La Coppo mangiò, dopo aver domandato: «Chi siete, e cosa volete da me?». I rapitori non risposero e se ne andarono dopo averla incappucciata di nuovo, e legata meglio.

Le gatte raccolsero la carne dell'hamburger e fecero una scorpacciata. Mangiarono anche l'hot dog e fecero amicizia definitiva con quella signora che scaldava il pagliericcio e che era tiepida e simpatica anche se un po' puzzolente.

Lei conservava gelosamente dentro il palmo della mano la linguetta della scatoletta di melanzane all'olio che le avevano offerto, veramente disgustose. Nonostante fosse bendata era riuscita, sbirciando da sotto, a intravederla e l'aveva acchiappata, facendo finta di scivolare in avanti, di perdere l'equilibrio.

Stefania ormai era assurta al ruolo di membro di spicco del Comitato contro la violenza sui cani.

Fu introdotta per meriti acquisiti nella Giunta esecutiva e fu informata dei fatti. Per esempio che i sospetti si erano focalizzati su una certa Marta Coppo, apparentemente un'ispettrice dell'INPS con un incarico a Treviso, ma probabilmente, dati i riscontri, l'autrice degli atti di violenza contro i cani.

«Marta Coppo? Ma io questo nome l'ho già sentito. Se non sbaglio ha cercato al telefono mio marito».

«E le sembra una coincidenza da poco? Le sembra casuale che questa Marta Coppo abbia voluto parlare proprio col proprietario di una delle sue vittime?».

«Oh Santa Maria, ma lei vuol dire che questa Coppo e mio marito erano d'accordo?».

«Ma no! Esattamente il contrario!».

«Come il contrario?».

«È tipico di tutti i serial killer, si mettono in contatto con le vittime, vogliono avere soddisfazione!».

«Ma soddisfazione di che? Almeno poteva parlare con me, chi è la persona che soffre di più per la morte di Fufi? Io, no?».

«Ma che c'entra, mica possiamo penetrare così bene nella mentalità del serial killer, che ne sappiamo noi, sta di fatto che questa è una nuova prova circostanziale. E poi la Coppo lavora per l'INPS, non c'è da stupirsi che abbia chiamato suo marito, che è impiegato lì».

Stefania disse che non ci capiva più niente, però anche lei ormai si era focalizzata su questa Marta Coppo, che era venuta a Treviso per uccidere i cani.

«E lo sa, signora Galati...».

«Non mi chiami Galati, mi chiami Colledan, è il mio nome da signorina».

«Insomma, lo sa, signora Colledan? La Coppo ieri è scomparsa, è introvabile, non è tornata al suo albergo, o agriturismo. Si è data evidentemente alla macchia. Ha capito che eravamo sulle sue tracce».

«Oddio, e dove è andata? Ucciderà altri cani. Lo sapete come funziona con i serial killer, il tempo di latenza diventa sempre più breve, hanno bisogno di uccidere con più frequenza, oddio Gesù...».

«E la Polizia, che fa la Polizia?».

«La Polizia dorme, come sempre, ma noi agiremo per conto nostro».

Di ritorno dagli studi, se così si potevano chiamare, di Tele Treviso Italnews, Alba pensava alla questione della Sibilla: come poteva cambiare le cose a suo favore? Fare degli incontri privati? E se ricevessi le persone in uno studio a nome «La Sibilla»? Potrei chiedere almeno 100 euro a botta, per le mie consulenze. Ma la maschera chi me la dà? Potrei farla di cartapesta? E il sangue che schizza dagli occhi? Ma adesso aveva altro da fare, doveva controllare cosa era successo alla sede della cooperativa Teatrart in zona San Francesco. Le avevano detto che negli scantinati, che poi corrispondevano alla sede, c'erano stati degli allagamenti.

Quello stronzo di Stefa, che poi era il suo ex compagno e per un discreto periodo l'amore della sua vita col quale aveva condiviso sogni e attività artistica, non ci aveva neanche pensato ad andare a dare un'occhiata. Figlio di puttana. Non che negli scantinati ci fossero chissà quali oggetti di valore, però per esempio le maschere di cartapesta dello spettacolo *Pinocchio di colore*, ecco a quelle Alba ci teneva, e se fossero finite in acqua, sarebbero state rovinate per sempre.

Aprì la porta e subito capì che la situazione era drammatica. L'acqua era entrata nello scantinato, ci si camminava a malapena, meno male che si era messa gli stivali. Là sotto ovviamente non c'era più corrente elettrica, Alba si aiutò con una torcia a pile.

Scese in una stanza più in basso, il magazzino delle macchine teatrali, vale a dire due pezzi di legno messi in croce, mezze affogate in dieci centimetri di melma liquida.

Poi risalì otto scalini, raggiungendo lo sgabuzzino più in alto, qui l'acqua non era arrivata. Le maschere di cartapesta, in uno scatolone di cartone, non erano finite sott'acqua, ma erano fradicie, avevano assorbito l'umidità.

Che disastro! Quanto tempo ci avevano messo a realizzarle! E adesso erano molli, e stavano perdendo il colore. Alba non aveva mai rinunciato alla speranza di poter replicare nelle scuole lo spettacolo per bambini *Pinocchio di colore*, una rivisitazione in chiave multietnica del libro più venduto al mondo. Il gatto e la volpe per esempio erano magrebini, vestiti con dei caffettani sdruciti, originali. Mangiafuoco era armeno (come si facesse a capire che era armeno poi, diciamo asiatico in generale), il grillo parlante naturalmente era cinese.

E la Fata turchina: eh no, almeno quella era di razza caucasica, anche perché veniva interpretata da Alba stessa che aveva gli occhi turchini, per l'appunto. L'aveva sempre sognato, fin da bambina, di recitare la parte della Fata turchina. Geppetto invece era un pellerossa, un indiano nativo, che al posto della pipa fumava una specie di calumet.

E Pinocchio? Come si capisce dal titolo Pinocchio era di colore, che si farebbe prima a dire nero. Il problema, del quale Alba e Stefa si resero conto troppo tardi, fu che lo spettacolo *Pinocchio nero* esisteva già. Però ormai la sceneggiatura era fatta, le maschere anche, le prove a buon punto. Come fare? La compagnia Teatrart fu costretta a cambiare titolo all'ultimo minuto. Il debutto avvenne in parrocchia, con un pubblico a prevalenza locale composto da una quarantina di persone. Non ci furono denunce da parte dell'autore dello spettacolo *Pinocchio nero*, probabilmente la notizia non è mai giunta al suo orecchio, chissà, probabilmente le storie erano simili.

Adesso la maschera di Pinocchio, che si stava scolorando, si era appiccicata a quella della Fata turchina, imbrattandola di colore scuro.

Alba non si perse d'animo, piazzò la torcia su uno scaffale, e si mise al lavoro: cercò perlomeno di staccare le maschere l'una dall'altra, e di metterle in alto, a prendere un po' d'aria. Si macchiò di tutti i colori possibili, e si intristì un bel po', ripensando alla sua carriera tanto promettente quanto irrimediabilmente compromessa. Eppure adesso lei era un personaggio famoso, anche se nessuno lo sapeva. Il suo rincrescimento nei confronti di Tele Treviso Italnews aumentava di quarto d'ora in quarto d'ora. Vedranno come sono fatta!

Finito il lavoro, per provvisorio che fosse, stava per uscire, quando sentì un rumore agghiacciante. Come di acque scroscianti, ma non acque fresche e cristalline, una massa semiliquida che si riversava nella parte più bassa dello scantinato. Si affacciò dalla porticina che dava sulla scaletta, ci proiettò il fascio di luce della pila, e si rese conto che il locale più basso si stava riempiendo di acque fangose. Il livello della melma arrivò rapidamente al penultimo scalino, quasi altezza del soffitto. E adesso?

L'acqua lentamente smise di salire, raggiunse il livello massimo, si fermò vicino ai piedi di Alba, che a quel punto era assolutamente isolata, si era formato come un sifone, non poteva più uscire fuori.

Cazzo, e adesso come faccio? Provò ad azionare il telefonino, che naturalmente là sotto non prendeva. E nessuno sapeva che lei era andata lì.

Nel vano dove erano in salvo le maschere di cartapesta c'era un microscopico finestrino che dava in un resede abbandonato. Purtroppo il finestrino era protetto da una robusta inferriata.

La Banda dei Quattro, per fare prima, si riunì su Skype.

«Quella è pazza, lo sapete che non ha voluto mangiare l'hot dog che le abbiamo portato, e nemmeno l'hamburger, che poi mica l'ho preso al McDonald's, l'ho preso da Viva Italia, che hanno carne di prima qualità».

«Ma quella è vegetariana, non lo sapevi? La carne non la mangia».

«Mia moglie ieri ha fatto un risotto buonissimo con gli zucchini, ne è avanzato tanto, domani le porto quello, così vediamo se smette di rompere i coglioni».

«Ma insomma, dobbiamo sbrigarci, quand'è che facciamo le riprese?».

«Forse domani ci riusciamo, ma non dobbiamo avere fretta».

«Sentite, ma perché non la buttiamo nel Sile, quella lì è solo una stronza».

«Te l'ho già detto, è con lei che dobbiamo trovare un accordo, con le buone o con le cattive. Se facciamo sparire lei ne manderanno un altro, non serve a niente. Lei deve tornarsene a casa sua, dai suoi cari, e dopo aver steso un rapporto di non luogo a procedere sull'intera faccenda. E ormai siamo in ballo».

Come sempre avviene su Skype i quattro restarono qualche minuto senza sapere cosa dire, guardando fisso lo schermo, per vedere cosa facevano gli altri, che facevano lo stesso, guardavano lo schermo.

In questura a Treviso al tenente Barbato, proveniente da Roma, per la precisione da Torvaianica, non si sapeva cosa far fare. Era un esperto, così si diceva, di Polizia digitale, di investigazioni metamediatiche, di mappature concettuali, ma adesso in che termini poteva essere utile ai suoi superiori?

In un periodo drammatico come quello, quando sembrava che a Treviso e zone limitrofe i morti ammazzati stessero piovendo dal cielo, nulla di quello che sarebbe stato utile rientrava nelle sue mansioni specifiche, ed era uno che non era mai montato su una volante, non aveva fatto non diciamo un arresto ma nemmeno una rilevazione, o consegnato un mandato di comparizione. Vedeva le cose su un piano molto diverso dagli altri. Lui passava tutto il tempo davanti al computer, lamentandosi sempre perché era poco potente, e che con quel microprocessore neanche un bambino poteva lavorare. Infatti di computer preferenzialmente usava il suo, ma per certe operazioni...

Gli fu detto di lavorare sulle coincidenze – o le connessioni – di tutto quel casino che stava succedendo a Treviso in quei giorni. Fenomeni criminosi assolutamente al di fuori della norma. Tanto per tenerlo occupato.

Ci sarebbe stato bisogno di uomini operativi ma Barbato era proprio il contrario. Per di più soffriva di una serie di intolleranze e allergie, come avesse fatto a diventare ufficiale di Polizia era un mistero.

Lavorava tramite un sofisticatissimo software di ultima generazione, alla creazione del quale aveva collaborato anche lui, dopo un'esperienza di quasi tre anni negli Stati Uniti. Il software si chiamava IN-DAOP, *Investigation Data Operational*, e si definiva come una piattaforma di elaborazioni probabilistiche di causalità e coincidenze ai fini delle indagini investigative. Risolveva problemi di associazione di fatti, circostanze, caratteri, personalità, pregressi, mettendo assieme un'infinità di dati, riuscendo a collegarsi contemporaneamente con milioni di database relativi a casistiche, reti, algoritmi.

Insomma il software era una specie di investigatore, che riusciva ad accogliere un numero di dati superiore a quello che potrebbe raggiungere un qualsiasi detective pubblico o privato, chiamamola capacità, intuito, sesto senso, percezioni extrasensoriali, dedizione, pazienza, inventiva, esperienza.

Il programma era in grado di associare i fatti come normalmente dovrebbe associarli l'investigatore, ma che sulla base dei dati inseriti configurava degli scenari probabilistici.

Praticamente il software, a seconda delle informazioni ricevute, produceva una *narrazione*, anzi, una molteplicità di narrazioni, disponendo i dati in un certo ordine di causalità probabilistica, che in molti casi avrebbe potuto essere interessante. Ovviamente il programma non rivelava chi fosse il colpevole, come invece intuisce il bravo investigatore. Però partiva dal presupposto che la verità non è una sola, principio al quale ormai non crede più nessuno, se non il lettore indefesso di libri gialli.

Dunque bisognava fornire i dati, e questo era senz'altro il processo più complicato, per il quale ci potevano volere ore e ore. L'inserimento andava fatto con molta cura, perché doveva rispondere a regole precise, per non influenzare la macchina. Le specifiche che si dovevano produrre a fianco dei dati erano infinite: per esempio, l'arco di tempo, la stagione, il territorio, le rilevazioni ufficiali, le parole chiave.

Dunque fra i dati inseriti dal tenente Barbato c'erano:

Cani uccisi e sgozzati, coi nomi dei relativi proprietari.

Uccisione del signor Bustaz, uomo di punta nel settore del divertimento notturno sulla costa veneta, proprietario di uno dei cani uccisi.

Uccisione di Salvatore Fichichi, figlio non operativo di una 'ndrina calabrese di Lamezia Terme.

Uccisione di Marino Fichichi, fratello di Salvatore, probabilmente coinvolto nella morte di Bustaz.

Uccisione di due spogliarelliste dipendenti di Bustaz ritrovati in due teche, opera dell'artista Hirst, per una mostra organizzata da istituzioni locali, nelle quali aveva la sua partecipazione anche Bustaz.

Uccisione di due anziani coniugi, probabilmente casuale, nel corso di una resa dei conti a Volpago del Montello.

Sparizione della dottoressa Coppo, funzionaria dell'INPS, in visita a Treviso per un'ispezione di una certa importanza.

Visita dei russi a Treviso per eventuale investimento in progetto detto Sex City.

Il programma cominciò a fare una serie di domande di chiarimento: per esempio chiese cosa significasse «di una certa importanza». Bisognava dettagliare, oppure togliere. O, in un caso: «Specificare motivi per cui la morte dei due anziani coniugi è probabilmente casuale».

E dunque Tomat. Galati era partito da questo dato, quelle persone eleganti presenti al funerale, membri evidentemente di un'altra categoria sociale, appartenevano alla famiglia Tomat. E che ci facevano al funerale di una nullità come il Pozzobon?

Walter nel pomeriggio si era scervellato su questo cognome, Tomat. E tornando indietro come un computer aveva trovato il dato. Tomat, lui aveva ucciso un Tomat, e per la precisione era stato il primo incarico che aveva assolto, nel Trevigiano. E proprio dopo quell'incarico aveva deciso di trasferirsi lì, gli era sembrato un posto adatto per esercitare la sua attività, e condurre una vita apparentemente normale.

Adesso cominciava a capire perché la fotografia sulla bara del Pozzobon gli ricordava qualche cosa.

E allora Galati fu capace di ricostruire dove aveva già visto certe facce, in fotografia o dal vero. Ritrovò la foto che gli avevano trasmesso quelli dell'Agenzia, dieci anni prima.

Questo Tomat apparteneva a una famiglia molto ricca di imprenditori locali, e quando a lui era arrivato l'incarico ovviamente non si era fatto troppe domande sul perché e sul percome.

Aurelio Tomat era un grosso industriale dello scarpone da sci, di Montebelluna, che aveva qualche pendenza per bancarotta probabilmente fraudolenta. Fatto sta che il Tomat era stato trovato morto in circostanze poco chiare, poco chiare si fa per dire, lo avevano strozzato con un cavo elettrico. Insomma il Tomat era morto ammazzato.

Era stato il primo incarico per Walter, ci pensava ancora con una certa nostalgia. Evidentemente a quei tempi qualcuno aveva deciso di chiudere la bocca del Tomat, che poteva probabilmente invischiare nel suo fallimento molte altre persone, che ne avevano fatto il capro espiatorio. Probabilmente lui aveva accettato di fungere da vittima sacrificale, ma evidentemente alla fine non c'era stato accordo, il Tomat voleva di più, e magari aveva fatto trapelare qualche dichiarazione minacciosa. O chissà cos'altro c'era dietro.

Il killing del Tomat era andato liscio come l'olio: Walter l'aveva terminato in camera da letto, mentre era con una ragazza a pagamento, in un motel sulla riviera veneta. La ragazza era rimasta viva ed era scappata via.

Rintracciatolo nel letto in cui era previsto si trovasse, lo aveva riconosciuto e lo aveva fatto secco. A quell'epoca si applicava ai suoi incarichi come un neolaureato, con scrupolo maniacale. Insomma tutto era filato per il verso giusto.

Ma perché il volto del Pozzobon gli ricordava, preciso preciso, quello del Tomat?

Adesso Galati si faceva molte domande. E se...

Walter finalmente disponeva di due fotografie, dei signori Pozzobon e Tomat, e incredibilmente sembravano la stessa persona, erano uno il gemello dell'altro, almeno nel periodo in cui le due foto erano state scattate, una quindicina di anni prima. Santo Cielo, possibile che mi abbiano fregato al primo incarico? Che abbia ucciso una persona al posto di un'altra, soltanto perché casualmente si assomigliavano parecchio? Casualmente... Già, e chi lo dice?

Walter era assolutamente destabilizzato da un'ipotesi del genere, che andava a inficiare tutta la sua carriera, durante la quale si era sempre caratterizzato per precisione, scrupolo, professionalità. Possibile che il mio più grosso fallimento sia coinciso con l'inizio di una carriera illuminata? E possibile che la faccenda sia emersa a così tanto tempo di distanza? *Loro* se ne sono accorti adesso? Oppure lo hanno sempre saputo? Probabilmente *loro* sono ossessionati dall'idea che una cosa del genere si sappia in giro. La concorrenza non si farebbe sfuggire l'occasione, ma come si sarebbe mossa, per rendere pubblica la faccenda?

Insomma, non poteva essere diversamente, Galati a questo punto aveva capito che quell'uomo che lui aveva terminato a nome Tomat dieci anni prima non era il Tomat, ma il signor Pozzobon, che evidentemente era stato venduto dalla moglie a Tomat, e la ricompensa era stata il supermercato.

Tomat aveva fatto uccidere il Pozzobon, che ne era praticamente il sosia, al posto suo. Dunque Tomat, a nome Pozzobon, si era trasferito a Procida, dove conduceva apparentemente una vita di basso profilo, ma possedeva un'ingente quantità di beni e di attività, non tutte regolari, per uno scambio fra la camorra e altre organizzazioni attive in Veneto.

Ma adesso chi è che aveva commissionato proprio a lui la morte del vero Tomat alias Pozzobon? E dunque lui aveva, o avrebbe ucciso Pozzobon credendo di aver ucciso Tomat, e viceversa avrebbe ucciso Tomat credendo di aver ucciso Pozzobon? Galati era uno che al fatto che le cose possano avvenire per caso non ci credeva mai.

Vedeva la trappola ma non capiva perché non lo avessero ancora eliminato, evidentemente c'era qualcos'altro che si aspettavano che lui facesse, prima di andare in pensione.

E adesso chi aveva commissionato la morte del vero Tomat? Forse l'amante romena? E perché? Ma soprattutto, perché la morte era stata commissionata due volte?

Walter stava pensando a queste cose agghiaccianti, facendo finta di leggere il giornale, mentre la moglie rientrò in casa.

«Ah, sei qui...».

«Certo cara, dove sei stata?».

«E dove vuoi che sia stata? Al Comitato, no?».

«E che succede?».

«Ce ne sono delle belle. Lo sai chi è il principale sospettato per le morti dei cani?».

«No, chi sarebbe?».

«Ah, non te lo immagini, eh?».

Walter si chiedeva se qualcuno fosse potuto risalire a lui, però, un momento, lui di cani ne aveva ucciso uno solo, e la responsabilità era ricaduta su Salvatore.

«No, non me lo immagino, di chi si tratta? Di un barbone?».

«Macché barbone, è una tua collega».

«Una mia collega? Ma chi?». Walter pensava alla Lorenzin. E che c'entrava la Lorenzin?

«Quella che si chiama Marta Coppo».

«Marta Coppo, l'ispettrice?».

«Certamente, quella che ti cercava l'altro giorno, è stata lei».

«Lei? E perché?».

A questa evenienza Galati non ci aveva proprio pensato. Perché si erano focalizzati sulla Coppo? O era stata lei che aveva organizzato le cose in modo che si pensasse così?

«Perché è pazza. Ma la sai la notizia? Già, tu non sai mai niente. La Coppo oggi è scomparsa. Uno che si è fatto passare per tassista l'ha caricata all'albergo per portarla non si sa dove. Lungo la strada hanno avuto un incidente, il taxi ha avuto la peggio, e il tassista non si trova più. Poi si è scoperto che il tassista non era il tassista. Ma due persone anziane ci hanno rimesso la pelle, lì, sul luogo dell'incidente. Qualcuno ha sparato».

«Ha sparato, ma chi?».

«E chi lo sa? Ma ti sembra normale?».

«No, molto normale no, eppure... ma che vuol dire che il tassista non era il tassista?».

«Ma che parlo a fare con te, tu non capisci niente. Che mi hai preparato per cena? Ho fame».

7
Jesolo

Fratelli e sorelle,

ormai l'Apocalisse è arrivata nella nostra città di Treviso. Ormai la morte che falcia tutte le teste si è stabilita nei nostri territori, e colpisce a destra e a manca, senza pietà. Il diluvio mette a repentaglio le nostre vite e sta per distruggere tutto. I fiumi sono usciti fuori dall'alveo naturale e mietono vittime: uccidono gli animali e gli umani.

Quanti sono i nostri fratelli morti? Il giovane sgozzato, restituitoci dalle acque del Sile, non è stato che il primo. Un nostro illustre concittadino ha trovato la morte in mezzo alle fiamme. Devastazioni! Acque e fuoco, che altro si riserva a questa città corrotta dal peccato? L'Apocalisse!

Una grandissima esplosione ha tolto la vita a un altro individuo, proprio nel cuore della nostra città. Vendette mafiose, organizzazioni criminali? E cosa sono queste se non il Male incarnato? E il Male pervade Treviso.

Due persone anziane, due onesti lavoratori della terra, sono morti crivellati di colpi. E una donna è scomparsa, forse rapita, forse uccisa. Nessuno l'ha ritrovata.

Ma fosse solo questo! Due giovani maschi, due corpivendoli abituali, sono stati ritrovati dentro due opere d'arte di un discusso artista inglese, immersi nella formalina.

*Ah, fino a che punto può arrivare la degenerazione del ge-
nere umano! Due morti diventano delle opere d'arte! O
Dio mio, ti chiedo pietà per l'abiezione dei nostri fratelli congeneri.*

*Fratelli e sorelle! Quante altre vittime usciranno dall'ac-
qua, dalle rogge, dai canali, dalle mostre di arte degenerata? Quante altre saranno bruciate come all'inferno?
Che altro dobbiamo aspettare?*

*Oh Signore, proteggici dal Maligno. Il Maligno è pene-
trato nelle nostre famiglie, nei nostri campi, nei nostri centri commerciali. Pentiamoci! Siamo sempre in tempo per
farci perdonare dal Misericordioso. Urliamo la nostra preghiera al Signore: perdonaci!*

Don Carlo Zanobin
Omelia del celebrante
Parrocchia di *** (TV)

All'aeroporto Marco Polo di Tessera, Venezia, c'e-
ra grande agitazione. Anche perché non aveva smesso
di piovere un secondo, e le piste erano completamente bagnate, non si sapeva se gli aerei fossero in grado
di atterrare. Una agguerrita delegazione di politici e di
operatori dell'economia erano in attesa: c'erano tre
sindaci, fra i quali quello di Jesolo, svariati assessori,
imprenditori, alcuni pezzi grossi della Regione Veneto. Il presidente non era potuto venire per impegni so-
pravvenuti in seguito all'emergenza climatica, almeno
così aveva dichiarato il suo portavoce, ma in sostanza
c'erano tutti quelli che dovevano esserci, tranne, ov-

viamente, Danilo Bustaz, che nell'operazione avrebbe dovuto avere un ruolo di spicco.

Doveva arrivare la delegazione degli investitori russi, attesa a gloria dalle autorità politiche e imprenditoriali di Jesolo, perché questa finalmente poteva rappresentare la svolta. I russi, tramite varie società di intermediazione, erano parsi molto interessati ai grandi progetti di innovazione che stavano maturando a Jesolo, soprattutto all'ipotesi di costruzione di un grande quartiere, praticamente una città, a luci rosse. Le autorità locali si erano date molto da fare per mettere in chiaro quali fossero le immense possibilità dell'area, la mostra di Damien Hirst avrebbe dovuto rappresentare il fiore all'occhiello dell'iniziativa artistico-culturale, in senso lato, sul territorio.

Dopo quello che era successo il fiore all'occhiello era stato messo da una parte, ma questo forse non era così importante perché probabilmente ai russi in delegazione della mostra di Damien Hirst non importava granché, però parevano disposti a slacciare le borse per il progetto dell'enorme quartiere a luci rosse, Sex City, un progetto di significato mondiale che era già al cancelletto di partenza.

Erano attesi in mattinata, provenienti da Mosca, all'aeroporto di Venezia, con un jet privato. Dalle segreterie dei sette manager erano pervenute richieste molto precise all'organizzazione del meeting, in termini di automobili, di escort – non russe e tantomeno ucraine!

La principale richiesta era che all'aeroporto, appena scesi dall'aereo, dovevano trovare sette Ferrari (al massimo sostituibili con delle Lamborghini), possibilmente di colore diverso.

Affinché i russi potessero utilizzare queste sette Ferrari, una per manager, doveva essere predisposta la chiusura di una serie di strade pubbliche, in modo che fossero in grado di gareggiare a loro piacimento, prima del meeting ufficiale.

Il comitato di accoglienza era disposto secondo gli ordini gerarchici, spazzato da una pioggia a vento, davanti alla piazzola dove avrebbe dovuto fermarsi l'aereo.

E questo riuscì nella manovra, nonostante le pessime condizioni atmosferiche, si vede che i piloti in Russia sono abituati a questo e altro. Erano le 10 e mezza del mattino. Dietro alla tribunetta di accoglienza stazionavano le sette Ferrari. Il Comitato di organizzazione aveva dovuto sostenere dei sacrifici enormi per noleggiare quelle fuoriserie, in giro per tutta Italia. I prezzi, anche solo per due giorni, erano spaventosi, ma prendere o lasciare, il gruppo di investitori era lì per una questione di settecento-ottocento milioni di euro (a meno che i russi non ragionassero in milioni di dollari, ma comunque era una grossa cifra lo stesso).

Quando i russi uscirono dall'aereo erano già completamente ubriachi e fatti di cocaina. Scesero la scaletta barcollando e montarono immediatamente sulle Ferrari senza neanche guardare il Comitato di accoglienza e le autorità ufficiali, era anche partito l'inno russo, che lasciò tutti indifferenti.

Parvero un po' contrariati del fatto che piovesse così forte, sembrava di essere a settembre nella loro grande madre Russia. I sette manager avviarono le loro Ferrari, ma ebbero di che lamentarsi perché i modelli erano tutti vecchiotti, o comunque non recentissimi. Il capo in testa avrebbe voluto provare una FXX K e fu deluso quando vide che il modello più recente era soltanto una Berlinetta. Ad altri toccò roba vecchia come una Testarossa, o una piccola otto cilindri.

Questi modelli dal punto di vista dei super manager russi erano poco più che roba da autoscontro. Comunque ai sette piacque guidare le Ferrari nell'aeroporto, nonostante fosse assolutamente vietato. Si misero a inseguirsi, a fare derapate, a consumare chili di pneumatici con partenze brucianti e frenate al cardiopalmo.

Se ne fregarono del Comitato di accoglienza e uscirono dall'aeroporto con le macchine, da un cancello secondario, in barba a qualsiasi normativa. Garantì il questore per loro.

Il corteo delle Ferrari, che procedevano a zig zag come le Formula Uno nel giro di ricognizione quando scaldano le gomme, era preceduto e chiuso da alcune motociclette della Stradale, che ai crocicchi pericolosi bloccavano il traffico, affinché i russi non avessero impedimenti. Dietro le moto c'era una quindicina di auto blu, con a bordo tutta l'eminenza della politica e dell'imprenditoria del luogo.

Se dagli stessi poliziotti che scortavano i russi fossero stati prodotti degli alcol test ai sette piloti delle Ferrari gli etilometri si sarebbero rotti. In ogni caso fu raggiunta Treviso, per la cerimonia ufficiale di accoglienza.

In città, peraltro, tutti gli uffici pubblici ormai erano chiusi, compresi quelli dell'INPS, così come le scuole, a causa dell'emergenza maltempo. Se i russi fossero stati portati a farsi un giro in centro avrebbero trovato una città deserta, come in tempo di guerra.

La Banda dei Quattro al completo arrivò al casolare lungo il fiume. La situazione sembrava sempre più compromessa, dal punto di vista idrogeologico, avevano detto che la perturbazione era in fase di ritirata, ma non sembrava proprio. Scesero dalle macchine e scaricarono i materiali per mettere in piedi il set e filmare l'atto di corruzione, telecamera, registratore, e tutto l'occorrente. Schiavacciando aprirono la porta d'ingresso, salirono di sopra e discostarono la porta di ferro che dava nella cella della Coppo.

Entrarono nella stanza e le due gatte si misero a saltellare nervosamente, non si sa se per giocare o se per paura. Trentanove e Parolin, carichi di pesi, bestemmiavano, senza fare più troppo caso alla regola di stare zitti, ormai la Coppo li avrebbe visti e sentiti.

Il problema fu che la Coppo era assente. Il pagliericcio era vuoto, i legacci con cui ci era stata assicurata erano disfatti, e lei non c'era proprio più.

«Porca di una puttana infame! Quella è scappata!».

Ma la porta di sotto era chiusa a chiave, di dove poteva essere uscita? E anche la sua stanza era chiusa da fuori e l'unica finestra era lambita dalle acque del fiume.

La finestra però era aperta.

«Puttana miseria, quella si è buttata nel fiume, non è possibile!».

Sotto le acque inferocite ruggivano implacabili. Le correnti erano violentissime e turbinose.

«Non può avercela fatta, quella ormai è *six feet under*».

«Eh?».

«È morta, è affogata, no?».

«Ma che ne sai, quella era una sportiva, una che si tiene in forma, probabilmente andava in piscina due volte la settimana».

«Macché piscina e piscina, qui non ce la farebbe neanche Rosolino».

Il rumore delle acque che ruggivano lambendo il margine inferiore della finestra era assordante. La finestra fu chiusa, anche perché entravano schizzi all'interno. Il pavimento era marcio di acqua.

«Presto, andate a vedere fuori, guardate se la trovate, potrebbe essersi attaccata a un albero, a un ramo».

Parolin e Mammì uscirono, muniti di stivali di gomma e di ombrello, in ispezione del lungofiume che ormai era tutto allagato. Quagliarella e Trentanove rimasero dentro, cercando di ragionare, impazienti per il ritorno dei soci.

Dopo un bel po' i due in esplorazione tornarono, completamente fradici, non avevano trovato niente.

«Voi siete degli imbecilli, e adesso come facciamo?».

«Possiamo solo augurarci che sia morta, a parte che lei non ci ha mai visti, come fa a denunciarci?».

«Però andrà avanti, e adesso che c'è stato anche il

rapimento, come pensi che ci lasci stare, che possa venire a un accordo?».

«Io me ne vado, stasera parto, vado in Messico, un po' di soldi ce li ho».

«E la famiglia? Che fai con la famiglia?».

«Mi verranno a trovare, ogni tanto, e che altro vorresti fare?».

I Quattro erano sconsolati, senza una via d'uscita, nessuno fu in grado di venirsene fuori con un'idea, una proposta.

«Togliamoci di qui, magari quella è andata a chiamare la Polizia, stanno arrivando, ci manca solo che...».

«Ma chi è che l'ha legata l'ultima volta? Evidentemente ha fatto le cose a cazzo di cane, eh Parolin?».

«Lo sapevo che finiva in questo modo, io comunque l'ho legata benissimo, secondo me è chi le ha dato da mangiare che non ha fatto attenzione».

«Ah, allora è colpa mia, eh? Me lo immaginavo, razza di stronzi...».

Rimasero ancora un po' come imbambolati, osservavano distrattamente il comportamento delle due gatte, che pareva effettivamente strano.

Queste si contorcevano e si muovevano per la stanza con un intento preciso. Trentanove buttò loro un pezzo di prosciutto, ma queste si strusciavano contro un armadio malmesso che era in fondo alla stanza. Facevano le fusa.

«Ma che vogliono queste?».

Le gatte alla fine riuscirono a portare i Quattro davanti all'armadio, spingendoli materialmente contro le ante.

Parolin si avvicinò, e aprì l'anta di sinistra. Ebbe una sorpresa: dentro l'armadio non c'erano ratti o altre prede, ma Marta Coppo in persona.

Questa piangeva, dopo essersi trattenuta per tanto tempo.

E chi non lo avrebbe fatto al posto suo? Con tutta la fatica che gli era costata incidere, ritagliare, strappare il legaccio che le teneva immobilizzato il braccio destro. Praticamente ci aveva messo tutta la notte. Poi una volta liberata la mano destra rapidamente si era disfatta dei lacci, all'altra mano e ai piedi. E quando ormai cantava vittoria, quale incredibile delusione nel capire che l'unico accesso, e quindi anche uscita, della stanza dove era stata segregata era chiuso.

Che aveva pensato quando si era resa conto che non aveva una via di scampo? Il riuscire a slegarsi l'aveva convinta che il più era fatto, ma non si era resa conto che la stanza era ermeticamente sigillata.

Aveva pensato che la sua unica possibilità sarebbe stata quella di buttarsi dalla finestra. Ma quando aveva visto le acque marroni scure che infierivano sotto, e i gorghi spaventosi, allora aveva optato per l'altra soluzione, e poi lei sapeva nuotare malamente, non era affatto vero che andava in piscina due volte la settimana.

La città si stava riempiendo di volontari, anche prima che si producesse l'inevitabile e da loro quasi sperato cataclisma. I volontari sono una specie a sé, anche se a grandi linee li si possono suddividere in due categorie principali, quelli di provenienza cattolica, gli scout o ex scout, e quelli ex comunisti. C'è chi dice che sono la stessa cosa, i medesimi che dicono che Lotta Continua è nata all'oratorio. In effetti i cittadini di Treviso rimasti diffidavano di entrambe le categorie, e non si facevano troppo trasportare dall'afflato solidaristico.

I volontari affluivano, ma non sapevano cosa fare, più che altro rompevano i coglioni a Vigili del Fuoco e ad altri operatori professionali. Per cui non restava loro che farsi qualche bicchierino nelle osterie, che erano rimasti gli unici esercizi aperti, tranne quelle che avevano subito piccoli o medi allagamenti.

Come rendersi utili? I volontari venivano indirizzati all'attendamento della Protezione Civile, in corso di installazione. Li si faceva aspettare due o tre ore, poi si consegnavano loro dei moduli da compilare. In essi si doveva specificare la provenienza, l'ente o società, o Onlus o Confraternita cui si faceva riferimento, le attrezzature a disposizione, se dotati di scarponi, di stivali a metà coscia da pescatore, di vanga, di mezzi anfibi, di gommoni.

La maggior parte non era dotata di niente, se non di giacche a vento fosforescenti con scritto sopra «Ass. lib. Volont. Bresso», oppure «Volontari Che Guevara» o anche «Santuario S. Michele».

Effettivamente, almeno per il momento, mancava completamente il coordinamento. Il grosso dei volontari fu indirizzato alle cucine da campo, di provenienza militare, e gli incarichi distribuiti erano molto simili a quelli che si ottenevano nell'esercito, quando si era di corvée. I volontari avrebbero avuto altre idee, più

eroiche. Per esempio: salvare qualche bambino rimasto sul tetto di una villetta circondata dalle acque;
esprimere solidarietà fattiva al contadino cui erano
morte affogate otto vacche; riportare in vita uno o due
gatti rimasti imprigionati in una cantina; recuperare preziosi incunaboli dai sotterranei di una Biblioteca Sacra.
E invece no, dovevano raschiare i pentoloni di alluminio, che evidentemente non erano più stati lavati dai
tempi dell'ultima emergenza ambientale, nel Vicentino, in Umbria, negli Abruzzi. Peraltro le cucine non
erano ancora in funzione, l'ex maresciallo dell'esercito che sapeva come accendere i fuochi non era ancora
arrivato, così come gli approvvigionamenti, rimasti
bloccati dalle parti dell'uscita Ala-Avio perché i due camion si erano urtati l'uno con l'altro.

Per questo i volontari, terminata la corvée, aggiran-
dosi per la città che non pareva per niente in una situazione di emergenza, si davano al bianchetto. Del-
l'evenienza, magari dopo titanici sforzi fisici, di scopare con una volontaria, non se ne parlava nemmeno.

Al Mose quel signor Trentanove col quale aveva
parlato negli uffici dell'INPS, anche solo per il cognome, non era piaciuto per niente. Riuscì a trovarne l'indirizzo di residenza, e si parcheggiò lì fuori, lungo la
strada. Fare gli appostamenti in macchina era una cosa che piaceva al Mose, era capace di restare lì anche
per un giorno o due.

Però quando raggiunse la casa, la solita villetta a due
piani con garage nel sottosuolo, il dottor Trentanove

doveva essere già uscito. Lo aspettò. Ebbe modo di capire che la famiglia si componeva di altri tre elementi, oltre al padre. La moglie, una signora tozza e sovrappeso, coi capelli esageratamente neri per non essere tinteggiati, e due figli maschi, grassottelli, fra i dodici e i quattordici anni. I due ragazzi tornarono a casa all'ora di pranzo, probabilmente venivano da scuola, in quella zona le scuole non erano state chiuse. I due per tutto il tragitto coperto dall'osservazione di Mose non fecero altro che tirarsi le botte nelle palle e darsi l'un l'altro del frocio.

Verso le due arrivò anche il dottor Trentanove turbato e incazzato.

Nel pomeriggio il Trentanove uscì di nuovo, con la Mercedes.

Mose lo seguì, e vide il dottore scendere dalla sua macchina e salire su un'altra, guidata da una donna, in gran segretezza. Ah, qui c'è del tenero, pensò Mose, che comunque era propenso a non esprimere giudizi morali.

Ripartirono, e Mose li seguì. Stavano andando in direzione Asolo.

A un incrocio c'era un gran movimento, un camion si era ribaltato, e dal cassone, divelto, si erano riversati in strada decine di maiali. Che impressione, pensò Mose, alcuni dovevano essere morti. Ma in maggioranza erano vivi e si buttarono a correre in tutte le direzioni, alcuni per i campi, nel fango, altri sulla strada asfaltata. Mose se ne trovò un paio davanti alla sua auto. Quando riuscì a svincolarsi la macchina della signora non si vedeva più.

Mose non fece gesti di disappunto, tanto aveva preso la targa della Clio.

Non aveva mai fretta.

Walter si ricordava benissimo di quella volta che ebbe un'epistassi retronasale. Aveva ventisette anni, più o meno, e cominciò a sanguinargli il naso. Una banalità, sembrava, ma non smetteva più.

Sulle prime adottò dei metodi empirici, si infilò su per il naso dei tamponi di cotone, teneva la testa in alto, il ghiaccio, ma il sanguinamento non smetteva.

Alla fine andò al pronto soccorso otorino-laringoiatrico. Qui aspettò per oltre cinque ore prima di essere visitato, durante le quali attese pazientemente, senza mostrare segni di nervosismo o di tensione. Il fazzoletto era impregnato di sangue.

Finalmente lo visitarono e stabilirono che si trattava di epistassi, il che significa né più né meno che ti sanguina il naso.

Tuttavia non era una normale epistassi anteriore, bensì era posteriore. Non lo spiegarono bene, ma insomma la cosa era un po' più seria di una normale epistassi delle narici, che di solito si risolve da sé o con una cauterizzazione dei vasi anteriori.

Una dottoressa giovane, carina, dichiarò a Walter che occorreva fare un tamponamento, e che le dispiaceva, con un soggetto così giovane. Walter si chiese cosa ci fosse da dispiacersi, che sarà mai.

I medici si accinsero a procedere. Sembravano parecchio in ansia, Walter restava imperturbabile.

In realtà il tamponamento posteriore è una procedura abbastanza invasiva, si tratta di inserire nelle cavità nasali un tampone dotato di un'anima di ferro, almeno a quell'epoca funzionava così, il quale a un certo punto deve fare una curva, all'apice del naso, e tornare verso il basso, per raggiungere i vasi posteriori, e tapparli, esercitando una pressione meccanica su di essi. Insomma i torturatori nazisti non avrebbero potuto inventare di meglio, tuttavia Walter si sottopose al trattamento senza fare una piega, e soprattutto senza mostrare alcun segno di preoccupazione, senza sbraitare come stavano facendo altri pazienti infortunati nella stessa sala del pronto soccorso. Purtroppo Walter aveva narici molto larghe, per cui di tamponi se ne dovettero infilare due. I medici, alle prime armi, erano spossati, invece Walter, pur provato dall'intervento, pareva tranquillo, non aveva emesso nemmeno un gridolino.

«Questo qui lo possono torturare quelli della STASI e non dice niente, te lo garantisco», disse uno dei due medici, sicuro che Walter fosse semisvenuto, e incosciente.

Invece a cose fatte, quando Walter fu dimesso, chiese al medico: «Scusi, ma cosa c'entra la STASI con il mio naso?».

In qualche modo quelli dell'Agenzia erano venuti a sapere della faccenda del tamponamento retronasale. Facevano scouting, e uomini dotati di certe caratteristiche, o per meglio dire privi di certe caratteristiche, erano quelli da privilegiare.

Sulla strada in direzione di Montebelluna – molti degli imprenditori locali coinvolti nel Consorzio erano di

Montebelluna, la località che per molti anni ha mantenuto il record di reddito pro capite in Europa, non solo in Italia – le motociclette della Volante in apertura del corteo delle Ferrari e di tutte le altre berline di grossa cilindrata, bloccavano il traffico agli incroci e alle curve più strette. I russi sgasavano e sgommavano, anche quello cui era toccata la vecchia Ferrari Dino, pur di color pistacchio.

Il meeting ufficiale era stato organizzato nella spettacolosa villa Barbaro, a Maser, uno dei fiori all'occhiello della provincia di Treviso, che oltre a essere una delle ville più belle del Palladio, ospita i meravigliosi affreschi del Veronese. La villa era stata prenotata per tutto il giorno, sospese le visite pubbliche, nonostante le pessime condizioni climatiche c'erano dei francesi inveleniti che avevano da protestare perché sulla guida c'era scritto che...

Ma ubi major minor cessat. Nella villa si doveva tenere un importantissimo meeting internazionale, che i turisti tornassero l'indomani.

Scesi dalle Ferrari i russi si prendevano a spinte e a strangoloni, come in Italia farebbero dei preadolescenti alle scuole medie inferiori.

Per loro era stato organizzato un super meeting espositivo, che si teneva nella sala più grande della villa, peraltro di proprietà privata. Ma la cifra che il Comitato organizzativo aveva sborsato per affittare il posto per un giorno era di quelle che non si possono rifiutare, anche per degli austeri e rigidi proprietari privati. I proprietari fra l'altro avevano rinunciato anche all'applicazione della norma che secondo loro era sempre stata inderogabile, e cioè che per entrare in villa e calcarne i pavimenti occorresse infilarsi delle specifiche pantofole, per non rovinare gli antichissimi «terrazzi» veneziani. Non si poteva imporre ai russi di mettersi quelle usatissime pantofole, e neanche delle babbucce di seta all'orientale.

Durante il meeting, che si teneva davanti a un'enorme plastico dei nuovi quartieri di Jesolo, chiamati Sodorra e Gomoma da un creativo, furono proiettati video ad alta definizione sul progetto, rendering efficaci, una meravigliosa narrazione visiva, musica ad hoc, i russi seguivano ridendo ma parevano interessati.

Ci siamo, pensò il sindaco Culicchia, dopo tanti sacrifici...

Una coppia di funzionari, un quarantenne ultrabotulinato e una bionda piena di curve, introducevano il grandioso progetto, che si chiamava Sex City e che avrebbe portato nell'arco di due anni a un giro d'affari di 100 milioni di euro l'anno, senza contare l'indotto immobiliare e strutturale che si valutava intorno ai 1.000 milioni di euro, che sarebbero diventati almeno il triplo nel giro di un altro biennio.

Il rendering contemporaneamente mostrava orde di McLaren dorate e di Jaguar nero opaco che posteggiavano presso le strutture, e alcuni sosia di star di prima categoria che passavano il loro tempo al casinò, alle terme, in barca a vela. C'era una ragazza di Biella identica alla Sharapova che per la breve ripresa aveva chiesto ventimila euro.

Mentre si sviluppava l'esposizione del progetto si cominciarono a servire i primi drink e gli aperitivi, insieme a un trionfo di piatti di rinfresco.

I russi mangiavano come maiali e ogni tanto avevano bisogno di ritirarsi per pisciare o vomitare. In questo le strutture della villa Barbaro erano carenti, e i russi si trovarono in difficoltà. C'era troppa coda alle rare toilette.

Così capitò che un paio di russi pisciarono nelle stanze affrescate della villa: non sapevano, e comunque non gliene fregava niente, che quegli affreschi erano del Veronese e di scuola.

Uscì dal nulla un delegato, il responsabile della villa indicato dai proprietari, il quale fece notare la gravità dell'accaduto.

Il russo che aveva pisciato estrasse di tasca alcuni rotoli di banconote, per un totale di sessantamila euro, e li buttò in terra. Secondo lui il danno era più che riparato.

Nel complesso sei russi su sette erano già completamente ubriachi, imbottiti di cocaina e persi dietro a un gruppetto di escort rigorosamente italiane. Queste ragazze erano state avvertite: con questi russi bisognava avere molta pazienza e disponibilità, qualcuna di loro fu più fortunata, altre meno. Ciascuna fu caricata sulle rispettive Ferrari, una ebbe il mal di macchina e il driver la scaricò, seminuda, a una curva in mezzo al bagnato.

Uno dei manager chiese quanto volevano per quella villa e se c'era la piscina. Alla fine, nel caos, permane-

vano forti margini di incertezza, non si capì se la dimostrazione fosse stata efficace. I russi non erano sembrati poi così entusiasti.

La signora Meneghello rientrò in casa a Camalò verso le cinque e mezza del pomeriggio, accaldata e bagnata dalla pioggia, sacramentava contro tutto e tutti. In
quei giorni sua figlia stava da lei, per via del funerale
e delle altre incombenze, era più pratico. La macchina della Cinthia era posteggiata fuori.

Anche questa del funerale ci voleva. E adesso sentiva l'odore del caminetto acceso, ma che brava, Cinthia,
da lei non se lo sarebbe aspettato, ma con quel tempaccio, anche se era aprile, il caminetto acceso era proprio
una bella sorpresa.

La Meneghello si aspettava di trovare Cinthia in salotto, a guardare la televisione o a lavorare al tablet.
Sì, sua figlia era in salotto, ma in una condizione imprevedibile: era legata nuda, sospesa come un pollo alla griglia, sopra un pezzo di ferro a punta, arroventato, quasi abboccato all'orifizio anale della ragazza,
solo un filo sottilissimo, vicino a una candela che poteva da un momento all'altro bruciarlo, impediva a
Cinthia, legata con dei cordini da alpinismo, di precipitare sul pezzo di ferro che le avrebbe dilaniato le
viscere.

Lì vicino c'era un uomo seduto in poltrona, vestito
tutto di nero, con un passamontagna in testa, se ne potevano vedere solo gli occhi, scuri.

Urli e strepiti!

«Ma lei chi è, cosa vuole da noi? Oddio, la liberi subito! Cinthia, sono la mamma, stai tranquilla». Cinthia era tutto fuori che tranquilla, lo sconosciuto l'aveva legata in quel modo al soffitto, e poi aveva scaldato nel caminetto la punta di ferro, che rosseggiava sotto il suo sedere.

«E non se lo immagina?», disse l'estraneo, impassibile.

La Meneghello si guardò intorno, cercò di avvistare qualche oggetto con cui aggredire quell'uomo, ma presto capì che se lo avesse assalito sua figlia sarebbe precipitata verso il basso.

«Chi è lei?».

«Questo non ha nessuna importanza, ma veniamo al sodo».

«Al sodo?».

«Signora Meneghello, come vede il tempo stringe, e io ho bisogno di sapere com'è che dieci anni fa suo marito è stato assassinato al posto di un'altra persona, dichiarata morta, il signor Tomat. E adesso che il signor Tomat è morto davvero, non sto a informarla sulle circostanze che non credo conosca, lei si reca bella bella al funerale del Tomat come se fosse quello del suo ex marito. E suppongo che lei sapesse che quello di cui si sono svolti i funerali ieri non era il padre di sua figlia. E mi immagino che anche questa brava figlia sapesse che quel signore non era suo padre».

La signora Meneghello era terrorizzata. Chi era quell'uomo, chi l'aveva mandato? Era gente di Tomat? Era gente che voleva chiudere una faccenda vecchia ma che sarebbe potuta riemergere, e che voleva eliminare almeno due delle testimoni? Eppure lei era stata ai patti, non aveva mai sgarrato, neanche adesso che c'erano stati i funerali di Tomat, eppure se lo sarebbe dovuta aspettare, ma forse il fatto dell'omicidio Bustaz, forse l'attentato, forse la morte di Tomat, niente doveva essere casuale, e lei avrebbe dovuto aspettarselo.

Sua figlia stava rosolando sopra il ferro arroventato, gocciolava sudore dal punto più basso, il culo, le gocce sfrigolavano sul punteruolo incandescente.

La signora prima cercò di prendere tempo, ma capì che di tempo non ce n'era, e che se lei parlava o non parlava era indifferente, quello lì le avrebbe ammazzate tutte e due lo stesso.

Così si decise a parlare.

«Veda, il Tomat, beh, insomma, l'avevamo conosciuto a San Martino di Castrozza. Una volta lo incontrai sulla funivia e gli dissi: "Ma dove hai preso quei vestiti? Sembri un cretino, sei vestito come un tirolese. E cosa ci fai qui, non dovevi essere a Fiera di Primiero?"».

«Prego?», le aveva detto suo marito. «Ma sei scemo?», aveva risposto lei. «Ma cosa stai facendo?». «Signora, io non la conosco, e come si permette di darmi dello scemo?».

Il signore si esprimeva bene e non aveva la voce del Pozzobon.

«"Ah, questa poi" – dissi io – "te non sei Giuseppe?". "No signora, non sono Giuseppe, ma cos'è uno scherzo?". "Ah, guardi, è veramente uno scherzo, uno scherzo della natura!"». La signora Meneghello confidò a Walter che a quel punto era quasi divertita, ma ora che lo raccontava non lo era per niente.

«Insomma venne fuori che mio marito aveva un sosia. Per convincere quel signore che mio marito e lui sembravano gemelli identici li feci incontrare. Erano tutti e due sbalorditi. Bevemmo un bicchiere al rifugio e ci scambiammo gli indirizzi. Non è che erano veramente gemelli? Uno scambio di bambini all'ospedale, roba del genere. Ma nessuno dei due era figlio di parto gemellare, almeno ne erano abbastanza certi entrambi».

La signora Meneghello si sarebbe voluta dilungare di più, tanto oramai... ma sua figlia si contorceva nella sua scomoda posizione, faceva forza con i muscoli addominali per issarsi un po' più in alto...

«Fu il Tomat a contattarmi, un paio d'anni dopo. Era un periodo di crisi nera con mio marito, che si rovinava a bere dalla mattina alla sera. Non lavorava più e quei pochi soldi che gli giravano per le tasche, che prendeva di sussidio, li bruciava all'osteria, e tornava ubriaco fradicio, e anche violento, una volta su due».

Walter pensava che quella storiella fosse di una banalità pazzesca, probabilmente se la stava inventando lì per lì la Meneghello, ma che differenza poteva fare?

«Non potrebbe liberare mia figlia? Come vede le sto raccontando tutto».

Walter non la liberò.

«Insomma il Tomat mi ha contattato, si vede che conosceva già la nostra situazione in famiglia. Mi ha proposto 350.000 euro per uno scambio di persona. E io di quei soldi ne avevo bisogno, e soprattutto mia figlia».

«Già, sua figlia... mi viene da chiedermi se sua figlia, allora ventiduenne, fosse informata dei fatti. Aveva sottoscritto anche lei il patto? O non ne sapeva niente?».

«Tomat mi disse di essere sulla lista, e che presto lo avrebbero fatto secco. E così l'unico modo che aveva di uscirne fuori era che quelli che lo volevano togliere di mezzo si convincessero di avercela fatta. Insomma, non credo che sia la prima volta che succede una cosa del genere».

«Per me sì, devo ammetterlo, e me ne dispiace».

«Beh, io non è che ho fatto niente di particolare. Mio marito si trovava in un motel dalle parti di Schio, con una ragazza. Arrivò un sicario e lo fece fuori, al posto del Tomat. Nessuno sospettò niente, fuori dal motel c'era la macchina del Tomat, addosso il morto aveva i documenti del Tomat, la ragazza se ne era scappata via, insomma, i parenti riconobbero la vittima».

Walter era fra il disappunto e l'amarezza. Possibile che mi abbiano giocato così?

Il ferro arroventato era sempre più vicino a Cinthia, che cercava di tendersi per quanto poteva sulle corde. Walter non sembrava fare troppo caso al tempo che passava. Era triste.

«Veda, signora Meneghello, normalmente voi due sareste già morte da tempo, non avrei avuto modo per discutere con voi. Purtroppo o per fortuna è il mio mestiere. Io ragiono con semplicità, e cerco di applicare criteri razionali. Questi criteri adesso mi impongono di lasciarvi in vita, perché mi fate molto più comodo vive che morte. Quello che lei mi ha detto più o meno lo sapevo già, tranne qualche gustoso dettaglio. Ma io non produco giudizi morali, mai. Se lei e sua figlia vi siete vendute rispettivamente la vita del marito e del padre per 347.000 euro a me non interessa. Però interessa a voi, e per questo io potrò, sempre, fare quello che voglio di voi, perché nessuno ve lo perdonerebbe. Se lo immagina? Supermercati Meneghello, quella che ha venduto il marito affinché fosse ucciso al posto di un altro. Lei non può capire perché la cosa mi coinvolge così personalmente, non starò a raccontarglielo e lei non lo saprà mai. Ma mi creda, oggi i miei criteri professionali hanno avuto uno scossone. Credo per me sia venuto il tempo di abbandonare il settore. Lei deve solo ringraziare questa circostanza, ma tanto se vi avessi terminato l'avrei fatto con tutte e due insieme, non avreste avuto il tempo di mancarvi. Ammesso che vi vogliate bene, cosa che non credo.

Adesso io uscirò da questa stanza, e lei non si muoverà finché io non sarò fuori: quando sarà il momento le consiglio di dare un colpo con quell'ombrello al ferro incandescente, in modo che cada in terra prima che sua figlia ci caschi sopra. Anche se dovesse avvenire non ne morirebbe, ma si farebbe molto male. E per me sarebbe lo stesso».

L'ipotesi adattativa della violenza sessuale

Dopo la pubblicazione di *Sociobiologia: la nuova sintesi* nel 1975 da parte di E. O. Wilson si sono scatenate violente polemiche sul portato politico e ideologico di alcune tesi in esso sostenute e riprese da altre precedenti pubblicazioni. In generale, l'applicazione di un metodo «biologico» ed «evoluzionistico» per studiare i comportamenti sociali degli esseri umani. In particolare, l'approccio teorico in base al quale anche comportamenti come la violenza sessuale potessero avere in qualche modo una valenza adattativa, fossero cioè il risultato dell'evoluzione.

Così il maschio che per garantirsi una migliore (e più rapida) fitness riproduttiva ricorre alla coercizione sessuale rischia di avere una giustificazione etologica evoluzionistica del suo comportamento. Addirittura, anche la femmina può esser ritenuta corresponsabile, in quanto può esprimere una preferenza nei confronti del maschio violentatore: alla ricerca di un copulatore che garantisca una maggiore efficienza riproduttiva ai suoi figli. In effetti, se quel maschio ottiene con facilità, tramite la violenza, atti copulativi, questo carattere si trasmetterà anche ai figli della femmina violentata, che quindi avranno, a causa degli istinti violentatori ereditati, maggiore fitness riproduttiva anche loro. Una sorta di elogio scientifico dello stupro, almeno così fu commentata la teoria sociobiologica di Wilson da parte dei suoi avversatori. Non pochi sociologi, soprattutto in Europa, del tutto alieni da un approccio etologico nei confronti del genere umano, ritenuto un caso a parte, si scagliarono contro questa impostazione, insinuando addirittura che fosse pilotata dalle forze più retrive e reazionarie della società americana.

Negli anni la crudezza del dibattito si è ammorbidita, soprattutto sforzandosi di evitare facili induzioni da esempi animali, sempre però cercando di non dimenticarsi che anche gli esseri umani sono animali.

Nel mondo animale il sesso coercitivo è molto diffuso, è presente nei mammiferi, negli insetti, negli uccelli e in una infinità di altri ordini.

Un esempio paradigmatico è quello della *Panorpa*, la mosca scorpione, così chiamata a causa di un'appendice di cui è dotata che assomiglia al pungiglione dello scorpione. In questa specie esistono tre tipi di maschi: gli uni, quelli fisicamente più forti, seducono le femmine offrendo loro dei grilli morti, custoditi e diffusi in un'area in cui sono attratte le femmine e da cui sono cacciati violentemente gli altri maschi (con questa procedura ottengono in media 6 accoppiamenti per tentativo); altri maschi, più piccoli, incapaci di offrire succulente merende alle femmine, le attraggono con una secrezione salivare zuccherosa arrivando a 2 accoppiamenti per tentativo; infine i più piccoli, incapaci di applicare le due precedenti strategie e con poco tempo a disposizione, ricorrono al sesso coercitivo ottenendo ovviamente un solo accoppiamento per tentativo. In poche parole è il più debole che ricorre allo stupro.

Un esempio simile è quello dei gerridi, quegli strani insetti che riescono a camminare sull'acqua: qui i tipi di maschi sono due, gli stupratori e i gentiluomini. I primi ricorrono alla violenza, creano quindi danni al fisico della femmina, che si ripercuoteranno anche nella quantità di uova e nella fitness di sopravvivenza della prole; i secondi garantiscono un maggior numero di uova e una migliore sopravvivenza dei piccoli.

In una comunità mista, con tutti e due i tipi di maschi, prevarrà il maschio stupratore, e quindi anche la prole avrà questa caratteristica. Invece una comunità di soli maschi gentiluomini sarà molto più produttiva di una comunità di stupratori, e quindi nell'ecosistema avrà la prevalenza.

Anche i coleotteri *Tegrodera aloga* sono un caso ben studiato: non ci sono tipi diversi di maschio, lo stesso individuo può ricorrere a un delicato corteggiamento e ottenere l'atto copulativo solo se la femmina lo gradisce, oppure in altri casi il maschio potrà afferrare la femmina da dietro e forzare dentro di lei i genitali, mentre lei cercherà di fuggire.

Ci sono molti altri esempi di violenza sessuale, anche fra topi e uccelli: abbastanza impressionante il caso dei capodogli (*Physeter macrocephalus*), i più grandi mammiferi carnivori del pianeta (i maschi arrivano a pesare 50 tonnellate per 18 metri di lunghezza, circa il doppio delle femmine). Sono documentati casi di stupro collettivo da parte di alcuni maschi nei confronti di una femmina isolata: mentre i maschi, a turno, la violentano, gli altri la tengono ferma, impedendole di fuggire. Nelle circostanze ovviamente si crea una sorta di maremoto artificiale.

Non ha niente a che vedere con la violenza dell'atto sessuale di cui sopra, ma il caso dello stupro dei pinguini da parte delle otarie maschio ha avuto grande risonanza grazie ad alcuni filmati girati da ricercatori sull'isola Marion, nell'Oceano Indiano sub-antartico.

È una scena abbastanza forte: una grossa otaria, che pesa più di duecento chili, violenta un pinguino, maschio o femmina che sia, il cui peso non supera qualche chilo.

Il grosso mammifero schiaccia a terra l'uccello e abusa di lui tenendolo fermo con gli arti anteriori e con il morso, finché non ha terminato. Il pinguino rischia la vita di per sé durante l'atto. La comunità degli altri pinguini sta tutta intorno, molto interessata, a osservare, si direbbe a godersi lo spettacolo. Fra l'altro il povero pinguino è destinato a essere estromesso dalla comunità, e quindi a morire in solitudine.

Non è certo quale sia lo scopo di questo stupro, sicuramente non rientra nelle categorie citate precedentemente. Probabilmente dipende dall'esclusione dei giovani maschi di otaria dalle pratiche sessuali nella famiglia, dove l'atto sessuale è permesso soltanto al maschio dominante (o alfa), il quale allontana violentemente dalle femmine i giovani maschi, che rischiano seri danni fisici. Dunque questi ultimi sperimentano attività sessuali interspecie, si direbbe nel linguaggio comune, non per rimarcare una condizione sociale di dominanza, ma per sfogarsi, in una comunità che non è la loro, costituita da individui che peraltro non diffidano delle otarie (altri pinguini temono molto altre specie di foche, che i pinguini se li mangiano).

La famiglia delle foche non è nuova a queste situazioni: fra i leoni marini i maschi spesso violentano i piccoli, maschi o femmine che siano, una volta svezzati.

Nel pomeriggio i russi, sempre scortati da una decina di motociclette della Volante, furono condotti a Montegrotto Terme, a godere delle meravigliose offerte
termali della zona. L'albergo più grande e più prestigioso della zona fu ipotecato, riservato alla comitiva.

Per ogni ospite russo c'erano un paio di ragazze che
consegnavano l'accappatoio, una bottiglia di champagne e altri servizi, i russi dovevano capire quale poteva essere il livello dell'accoglienza in queste terre.

Una buona metà della superficie delle vasche termali fu riservata a loro, e ne approfittarono, lanciandosi
nudi nelle acque di diverse temperature, e nelle infinite possibilità dell'idromassaggio.

Riuscirono a coinvolgere le ragazze nei tuffi, alcuni
ebbero anche l'energia per esigere prestazioni sessuali, di quelle poco faticose per il maschio.

Però le acque calde li sfibravano. Avevano voglia di
acque fredde, per riprendersi, così cominciarono ad aggirarsi per le altre aree degli stabilimenti termali, quelle che non erano state riservate.

Ci fu qualche contrasto con altri ospiti dell'hotel, che
già erano innervositi del fatto di essere estromessi dal-

l'uso dell'intera offerta termale, anche se di mezzo c'erano le autorità regionali, la prefettura, le forze dell'ordine. Ma chi erano quei selvaggi slavi, quei manfani, quei tamarri?

Un paio di manager russi, completamente nudi, irruppero in una vasca di temperatura inferiore dove balneavano dei tranquilli ospiti ultrasettantenni. Questi si lamentarono, pacatamente ma fermamente, dell'invasione. Uno dei russi sputò in viso al protestatario, e depositò nel mezzo della vasca uno stronzo di discrete dimensioni. Si scatenò un principio di rissa, per fortuna intervennero quattro bodyguard che riuscirono a separare i contendenti, e a riportare il russo, che nel frattempo aveva anche vomitato nella vasca, nei locali riservati.

Le ragazze cercarono di mettere una toppa, il russo inveiva e giurava, per chi era in grado di comprenderlo, che per quel cazzo di posto non avrebbe cacciato un rublo. E poi in quel paese di merda pioveva sempre! Si mise a sfasciare delle sculture, peraltro di dubbio gusto, che decoravano il corridoio, urlava che voleva dello champagne russo.

In un séparé delle terme di Montegrotto era stato organizzato anche un piccolo casinò, tanto per intrattenere i russi per un'oretta o due. La bisca era di prima categoria, un tavolo di Baccarat, uno di Black Jack, una roulette. Al gioco si appassionarono soltanto tre dei russi, gli altri erano scomparsi, probabilmente si stavano facendo una pennichella in camera, o continuavano a importunare gli altri clienti degli stabilimenti termali, o si erano infrattati da qualche parte con le escort. Però c'è da dire che i russi avevano un senso teatrale degli avvenimenti, vale a dire che se non c'era un pubblico, degli spettatori, non avevano soddisfazione a fare qualsiasi cosa, anche il sesso. Ma l'ipotesi più probabile è che dormissero. Gli altri giocatori erano delle comparse.

Uno dei russi cominciò a perdere insistentemente a Black Jack. Non gliene andava bene una. Il croupier si guardava intorno, chiedendosi disperato come dovesse comportarsi.

Un addetto del Comitato organizzativo gli fece un gesto, come a dire che lo facesse vincere. E così accadde.

Il russo volle i suoi 40.000 euro, e l'addetto garantì per la cifra, dopo aver telefonato al vicesindaco.

Erano passate le cinque del pomeriggio e negli studi di Tele Treviso Italnews Alba non era ancora comparsa.

«Che cazzo fa quell'imbecille? Perché non è qui?».

Provarono a chiamarla al telefono, niente da fare, a casa non c'era, al cellulare pareva non raggiungibile.

«Quell'idiota, si è montata la testa, adesso fa la diva, vuoi vedere che non viene, per farci capire che è indispensabile?».

«E allora come cazzo facciamo?».

«Io quella la rovino, io la rovino, lo sai quanto ci deve pagare se non viene?».

«Pagare? E con cosa paga che non ha un soldo? Che senso ha mettere una penale a qualcuno che non ha cento euro in tasca?».

«Comunque con me quella lì ha chiuso, Dio...».

«Ma adesso?».

«Prova ancora a chiamarla, cazzo! Magari è rimasta bloccata con la macchina, hanno chiuso un sacco di strade...».

«Poteva avvisarci, però, no? Così non si fa».

River era in apprensione.

«Chiama la Dany, lo facciamo fare a lei».

«La Dany?».

«Mettile la maschera, manca meno di un'ora alla trasmissione».

«Ma la Dany ha gli occhi maron!».

«Cazzo, c'è qualcuno qui con gli occhi celesti?».

«C'è il Marco, ma non so mica se ci riesce, e poi è grosso, la maschera non gli sta».

«Maria Vergine».

«Calma, calma, state tutti calmi, devo pensare».

«Guarda che noi siamo calmi, sei tu che...».

«Ok, facciamo così, chiama la Dany, però non inquadriamo la Dany, diciamo che la Sibilla sta peggio del solito, è in crisi e non possiamo mostrarla».

«E il sangue dagli occhi?».

«Oggi facciamo senza sangue».

«Ma sei matto?».

La Dany fu chiamata. Le piazzarono in faccia la maschera alla bell'e meglio.

Fu tirato un telo, proprio davanti al giaciglio della Sibilla, si fece un gioco d'ombre, attraverso il divisorio si intravedeva solo la sagoma dell'oracolo.

«Lamentati, lamentati molto, fai come fa Alba».

«Grhh, ahia, aaahiiaa».

«Ma no ahiaa, la Sibilla non dice ahiaa. Fai un sibilo rauco, andiamo».

«Ahhh, gahh, urghh».

«Okey, cerca di sembrare una strega».

«Anchrrr, magherr, iihhhschh».

«Adesso non esagerare! Mi raccomando, non dire parole riconoscibili».

«Buonasera cari telespettatori, questa sera non abbiamo buone notizie per voi. La Sibilla sta malissimo, anche noi non sappiamo bene cosa fare. Il dottore dice che un'altra trasmissione le potrebbe essere fatale». Il dottore come al solito faceva finta di auscultare la vecchia, la toccava dappertutto, e la Dany era bella giovane e soda, ma non si poteva ribellare. Il dottore faceva finta di guardare i monitor, di misurare la pressione, la temperatura eccetera. Tutto ciò non era visibile direttamente, avveniva dietro la tenda.

Telefonò una signora anziana, provincia di Treviso, non volle dire da dove esattamente.

«Buonasera, mi chiamo Adele, ho bisogno di parlare con la Sibilla».

«Dica signora, ma faccia presto, il tempo disponibile potrebbe essere limitato, la Sibilla potrebbe avere un'altra crisi».

«Mi scusino, sono un po' sconvolta».

«Parli, parli pure, qual è il problema?».

«Il problema è che hanno ucciso i miei genitori a colpi di pistola, e la polizia dice che non si sa chi possa essere stato».

Il regista rimase un po' in silenzio, questa era una faccenda che non gli piaceva, non era mai capitata una cosa del genere, non aveva voglia di essere immischiato in fatti criminosi, c'era da averne solo grane, ma che dire a questo punto? Intanto la Dany cominciò a contorcersi, a inarcarsi, solo che col suo popò di fisico i suoi contorcimenti parevano quasi un rituale erotico. Soffriva, mugolava, sembrava quasi in mezzo a un orgasmo. Ma come dirglielo? Fecero arrivare un bigliettino al dottore, il quale comunicò alla Dany di non agitarsi così tanto.

E chi era quella signora al telefono? Non sarà mica stato vero quello che diceva?

«Signora, ci dispiace molto, e la Sibilla soffre moltissimo per lei, ma lei sa che la Sibilla non può pronunciare vaticini sulla colpevolezza di certe persone, lei sa che...».

«Ma i miei genitori sono morti! E nessuno sa perché! Possibile? Sibilla, dimmelo tu, chi è stato?».

La Dany non sapeva che cazzo fare, sibilava, ruggiva.

A quel punto la signora al telefono fece una domanda precisa: «Sibilla, dimmi se è stato lui, Alfredo, io capirò da un tuo minimo gesto».

«Signora, si calmi, sa che non è possibile».

«Mi faccia vedere se piange sangue!».

«Oggi questo non si può fare, la Sibilla è stravolta, non insista, potrebbe toglierle la vita!».

«Ma io devo sapere, è stato quel maiale di Alfredo?».

«Ma chi è Alfredo, signora?».

«Come chi è, è quello stronzo di mio fratello. Sono anni che cerca di convincere i miei genitori a lasciargli il casale di Trevignano, e adesso ci ha pensato lui, vero Sibilla?».

La Sibilla, dietro la tenda, incerta sul da farsi, giaceva spossata sul lettino.

«Pubblicità, presto», disse il regista ai tecnici, che la mandarono. Nei due minuti che aveva a disposizione River disse a Dany di restare svenuta, al dottore di costernarsi, agli altri di prepararsi: la Sibilla era priva di conoscenza. Il suo letto un bagno di sangue. Cercò di dire alla signora Adele che in trasmissione non si potevano affrontare fatti che avessero a che fare con la giustizia, veri o falsi che fossero. La signora Adele non ci capì niente.

«Signora, eccoci di nuovo in linea, ci dispiace averla interrotta per la pubblicità, ma lei saprà certamente che tutti gli introiti pubblicitari sono utilizzati per pagare le costosissime cure a cui la Sibilla deve sottoporsi. Allora, lei ha fatto un sogno, vero?».

«Macché sogno de l'ostrega, mio fratello ha ucciso i miei genitori!».

«Oddio, oddio, la Sibilla sta morendo, non possiamo far altro che interrompere la trasmissione!».

Non si sa perché ma la Dany, anziché restare immobile, sussultò violentemente, come se fosse all'ultimo istante. Solo che il collegamento fu interrotto con una sessantina di secondi di ritardo, durante i quali si poteva vedere il regista nonché voce fuori campo che si recava disperato al letto della Sibilla (quando lui non doveva essere lì), e tutti si agitavano, tecnici, curiosi, in piena emergenza.

Fu un minuto di TV verità, veramente efficace, gli spettatori pensarono che alla Sibilla fosse accaduto veramente qualcosa di grave, visto come anche il personale televisivo avesse perso il controllo.

La trasmissione dunque fu un successo. La trovata del telone, dell'aggravamento, turbò i telespettatori, ma soprattutto l'interruzione forzata aumentò l'audience fino a livelli mai raggiunti prima, sempre tenendo conto che si trattava di una piccola antenna locale.

Non ce lo vogliono dire, ma la Sibilla è morta! L'hanno fatta morire, e quell'Alfredo è un assassino, la Sibilla non ha retto. Queste furono solo alcune delle reazioni del pubblico, a Tele Treviso Italnews arrivarono centinaia di messaggi, mail e telefonate. Peraltro la signora Adele a questo punto era più che certa che i suoi sospetti fossero fondati. Anche se non mancò chi riuscì a notare che il fisico della Sibilla, pur visto da dietro la tenda, sembrava diverso dal solito. Il canto del cigno?

Alla sera fra i russi doveva svolgersi la gara promessa sull'autostrada, e su altri percorsi di grande scorrimento. La Polizia chiuse alcune strade, addirittura un pezzo dell'A27, Venezia-Belluno. La parte terminale del percorso doveva condurli a Jesolo, secondo programma, in serata. Così gli investitori avrebbero potuto ammirare i grattacieli, e le bellezze della riviera. Era tutto studiato.

In gara gli ospiti cominciarono a divertirsi, raggiungendo velocità di 300 all'ora, sul bagnato. Si sorpassavano e si controsorpassavano, si facevano dispetti e scherzi, ma fortunatamente non si urtarono, e arrivarono all'uscita di Quarto d'Altino, rallentando si immisero sulla strada per Portegrandi, superato il quale c'era un rettilineo di alcuni chilometri, dove parecchi automobilisti del luogo andavano a fare velocità. Uno dietro l'altro i ferraristi tenevano le bestie a freno, preceduti dalle moto della Polizia. Questo a loro faceva piacere. Ma quando furono sul rettilineo che passa da Lanzoni, un bel drizzone di alcuni chilometri, non resistettero e spinsero al massimo. Superarono i motociclisti che gli facevano strada, la corsia era semideserta perché ormai la maggior parte della gente se n'era andata via. I manager ricominciarono a correre, a inseguirsi. Le motociclette della Stradale non riuscivano più a stargli dietro, venivano seminate. La prima Ferrari, a oltre 200 chilometri all'ora, non riuscì a frenare in tempo, e la prestigiosa fuoriserie finì, senza indecisioni, in laguna. Altre due macchine che la seguivano subirono la stessa sorte. Una quarta Ferrari, che arrancava dietro le altre, ebbe lo stesso destino. Per fortuna tutte e quattro le macchine erano delle cabriolet, e ai russi piaceva guidare scappottati, come se si fosse d'estate. Mentre le auto lentamente andavano a fondo i piloti furono recuperati, e condotti in albergo. E le auto? E come recuperarle adesso? E a quanto ammontava il danno?

Antonio Culicchia arrivò sul posto a cose fatte. Quanto gli sarebbe costato questo scherzetto? Ah, almeno ci fosse stato Bustaz. E la visita dei russi non era ancora finita, la sera veniva il bello, per introdurre gli investitori nel cuore del progetto.

La squadra di calabresi arrivata da Lamezia, per vie traverse, si sarebbe riunita a Verona, per spostarsi il giorno dopo a Treviso.

Il team era composto da sette persone, tutte di provata efficacia. Oltre naturalmente al capofamiglia, Guelfo, il padre delle disgraziatissime vittime, c'era Santino, uomo di fiducia dei Fichichi, che però non era al meglio, avendo un braccio bendato e varie fasciature su tutto il corpo, a causa delle ustioni dopo l'immane esplosione.

Con Santino c'era Giuseppe, sui quaranta, che godeva della stima dei Fichichi. Sarebbe stato molto valido e uno su cui contare ma era quasi completamente sordo a causa di un'esplosione di arma da fuoco vicinissima ai padiglioni auricolari, rispondeva solo a stimoli visivi.

C'era poi Antonio, ragazzo giovane e mai messo alla prova, che però era figlio di uomini di rispetto. Suo era il compito di andare a Sacile, di ritirare l'arsenale e farlo trovare la mattina successiva a Quinto di Treviso, per consegnarlo a chi ne avrebbe dovuto fare uso.

In effetti svolse il suo compito con professionalità, raggiunse il luogo di incontro con un van metallizzato a vetri neri, imbottito di armi e munizioni.

Infine c'erano i tre uomini di Barbacane, dei mercenari che lavoravano in gruppo, di loro non si conoscevano i veri nomi, se non quelli fittizi: topo, gatto e volpe. Erano stati reclutati a forfait tutti e tre insieme e non volevano sapere niente di quello che sarebbe successo e a chi, si erano assunti i loro rischi, sapevano di essere al Nord per una mattanza e a cose fatte avrebbero dovuto dileguarsi ognuno per conto suo.

I sette si ritrovarono a cena a Verona, in un ristorante che si chiamava Romeo e Giulietta, oppure Giulietta e Romeo, oppure soltanto Da Romeo, oppure soltanto La cucina di Giulietta, o Dai Montecchi, oppure I Capuleti, o una combinazione di tutti i precedenti, tanto a Verona i ristoranti si chiamano tutti più o meno così. Furono presi gli ultimi accordi, velocemente, Guelfo, ancora in pigiama, doveva tornare all'ospedale. I tre dei Barbacane non bevvero neanche una goccia di Amarone, erano dei professionisti.

Inaspettatamente la Banda dei Quattro venne convocata in questura, per il giorno dopo. Non era una convocazione ufficiale, si trattava di conversazioni informali per acquisire informazioni sulla dottoressa Marta Coppo, che in giornata era scomparsa in circostanze misteriose e luttuose. Due persone ci avevano rimesso la vita in una sparatoria. E dunque siccome la Coppo era venuta a Treviso per un incarico ispettivo presso l'ufficio distrettuale INPS si voleva capire qualcosa di più della sua situazione. Gli inquirenti temevano che la Coppo, suo malgrado, si fosse trovata in mezzo al regolamento di conti fra cosche mafiose che aveva portato all'attentato dinamitardo all'Hotel Parc e du Lac. Chissà, magari aveva visto qualcosa, sapeva qualcosa, e le associazioni criminose l'avevano fatta sparire. Non si nutrivano molte speranze che la dottoressa Coppo fosse ancora viva, se era a conoscenza di qualcosa.

Quindi gli inquirenti erano quasi certi che parlare con gli impiegati dell'INPS fosse totalmente inutile, ma comunque li convocarono lo stesso. Per questo avevano contattato Trentanove, Quagliarella, Parolin e Mammì, così, per scrupolo, senza immaginarsi che questa convocazione avrebbe gettato tutti e quattro nel panico.

«Ci hanno beccato, sanno che siamo stati noi».

«Ma che cazzo dici, non possono sapere niente».

«E se invece sanno?».

«Non ti fare prendere dalla paura, se sapessero qualcosa sarebbero già arrivati al casolare, e ci avrebbero aspettati lì, per arrestarci».

«Secondo me sono solo dei colloqui pro forma».

«E noi che gli raccontiamo?».

«Niente di niente, ufficialmente noi non sappiamo nemmeno perché lei era a Treviso».

«Sì, ma quando salteranno fuori i nostri nomi?».

«Quando salteranno fuori i nostri nomi sarà saltata fuori anche la Coppo, ridotta a più miti consigli».

«Ancora con questi più miti consigli?».

«Voglio dire che a quel punto sarà inoffensiva, e racconterà che si è persa, per via del maltempo...».

«E se sfruttassimo la faccenda dei cani, ormai lo sanno tutti che ci sono molte persone che cercano la Coppo, sono sicuri che sia stata lei a decapitare i cani».

«Io questa storia non la tiro fuori, tanto i questurini la sanno lo stesso. Io non so niente».

«Ecco, è meglio così, nessuno di noi sa niente e sospetta niente».

«Ok, d'accordo».

«Però domani dobbiamo fare presto».

«Senz'altro».

All'ennesima riunione al Comitato contro la violenza sui cani, anche la gente «comune» voleva esprimere il proprio parere, con disinibizione, come online.

«Per coloro che attuano violenza sui cani, dalla tortura vera e propria all'assassinio, occorre prendere dei provvedimenti, e se non ci pensa lo Stato, allora ci pensiamo noi! Siamo tanti!».

«Sììì!». La folla reagì all'unisono. Erano pronti ad agire.

«Noi siamo qui, e siamo più forti di *loro*!».

Loro chi?, si sarebbe chiesta una persona normale e con uno straccio di equilibrio nella testa, ma di fronte agli orrori capitati, chi poteva restare equilibrato?

«Ci vuole la pena di morte! Pena di morte per chi uccide i cani!».

Un gruppo compatto e particolarmente esagitato pareva pronto a tutto. Alcuni non erano neanche di Treviso.

«Pena di morte! Ghigliottina! Impiccagione! Questa gente non si merita altro». Ormai era difficile tenere sotto controllo le frange più oltranziste.

«Calma, calma amici», si diceva dal tavolo della presidenza. «Occorre essere prudenti, anche nelle affermazioni. La pena di morte in questo Stato non è contemplata. Attenzione alle provocazioni...».

«Ma quali provocazioni? A morte, a morte! A morte il killer, a morte chi uccide gli animali!».

«E chi uccide le persone?».

«A morte anche loro!».

«Pena di morte!».

Gli animi erano surriscaldati, impauriti, esacerbati.

«Quando troveremo l'assassino, sapremo noi cosa farne!».

«Amici, calma, calma, ho una notizia da darvi».

«A morte, a morte! Della notizia non ce ne frega un cazzo!».

«La colpevole, la persona sulla quale si sono concentrati i nostri sospetti...».

«A morte!».

«Ebbene, quella persona è scomparsa, non la si trova più. Potrebbe essere stata rapita».

«Macché rapita, sono stati *loro*. Le hanno permesso di darsi alla fuga».

«*Loro* la proteggono».

«*Loro* le vogliono salvare la vita».

«A morte! A morte!».

«Calma, amici, non precorriamo i tempi. La signora Marta Coppo è scomparsa...».

«A morte! Troviamola noi: chi ci restituirà i nostri cani?».

«Calma, calma!».

«Quell'infame è scappata, ma la troveremo».

«Un momento, amici, ancora non è sicuro che si tratti di lei».

«E allora perché è scomparsa? Perché non viene qui a spiegarci le sue ragioni?».

«Se viene qui la crocifiggo io personalmente».

«Squartiamola, bruciamola! Così impara».

Pareva impossibile che quella platea, così incendiaria, fosse composta da individui la cui età media era intorno ai 65 anni.

«Amici, ci dicono di sloggiare. Le acque stanno avanzando, potrebbe esserci un allagamento!».

«Le solite balle! *Loro* vogliono liberarsi di noi, ma non ci riusciranno».

«Le acque le sollevano *loro*. Vogliono tapparci la bocca!».

«A morte! Ghigliottina!».

Il computer di Barbato aveva lavorato tutta la notte, e il tenente si dispose a leggere le risposte che il software avrebbe dato alle sue domande.

Sapeva benissimo che il primo giro era ciò che di più precario e provvisorio ci potesse essere. Per esempio il software avrebbe sollevato un'infinità di problemi sul modo in cui i dati erano stati riportati, sulle formulazioni.

L'importante e il difficile era inserire i dati oggettivi nel programma, utilizzando le parole chiave adatte, e cercando di fare in modo che ciò non condizionasse il software; per esempio «uccisione tramite decapitazione di un cane» è assai diverso da «uccisione rituale per decapitazione di un cane», così come «uccisione tramite sgozzamento di studente calabrese» è molto diverso da «uccisione tramite sgozzamento di studente calabrese affiliato a cosca mafiosa». Si tratta di interpretazioni che ovviamente mettono il software in situazioni diverse di ragionamento. Comunque le difficoltà dell'interfaccia fra software e personale umano erano state previste e si era cercato di allestire un apposito filtro per evitare personalizzazioni fuorvianti nell'inserimento dati. A parte un enorme manuale online che forniva migliaia di indicazioni ed esempi, naturalmente in inglese, via via che venivano inseriti i dati il programma procedeva con delle domande per perfezionare l'inserimento: per esempio alla voce «uccisione tramite decapitazione di un cane» rispondeva con la richiesta: «Cane di proprietà o selvatico? Cane incensurato? Decapitazione con quale strumento?».

Ma questo passaggio, almeno in via approssimativa, era già stato svolto dal tenente Barbato, che conosceva il software come le sue tasche.

Cominciò a scrollare gli elaborati a partire dai gradi più bassi di probabilità. Il più basso di tutti era ovviamente 0%, il che indicava un rapporto totalmente casuale fra gli avvenimenti; probabilità bassa, sotto il 10%, segnalava invece un nesso debole fra gli eventi, ciascuno non rigidamente connesso con gli altri; e poi, a salire, la probabilità del 20% suggeriva che la morte dei cani non fosse connessa alle morti delle persone, mentre queste erano da considerare tutte connesse fra di loro.

Fra le varie risposte narrative del software c'erano le seguenti.

Ipotesi L13 (probabilità 34%)

C'è una sfida fra due cosche che vogliono controllare il territorio trevigiano, una lo sta facendo (quella di Mestre) e l'altra vuole prenderne il posto (quella di Lamezia).

Probabilmente la lotta di potere è relativa ai nuovi progetti turistici per l'area, finanziati da potenti investitori locali ed esteri, per i quali progetti in zona negli anni futuri si prevede un enorme afflusso di denaro.

La cosca di Lamezia ha inviato degli uomini sul territorio. Botta e risposta. L'uccisione dei due spogliarellisti è un'evidente intimidazione nei confronti di Bustaz, uomo al centro dei progetti e vicino alla cosca di Mestre, ucciso a sua volta.

Le morti dei cani sono atti intimidatori di stampo tipicamente mafioso.

Ipotesi P4 (probabilità 22%)

L'uccisione dei due spogliarellisti trova radici in una storia di fatture non pagate, oppure di gelosie professionali o sessuali nell'ambiente. I due spogliarellisti erano stati convocati da Marta Coppo. Marta Coppo è la responsabile dell'assassinio di Bustaz, intermediario fra lei e gli spogliarellisti.

La signora Marta Coppo è la responsabile della morte dei due così come di quella dei cani, attuata come diversivo. Fra Marta Coppo e le cosche di Lamezia e di Mestre non c'è alcun nesso, le morti dei fratelli Fichichi sono dovute ad altre casualità (memoria esaurita).

Barbato per curiosità guardò anche qualcuna delle ipotesi meno probabili, quelle che andavano genericamente sotto il nome di «altre soluzioni». Ce n'era una particolarmente divertente, anche se poco probabile.

Ipotesi M3 (probabilità 3%)
Il diavolo si è impossessato del territorio trevigiano e colpisce a destra e a manca a suo piacimento. Si muove in maniera circolare, e anche a seconda delle condizioni atmosferiche.

Un'altra era una vera sciarada, a capire che cosa si intendesse dire poteva essere anche interessante.

Ipotesi T24 (probabilità 2%)
Si prevede l'esistenza di «elemento perturbatore», umano, animale o extraumano, un cosiddetto punto di connessione, per ora impossibile da decifrare, dovuto a un altro sistema più grande di dispersione dell'energia. Il perturbatore lavora aggiungendo elementi che tolgano senso all'insieme degli avvenimenti, senso rappresentato proprio dal movimento di escissione attuato dal perturbatore stesso.

Boh? A quel punto, il tenente si dedicò ad aggiustare il tiro, provando a inserire anche altri elementi, per esempio i funerali di un certo Pozzobon, sepolto a Camalò in quei giorni. Inserì molti altri dati, tutto quello che gli veniva in mente o che gli chiedeva il software.

Nessuno gli avrebbe dato retta, ma almeno passava il tempo.

Le ultime ventiquattr'ore di Alba Romagnoli erano state un inferno. Per prima cosa aveva tentato di attraversare a nuoto il locale allagato fino al soffitto. Si era messa in mutande e reggipetto e aveva provato, si era infilata nelle acque gelide e fangose. Ma era difficile muovercisi dentro. Ci riprovò, non doveva essere impossibile trovare l'ingresso, da dove era arrivata. Ma come, alla cieca? Ebbe l'ottima idea di legare uno spago alla scaletta che portava al locale più in alto, quello dove era rimasta prigioniera. Si attaccò la cordicella a un polso. Poi si infilò piano piano nell'acqua. Lì dentro perse immediatamente il senso dell'orientamento: tirò lo spago e riuscì a raggiungere la scaletta. La salì alla disperata. Appena in tempo per tirare il fiato.

Cazzo, qua sotto ci rimango, se non trovo una soluzione.

Provò un'altra immersione, senza alcun esito, anzi questa volta, che si era spinta più in là, senza trovare la porta, credette proprio di morire.

Si lasciò andare, prostrata, dentro lo scatolone che poco prima conteneva le maschere di cartapesta.

Quando si era svegliata era giorno, e dal finestrino arrivava un po' di luce. Trovò un chiodo rugginoso e con questo si mise a lavorare al calcestruzzo dove erano impiantate le sbarre della grata che proteggeva il finestrino. Un lavoro risalente a chi sa quanti anni prima, e quindi fatto bene.

Per fortuna anche la muratura era fradicia, e Alba col chiodo, piano piano, riusciva a scalfirla.

I manager russi, soprattutto quei quattro che erano finiti in laguna, furono condotti nell'hotel più prestigioso della zona, asciugati, riscaldati, vezzeggiati e riforniti di vodka. Per fortuna erano di buon umore, si erano divertiti un mondo a sprofondare nelle aree palustri col ferrarino.

Nell'albergo a cinque, sei stelle ciascuno degli ospiti speciali godeva dei servizi di un paio di escort a testa, ma per la serata era previsto qualcosa di più, vale a dire un assaggio di quella che sarebbe stata l'offerta della Sex City, un insieme di spettacolo, burlesque, musica, intrattenimento e sesso, ma non inteso come un semplice ritirarsi in camera da letto, bensì come attività sociale e culturale, di interscambio e di dimostrazione di potere, che in questi contesti si esprime a suon di dollari. Sembrava un gran lavoro di psicologia, dove il cliente si sarebbe trovato immerso nei suoi sogni, libero di scatenare la sua libido.

I russi presero questa premessa anche troppo sul serio.

Iniziarono a saltare addosso alle escort ancora prima che cominciassero gli approcci, ancor prima che fosse terminata la sontuosa cena. I russi pensavano che facesse parte del servizio, forse avevano capito male, effettivamente anche le traduttrici erano state prese per delle escort e quindi palpeggiate e oltre.

Erano delle ragazze russe o ucraine di bell'aspetto che

studiavano all'Università di Venezia o che lavoravano per qualche azienda del Triveneto.

A parte che i russi volevano coinvolgere anche loro nei riti orgiastici, queste traduttrici, una volta precisato il loro ruolo, avevano un po' perso la bussola perché si trovavano a dover tradurre frasi e richieste abbastanza spicciole, fatte direttamente in camera, nelle suite o nei locali della SPA, o in altri luoghi dedicati, così probabilmente si erano un po' confuse nella traduzione, o non avevano capito se le frasi erano rivolte a loro o alla persona che era nel locale insieme al cliente.

I manager russi, che erano un po' maneschi di natura, avevano perso il controllo residuo, tanto che cominciarono a manifestare comportamenti violenti sulle prostitute.

«No, questo no», urlò una escort di Lugo di Romagna, e la traduttrice tradusse istantaneamente. Il russo si indispose, e cominciò a menare le mani. Intervennero dei bodyguard ma gli organizzatori si affrettarono a cercare di far capire che i clienti andavano sempre rispettati e i loro desideri accontentati. Ci sarebbero stati risarcimenti in contanti per le escort malmenate, quelle che ne uscirono infortunate vennero portate via e sostituite.

Uno dei russi propose, anzi pretese, che due ragazze italiane di quelle appena arrivate si disponessero in una certa maniera e chiese una prestazione che la traduttrice non sapeva proprio come rendere in italiano. Probabilmente le escort capirono il contrario di quello che si chiedeva loro, e il russo si sentì preso in giro.

Carico di sostanze psicotrope com'era sollevò un putiferio, cominciando a menare colpi con un lampadario da terra, che poi buttò, ancora attaccato al filo elettrico, nella piscina riscaldata, un'enorme jacuzzi, nella grande suite dove impazzavano i festeggiamenti.

Ci fu un cortocircuito, andò via la luce in quasi tutto l'albergo, e da quel momento iniziarono scene, invisibili perché era buio, di violenza incontrollata.

Successe un finimondo, un fuggi fuggi, e i russi si dedicarono a distruggere l'hotel, selvaggiamente, spaccando tutto quello che riuscivano a spaccare.

Uno di loro in piena eccitazione uscì dall'albergo, sotto la pioggia, completamente nudo e inalberato. Si mise a correre per la strada, senza sapere più chi fosse e dove si trovasse. Fermò un'auto a bordo della quale c'era un gruppo di calabresi, i quali si infastidirono per le azioni di questo pazzo, che picchiava sul parabrezza della loro macchina e che urlava come un porco scannato. Uscirono dall'auto e lo massacrarono di botte. Poi se ne andarono, lasciando il manager sanguinante sull'asfalto.

«Ma che testa di minchia», commentò il più anziano dei calabresi, che aveva ben altre cose a cui pensare.

I bodyguard privati, armati fino ai denti, insieme agli agenti di pubblica sicurezza dispiegati per l'occasione, ebbero il loro daffare per riportare la situazione alla calma, e i russi nelle loro rispettive camere. Il manager che era rimasto privo di conoscenza su una banchina stradale, in mezzo a una pozza di fango, fu ritrovato soltanto dopo un paio d'ore.

La notizia dello scandalo ormai aveva già fatto il giro di tutta la penisola: «Una vergogna!», «Una situazione inaudita!».

Era in corso una riunione in casa Tomat. La morte di Bustaz aveva scombussolato tutti i piani, e l'incontro con gli investitori russi non pareva aver dato i frutti aspettati. Ma Walter di che cosa fu detto in quella riunione non riuscì ad ascoltare niente, la casa era ben munita. Poteva anche disfarsi dei tre o quattro uomini della security che la sorvegliavano, ma a che scopo? Controllò il parco macchine della famiglia Tomat. Aveva un'idea in testa, ma non ne era convinto al 100%, forse era meglio partire subito. Per un verso si stava facendo trascinare da insane emozioni, soprattutto da un po' di rabbia e dal desiderio di saperne di più, che probabilmente non avrebbe portato a niente. Ma non gli andava giù che al suo primo incarico lo avessero incastrato così malamente, la faccenda oscurava tutta la sua carriera. Sto proprio invecchiando, pensava, mentre al volante cercava di tornare a casa. Dovette fare un giro strano perché molte strade non erano percorribili. In macchina c'era il suo bagaglio striminzito, già pronto.

Anche il sindaco di Jesolo aveva fatto le valigie ed era in partenza per una destinazione conosciuta solo a lui. La sera intimò alla sua famigliola di fare altrettanto, alle due di notte partirono in macchina, una Audi A8 familiare.
«Ma papi, dove andiamo?».
«In un posto bello, in Danimarca».

8
La differenza fra massacro e carneficina

Fratelli e sorelle,

l'Apocalisse! L'Apocalisse! Ieri ormai l'apocalisse è arrivata a Treviso, si è forse aperto il Settimo Sigillo? Avete visto che cosa è successo ieri nella nostra città? Un orda di slavi, di apostati ha invaso la città, corteggiata, vezzeggiata dalle autorità che ci governano e che ci impongono l'arte degenerata e che mirano solo alla materia, all'arricchimento, al piacere erotico. Gli Unni hanno messo a ferro e fuoco la nostra città già martoriata, ridotta a una Sodoma e Gomorra. Qual è lo scopo di ergere dei grattacieli in una località balneare? Sono le nuove torri di Babele? Una Babele intrisa di vizio, di perdita del senso dell'Amore, quello che Cristo ci ha insegnato.

Devo forse ricapitolarvi lo scempio che è avvenuto nella nostra città nei giorni scorsi? Una sequenza di avvenimenti che noi abbiamo fin da subito stigmatizzato, ma chi, chi ci ha seguito, chi ci ha dato ascolto?

Ci siamo subito resi conto che ormai l'Apocalisse è arrivata nella nostra città di Treviso. La morte si è stabilita nei nostri territori, e colpisce a destra e a manca, senza pietà.

413

Il diluvio sta per distruggere tutto. I fiumi sono usciti fuori dall'alveo naturale e mietono vittime.

Adesso il Male si è insediato nelle nostre case, nelle strade, forse è anche qui, nella casa del Signore.

Quante sono già le vittime che si contano in questi giorni, annunciate dalla morte di tre creature innocenti, i cani? Quanti sono i nostri fratelli che sono morti?

Il giovane sgozzato, restituitoci dalle acque del Sile, non è stato che il primo. Un nostro illustre concittadino ha trovato la morte in mezzo alle fiamme. Devastazioni! Acque e fuoco, che altro si riserva a questa città corrotta dal peccato?

Una grandissima esplosione ha tolto la vita a un altro individuo, proprio nel cuore della nostra città. Si parla di vendette mafiose, di organizzazioni criminali, e cosa sono queste se non il Male incarnato? E il Male pervade Treviso.

Due giorni fa due persone anziane, due onesti lavoratori della terra, sono morte crivellate di colpi, chissà da chi, chissà perché.

E una signora è scomparsa, forse rapita, forse uccisa.

Ma fosse solo questo! Due giovani maschi, due corpi vendoli abituali, sono stati ritrovati dentro due opere d'arte di un discusso artista inglese, immersi nella formalina. Ah, fino a che punto può arrivare la degenerazione del genere umano! Due morti diventano delle opere d'arte! O Dio mio, ti chiedo pietà per l'abiezione dei nostri fratelli congeneri.

Che altro dobbiamo aspettare? E un'orda di slavi ha messo a ferro e fuoco la città, devastando i postriboli, affogando nel vizio, nel lusso e nella lussuria. E il nostro po-

polo si prostra davanti a questi selvaggi. Offre a loro le loro mogli e le loro figlie, in cambio di sacchi d'oro, che dovrebbero servire a fare di questa città un supermercato del vizio, un lupanare all'ennesima, una moderna città postribolare.

Oh Signore, proteggici dal Maligno. Il Maligno è penetrato nelle nostre famiglie, nei nostri campi, nei nostri centri commerciali. Pentiamoci! Siamo sempre in tempo per farci perdonare dal Misericordioso. Urliamo la nostra preghiera al Signore: perdonaci!

Don Carlo Zanobin
Omelia del celebrante
Parrocchia di *** (TV)

Dieci millimetri l'ora il dato pluviometrico. Umidità del 98%, temperatura 12 gradi centigradi. Venti da moderati a forti da sud-ovest, con raffiche intorno ai 55 chilometri all'ora, pressione atmosferica 976,25 hpa (hettopascal, che equivalgono ai millibar), radiazione 85 w/m^2, radiazione UVB 0,65 indice UV, illuminamento 11.600 lx, mari da molto mossi ad agitati.

Insomma ancora nuvole plumbee e cateratte del cielo aperte, un clima degno di evento a carattere di tifone nelle zone equatoriali.

Dunque in queste condizioni al mattino la delegazione degli investitori russi fu riaccompagnata all'aeroporto di Venezia, con delle auto blu della Regione, della Provincia e del Comune. Nonostante la situazione climatica fosse simile a quella del giorno precedente, questa volta la cerimonia di saluto si svolse in tono decisamente minore, anzi non ci fu per niente. I russi erano in cattive condizioni, rimbecilliti e malconci. Uno di essi era veramente ridotto male, lo avevano pestato proprio bene, e lo si dovette caricare con una barella sul jet privato, coperto da un telo argentato. E dire che proprio quel signore era l'elemento di spicco di tutta la delegazione, quello che aveva espresso l'intenzione di investire svariate centinaia di milioni nell'affare Jesolo, ma a questo punto probabilmente aveva cambiato idea.

Adesso i russi erano in partenza per nuove destinazioni, se ne andavano a dare un'occhiata ad altre località dove investire, forse a Singapore o in Vietnam, posti che già in partenza gradivano di più e che sicuramente avevano messo in piedi comitati di accoglienza assai meglio organizzati.

Tuttavia il meteo non era tale da consentire la partenza, dalla torre di controllo si negava l'accesso alla pista al turbogetto privato. Il pilota fece presente il fatto ai miliardari viaggiatori. Questi si infuriarono e cominciarono a lanciare strali, per telefono, in ogni direzione, loro dovevano andarsene per forza e questi italiani avevano proprio rotto i coglioni. Partirono chiamate per l'ambasciata, per la delegazione russa alle Nazioni Unite, per il Cremlino. Alla fine il permesso di decollare arrivò.

L'aereo si mosse e raggiunse sobbalzando la pista di decollo. Partì, nonostante ci fosse un vento molto deciso. Appena sollevatosi, raggiunta la quota dove il vento tirava più forte, cominciò a traballare, come se fosse ubriaco di vodka anche lui, quindi si allontanò. E probabilmente si allontanarono anche le speranze per la Fondazione e il megaprogetto Sex City, almeno così pensò l'unica autorità presente alla partenza, l'assessore al Benessere del Comune di Jesolo.

I calabresi di Lamezia Terme erano sul posto con una mezz'ora di anticipo sull'orario stabilito. Quelli di Mestre avrebbero preferito che l'incontro avvenisse nella loro roccaforte, vale a dire un magazzino di svariate migliaia di metri quadri presso una banchina di Porto Marghera, un luogo squallido e solitario sotto il loro controllo, ma questo non era possibile per le condizioni climatiche, l'acqua era salita e aveva allagato tutto.

Non è che quell'enorme magazzino fosse comodo o particolarmente sicuro, ma a quelli di Mestre avrebbe fatto piacere impressionare quegli zotici di Lamezia con uno spazio enorme al centro del quale c'era una fratina del Quattrocento e dei lampadari di Fontana, sembrava di essere in un film di Scorsese. Ma purtroppo c'era l'acqua alta, e il luogo non era sicuro.

Dal canto suo Guelfo Fichichi aveva messo in campo tutte le sue risorse per organizzare l'incontro con quelli di Mestre, o di Porto Marghera, per meglio dire.

Erano intercorse numerose telefonate per organizzare *u' mitìng*. A mettere in contatto Fichichi con il gruppo di Mestre era stata una figura remota e importante che aveva garantito e permesso la riunione, con l'accordo che quelli di Lamezia non avrebbero dovuto fare casino, e qualsiasi impressione o decisione doveva prima essere sottoposta al suo parere. Fichichi era uno che contava poco, e in discesa, oltretutto aveva due figli stupidi, che infatti avevano fatto una brutta fine. E di avere due figli stupidi ne era perfettamente consapevole, ciononostante il suo obiettivo era preciso. Lui deteneva alcune convinzioni intuitive.

E dunque l'incontro si svolse in terra neutrale, ad Asolo, amena località ai piedi dei rilievi del Grappa, lontano dagli sguardi indiscreti e al sicuro dagli allagamenti, in un hotel-pensione-ristorante gestito da amici.

Fichichi entrò nel locale insieme a due suoi uomini, Santino e Giuseppe, il sordo. Si controllò che non fossero armati. D'altronde Fichichi veniva per chiedere aiuto, non per fare casino. Tutti sapevano che a Treviso avevano perso la vita due suoi figli, ma per circostanze che con l'attività dei calabresi di Porto Marghera non avevano niente a che fare, almeno a quanto si sapeva. Certo, c'era di mezzo Bustaz, e questo era affare serio.

Fichichi spiegò lentamente, e con una prosopopea tutta meridionale, alla quale quelli di Mestre non erano più abituati, quale fosse la situazione. Suo figlio Salvatore era emerso dalle acque, qualcuno l'aveva sgozzato e buttato in una roggia, con un peso legato alle gambe. Marino, che era venuto su a Treviso a fare il riconoscimento, lo avevano fatto esplodere in grande stile con la sua macchina, una roba vecchia maniera, volta a ottenere un grande effetto sulla comunità e sull'opinione pubblica. E allora voleva vederci chiaro. Non era un segreto che Salvatore, il piccolo, fosse stato mandato a Padova a studiare, affinché se ne rimanesse assolutamente fuori dagli affari di famiglia. E Marino, qualsiasi cosa avesse fatto a Bustaz, lo avevano fatto saltare in aria, erano questioni private?

Quelli di Mestre non capivano granché, perché loro in realtà con l'omicidio Bustaz e con l'attentato dell'hotel Parc e du Lac non c'entravano niente. Era evidente che la situazione a loro non piacesse proprio, perché avevano affari in tutta la costa veneta, e questo casino non lo gradivano assolutamente, anche se dovuto a questioni private. Lo attribuivano a cani sciolti, a imbecilli di piccolo cabotaggio, pur dotati di una immensa riserva di esplosivi.

«Ah, i miei figli sarebbero imbecilli di piccolo cabotaggio?».

A Fichichi padre cominciavano a girare i coglioni.

Secondo il suo modo di vedere i calabresi di Mestre sembravano tutti dei ricchioni, parlavano in modo affettato e con vocette effeminate, è vero che erano da vent'anni in Veneto, ma i veneti, maschi e fimmini, sembrano tutti ricchioni, ma che uomini erano... e poi parlavano, parlavano, senza dire niente. E qualcuno gli aveva ucciso due figli!

«È stata una gran monata, solo una gran monata, sior Fichichi, qui noi niente podemo far, anche con tuta la bona volontà che tenemo. E di Bustaz non volemo saver niente, ma lo sa chi era Bustaz? Mo' verrà qualcun altro, dalla famiglia che qui gestisce tutt'e cose, ma ci sarà un periodo difficile, anche per noialtri».

Ai calabresi mestrini integrati quella banda di contadini violenti faceva ribrezzo. Nel corso degli anni si erano ingentiliti, e dicevano addirittura grazie e prego, erano abituati a trattare a ben altri livelli.

Cominciarono a parlare di questi sloveni e dei croati, che in zona gli davano dei problemi, e si chiedevano se Salvatore e Marino, anche se a titolo del tutto personale, fossero entrati in contatto con quella gente, quelli sapevano come fare a illudere qualcuno di contare qualche cosa quando invece non contavano niente. Il Fichichi fece finta di non aver sentito, si sforzò di avere pazienza, erano lì per saperne di più, non per fare casino, ma la tensione stava salendo.

Passò un'altra mezzoretta di frasi smozzate e di nulla di fatto, quei fighetti garrusi di Mestre non sapevano niente o perlomeno non si sbottonavano. Sì, Bustaz lo conoscevano bene e anzi lavoravano con lui da anni. La sua morte li metteva in difficoltà perché lui gestiva i rapporti con gli enti locali, la prefettura e la questura. Ma questo non lo andarono certamente a dire a Fichichi. Loro pensavano che i figli di Fichichi si fossero messi nei guai con gli sloveni e con i croati a causa di qualche troia, o di qualche lite da bar. Erano delle mezze calzette, almeno su Salvatore ne erano certi, anzi qualche volta l'avevano anche protetto, tirato fuori da piccoli casini al topless bar, alla sala da gioco, roba da ubriachi o da gente che si era fatta una pista di troppo. Di Marino sapevano poco, solo che era venuto con un altro e si era subito fatto riconoscere, anche soltanto per come si vestiva.

Gli uomini di Mestre avevano imparato a Venezia come ci si veste, e detestavano il look da burini che certi loro conterranei esibivano quando venivano in trasferta. Loro si servivano nelle migliori sartorie di Milano, o di Londra.

«Aveste visto come si conciava Salvatore, per non parlare di Marino: è arrivato il mafioso, si è detta la gente di qui appena lo ha visto, sembrava la caricatura del mafioso...».

«Ah, perché secondo il vostro parere voi siete eleganti?», disse Guelfo, che non aveva ben assorbito l'affermazione, ed era sul punto di scoppiare. Pensava ai suoi due figli maschi, ne aveva altre tre, femmine, e questi stronzi ti venivano a dire in faccia che erano dei pecorai di provincia che si facevano riconoscere. Guelfo sapeva che ciò non era affatto lontano dalla verità, ma come si permettevano questi quattro stronzi rifatti di dire cose del genere?

Fu proprio sulla questione del modo di vestire e dei modi urbani che ci fu una piccola frizione, che Santino avvertì all'istante, Guelfo si mantenne in silenzio, e questo per Santino rappresentò il segnale.

Senza farsi vedere tirò fuori dallo stivaletto una piccola automatica e cominciò a sparare. A quel segnale gli altri tre uomini dei Barbacane che erano fuori si precipitarono dentro e con i loro fucili mitragliatori spazzarono via i quattro boss di Mestre. I due guardaspalle che stavano fuori erano già morti.

Questi sono i risultati dell'imborghesimento e dell'infiacchimento di chi non è più abituato a regolare i suoi conti da solo, ma delega tutto a una sottogerarchia di operatori dei quali ha perso il controllo, come del resto è successo all'Impero romano.

Il ristoratore di Asolo era stravolto e non sapeva cosa avrebbe dovuto fare. Chiamare la Polizia? Chiamò invece i sottotenenti serbi che usualmente gestivano questo genere di affari per i calabresi di Mestre. Due di loro erano già morti fuori del ristorante, mentre parlavano del campionato di calcio con quei ragazzi del meridione, quasi fossero autisti di pullman che aspettano che la comitiva di turisti finisse di mangiare.

A bordo di grossi SUV BMW una mezza dozzina di sottotenenti serbi di rinforzo, armati di fucili mitragliatori, arrivò sul posto troppo tardi, ormai il massacro era stato consumato, e gli autori se n'erano andati via. All'interno del ristorante trovarono una scena raccapricciante, cadaveri abbattuti da pallottole, prevalentemente in testa. Anche qui si scatenò una sequela di telefonate, per riferire e chiedere istruzioni sul da farsi. I serbi erano parecchio indisposti della piega che aveva preso la situazione, e che due di loro fossero stati fregati in quel modo, erano furiosi. Il ristoratore se ne stava con le braccia dietro la schiena, come faceva quando aveva clienti di riguardo e lui chiedeva se andava tutto bene. I serbi, non sapendo su chi altro sparare, spararono su di lui. Aveva visto troppo.

Poi partirono in gran tromba, per non farsi trovare sul posto dalla Polizia e per andare alla ricerca di quei maiali calabresi.

Sta di fatto che i Fichichi fuggirono da Asolo senza aver fatto alcun avanzamento nelle loro indagini. Mica sapevano come erano andate le cose. A parte l'intuizione di Guelfo, e cioè che quelli di Mestre ne sapevano qualcosa ed erano degli arricchionati, niente era emerso dalla riunione.

Col furgone Mercedes e con un'altra Mercedes nera berlina raggiunsero velocemente un posto sicuro, il retro del supermercato Pasino, in località Cittadella, nota per le sue strutture murarie del Duecento.

A questo punto era meglio non farsi vedere in giro, ma volevano capire meglio, specialmente chi fosse questa Stefania, che bombardava di telefonate e messaggini il bel Salvatore. Ne conoscevano l'indirizzo, glielo aveva dato lei, contattata telefonicamente.

Guelfo non se ne ritornò affatto all'ospedale di Verona, gli infermieri, lautamente ricompensati, avrebbero giurato che lui non si era mai assentato dal reparto. Di lì a poco, guidati da Santino, si sarebbero mossi, col furgone, per andare a parlare con questa Stefania, che abitava nella periferia di Treviso.

Walter era seduto al posto di guida e stava pensando alla famiglia Tomat e a Marta Coppo, fermo, nel parcheggio sotterraneo del centro commerciale. Cercava di capire quale nesso ci potesse essere fra la signora e la ricca dinastia, ma ancora non era arrivato a una soluzione. Trovarsi in quel parcheggio non gli piaceva, ma non c'erano alternative. Era esposto, là sotto, se avessero voluto lo avrebbero sistemato con tranquillità.

Un'Alfa Romeo non nuovissima posteggiò proprio accanto a lui, eppure il parcheggio era mezzo vuoto.

Il guidatore scese e guardò Walter, attraverso il finestrino. Lo fissava con insistenza. Walter infilò la mano destra nel giubbotto, stringendo la Desert Eagle.

Ma questo che fa?, pensò.

Il tipo gli bussava al finestrino. Walter ebbe un attimo di indecisione. Sparargli subito in testa? Ma no, questo era troppo, adesso per eliminare qualcuno gli si bussa al vetro?

Il tipo, tarchiato, dall'aspetto meridionale – un calabrese? – lo guardava e quasi sorrideva.

Walter aprì il finestrino elettrico.

«E mi sembrava! Mi pareva proprio! Ma sei veramente tu?».

Walter scrutò il soggetto, non pareva armato, ma che caz...

«E allora, come va?».

«Prego?».

«Ciao, non ti ricordi di me?».

Galati guardò negli occhi il tipo, ci voleva anche questa.

«No, veramente no».

«Eh, io sì, io una faccia non me la scordo facilmente, non ti ricordi?».

«No...».

«Ma non ti ricordi, a scuola, dai... tu sei... ora il cognome non mi viene in mente... per i nomi sono negato, ma le facce... e poi sei rimasto uguale... uguale preciso... eh, forse io invece sono molto cambiato... ci credo che non mi riconosci... con tutte quelle che ho passato... giro parecchio... tu sei... fammi ricordare, di cognome fai...».

«D'Oriano, Roberto D'Oriano, e tu chi sei?».

«D'Oriano, come no! Eh, prova a indovinare, comincia con la emme».

«Ma..., Me..., non sarai mica il Meschini?».

«E vedi che ci sei arrivato! Sono proprio io, Mario Meschini, come mi fa piacere che ti sei ricordato, che fortuna aver ritrovato proprio te... e come te la passi? Hai messo su famiglia?».

«Mah, ho moglie, ma non ho figli».

Walter era un po' disgustato che ci potesse essere gente che per campare si arrangiava con queste piccole truffe, il vecchio compagno di classe. Io dico, pensava, se devi fare un colpo che abbia un senso, come remunero. Altrimenti è soltanto un'umiliazione. Il vecchio compagno di classe...

«Mamma mia quanto tempo è passato... il D'Oriano, Roberto D'Oriano... Roby... son passati più di trent'anni... e che fai nella vita?».

Walter pensava che se era un caso era veramente incredibile. Ma tutte a lui dovevano capitare? Cercò di pensare il più rapidamente possibile: cosa stanno cercando di fare? Di farmi uscire? Mi vogliono vivo? E come pensano che almeno questo stronzo non lo faccia fuori? Se invece è un caso, come posso, senza fare tanto rumore e senza farmi notare, utilizzarlo a mio vantaggio? Non ragionò sulle probabilità ma sui fattori di speranza. Poteva solo sperare che quel coglione con l'Agenzia non c'entrasse niente, altrimenti la faccenda finiva in quel garage.

«Rappresentante di commercio», rispose.

«E in che settore sei?».

«Abbigliamento». Di solito in questi casi a un certo punto saltano fuori dei giacconi di pelle.

«Abbigliamento? Ma non è possibile! Anch'io mi occupo di abbigliamento. Sono a Treviso proprio per questo».

Walter desiderava che quel truffatore se ne andasse al più presto, ma non poteva fare scenate, tantomeno farsi notare.

«Beh, Roberto, lo sai che mi è successo?».

«E come faccio a saperlo, Mario?».

«Ho una macchina piena di golf di cachemire, e sono venuto fin qua a Treviso a consegnarli, ma la ditta che me li ha chiesti è chiusa per gli allagamenti, tu non è che sapresti come posso fare... ho questo carico che vale migliaia di euro, guarda, se vuoi te lo faccio vedere».

«Ah, golf di cachemire, avrei pensato capi in pelle».

«In pelle? No, no, qui ho solo doppio cachemire 100%. In macchina ho un capitale, sai, non c'è fattura o bolla di consegna».

«Eh, dillo a me».

Walter a questo punto pensava che restare lì a parlare con quello stronzo poteva quasi trasformarsi in un vantaggio, per lui. Che ne sapevano *loro* di chi era quello stronzo?

«Che fortuna averti trovato, guarda, io da queste parti non conosco nessuno, dovevo solo fare questa consegna e incassare e via, con questo tempaccio, qui ci voglio restare il meno possibile».

«Insomma, sei senza soldi, non hai neanche gli euro per pagare la benzina e l'autostrada, e allora vorresti che te li prestassi io, però tu mi dai due golf di cachemire del valore di 500 euro l'uno, è così?».

Il sedicente Meschini ebbe un barlume di sospetto, un minimo di incertezza, come faceva quel cretino a sapere già tutto? Ma continuò nella sua manfrina.

«Figurati, ma visto che sei nell'abbigliamento mi puoi aiutare, almeno ad arrivare fino a Varese, lì ho un cliente, però tu potessi prestarmi trecento euro mi faresti davvero un favore, io ti do un assegno, hai contante?».

Walter sentì il rumore di una macchina di grossa cilindrata. Era una enorme Cadillac Escalade che procedeva a bassa velocità dentro il parcheggio. No, questi non li aveva mai visti, ma sembravano slavi, e pattugliavano il sotterraneo. Tenevano le armi sotto il livello del finestrino, ma si vedeva benissimo che ne avevano, ed erano parecchio in tensione. Degnarono il Meschini appena di uno sguardo, poi si concentrarono su Walter. La Cadillac si fermò, a motore ancora acceso. Walter ebbe cura di stare sempre coperto dal Meschini, che non aveva capito un cazzo.

«Ok, monta in macchina con me, vieni, che andia-

427

mo fino a un Bancomat, con me ho solo 100 euro, ma quei cachemire, poi, me li fai vedere?».

Il Meschini cominciava ad avere qualche dubbio, si guardava un po' intorno, quella macchinona con cinque persone a bordo restava là, ferma, sembrava fargli la posta. Che li avesse chiamati il D'Oriano? Ma come aveva fatto?

Salirono sulla Volskwagen di Walter, che lentamente inserì la prima. Il SUV era sempre lì, fermo.

«Meschini, te lo dico per la tua salute, è meglio che usciamo di qui, e tu non agitarti».

Meschini vide distintamente la pistola nella cintura dei pantaloni di D'Oriano, e cominciò a sudare.

Presero la rampa elicoidale, e senza accelerare troppo arrivarono all'uscita.

A quel punto Walter aumentò un po' di velocità, si allontanò di un chilometro o due.

Si fermò e disse a Meschini che poteva scendere.

«E il Bancomat?».

«Scendi subito e fatti il segno della croce, Meschini».

«Ma come, mi lasci qui in mezzo alla pioggia! E la macchina come la recupero? E i trecento euro?».

Walter dette una spinta allo sportello, e una a Meschini.

«Scendi e ringrazia la tua buona stella, Meschini. E poi ai tempi della scuola mi sei sempre stato sul cazzo».

Meschini scese, stordito, e si rincamminò verso il centro commerciale, sotto uno scroscio d'acqua.

Domenica mattina, ancora pioggia, sembrava impossibile. I Quattro alle otto e mezzo erano convocati dal vicequestore Mattighello, in assenza del direttore dell'ufficio dislocato dell'INPS, per chiarimenti sulla vicenda Coppo.

Il marito e la figlia della Coppo erano arrivati a Treviso, dopo la scomparsa. Nei giorni precedenti l'avevano sentita un po' tesa, per il suo incarico, e occorreva vederci chiaro, era fuggita? O peggio?

Il coniuge, Sebastiano, un cristone alto più di un metro e novanta che di mestiere faceva il geologo, era smarrito e assai preoccupato per la moglie, mentre la figlia, Giada, sembrava aver paura di tutto e piangeva a dirotto. Ma questi due e la Banda dei Quattro non si incrociarono.

I Quattro furono sentiti uno alla volta, da un tenente giovane che non sembrava capirci niente e che faceva strane domande, come per esempio se secondo loro la Coppo avesse una particolare avversione per i cani, oppure se erano a conoscenza del fatto che l'impiegato Galati Walter, proprietario di uno dei cani decollati, fosse un appassionato di pesca. Poi il tenente chiese loro se sapevano che la Coppo era venuta a Treviso per un'ispezione, e che cosa questa riguardasse. Era una domanda un filino più maliziosa, ma i Quattro risposero, come un sol uomo, anche se l'interrogatorio era individuale, che no, non ne sapevano niente, e che Walter Galati non c'entrava assolutamente, fra l'altro era in ferie.

Il tenente Barbato annotò su un suo quadernetto che quei quattro alle domande chiave avevano risposto esattamente nella stessa maniera. Avrebbe voluto chiedere al suo software quante probabilità c'erano che quattro persone rispondessero alla stessa identica maniera senza essersi messi d'accordo. E soprattutto, perché?

Fra l'altro, nel mezzo delle conversazioni informali col Barbato, in questura esplose un gran casino. Il tenente fu richiamato d'urgenza, perché evidentemente c'erano delle novità, che riguardavano la strage di Asolo, ma di questo la Banda dei Quattro non venne informata, almeno non nell'immediato. Furono lasciati lì, in sala d'attesa, senza sapere perché e percome.

Barbato fu inviato ad Asolo, per cercare di capirci qualcosa, lui in macchina aveva già caricato i dati sul computer: strage, 7 morti, 6 dei quali appartenenti a clan malavitoso di Porto Marghera, più il ristoratore; missione venuta da fuori, professionisti, resa dei conti, connessioni con morte Bustaz e visita delegazione investitori russi, e così via.

Quando Barbato arrivò sul luogo della strage, o del massacro, per meglio dire, si sentì male. Ebbe un mancamento, c'era sangue da per tutto, nel ristorante di Asolo. Sette corpi crivellati, due fuori del ristorante e cinque dentro.

Così avvenne che i Quattro non azzeccarono le previsioni sul tempo che avrebbero trascorso in questura, alla fine ci passarono tutto il giorno, nella sala d'attesa, non gli fu dato il permesso di assentarsi, per tornare in un altro momento. Così non riuscirono a tornare dalla Coppo e tutto venne rimandato al giorno dopo.

«E come facciamo adesso? Chi ci va a darle da mangiare?».

«Ah, io no di sicuro, stasera ho il saggio di danza di mia figlia».

Il sindaco Culicchia era partito con l'intera famiglia alla volta della Danimarca, non si sa come mai terra di accoglienza da sempre per i fascisti o le persone che hanno dei conti in sospeso con la giustizia in Europa, oppure con altri gruppi di potere. Il viaggio si presentava come lungo e veramente faticoso e stressante, i bambini già prima di varcare il confine con l'Austria erano allo stremo, la moglie anche, soprattutto perché il marito era stato piuttosto elusivo nelle spiegazioni, il che la aveva sufficientemente terrorizzata.

«Siamo tutti a rischio di vita», le aveva detto, «ed è meglio togliersi di qui, hai visto che cosa è successo?».

«Sì che l'ho visto, ma tu che c'entri?».

«Io non c'entro niente, ma vaglielo a spiegare a loro».

«A loro chi?».

«A loro, no? Possibile tu non capisca? Ci sono di mezzo persone che non ci mettono niente a buttarci tutti e quattro in una vasca di acido».

«Oddio, Toni, ma che hai combinato?».

«Io? Io proprio niente. Io mi sono fatto un culo enorme per la mia città, io ho dato tutto. Ma è colpa mia se Jesolo è in mano alla mafia? È colpa mia?».

All'altezza di Innsbruck i bambini dormivano della grossa. Poco dopo si fermarono a un'autostazione, superato l'ex confine con la Germania.

«Ma che ci facciamo in Danimarca?».

«Beh, rimaniamo lì per un po' e stiamo a vedere, nessuno ci troverà, penseranno che siamo rimasti affogati negli allagamenti».

«Ma i bambini potranno andare a scuola? E che fanno, devono imparare il danese?».

«Ma no, ci sono le scuole internazionali, parleranno l'inglese».

«Ma loro l'inglese mica lo sanno, che hai combinato?».

«Preferisci che imparino il danese o che muoiano?».

«Caro, io ho estrema fiducia in te, ma ammetterai che qualche spiegazione tu me la debba, no?».

«Non ti preoccupare, in Danimarca ci sarà tutto il tempo per darti delle spiegazioni, ma sappi che in linea di massima tutto dipende dalla sfortuna».

«La sfortuna? Ma Toni, sei scemo?».

In effetti dopo un centinaio di chilometri forarono una gomma, proprio nel mezzo dell'autostrada.

«Anche questa ci voleva...», commentò il sindaco, che indossò il giacchettino catarifrangente come da normative europee.

Subito si fermarono due auto della Polizia stradale tedesca, che accesero i lampeggiatori e alzarono barriere di torce luminose e cartelli, come se ci si trovasse sul luogo di un gravissimo incidente.

Toni cercò di spiegare, in italiano, che avrebbe provveduto alla sostituzione della gomma da solo, ma quelli non lo capivano, e anche se lo avessero capito non glielo avrebbero permesso. Poi un agente ebbe un'idea geniale, telefonò a un suo amico di origine italiana perché intervenisse, per telefono, come traduttore.

Insomma l'intera famiglia fu condotta a Rosenheim, in un albergo, mentre la macchina era stata portata via dal carroattrezzi.

Nessuno quel giorno venne a trovare la dottoressa Coppo, nel suo isolato rifugio e prigione. Questa volta non riuscì a sciogliersi di nuovo dai suoi vincoli, era assicurata alle sbarre metalliche che sostenevano il pagliericcio, sul quale purtroppo aveva dovuto urinare. Non c'erano più neanche le gatte a tenerle compagnia, eppure lei resisteva, perché la sua indole glielo imponeva. Nelle ore precedenti non aveva mai creduto, neanche per un minuto, che in quelle condizioni lei ci potesse rimettere la vita. Adesso invece cominciava a pensarlo. Mentre prima era certa che i rapitori fossero in errore, che avessero preso di mira la persona sbagliata, adesso era sicura che si trattava proprio di lei. In realtà l'avevano rapita proprio per il suo incarico all'interno dell'INPS di Treviso. E se al centro dell'operazione ci fosse stato proprio il Galati? Era un caso che l'avessero sequestrata mentre si stava recando all'appuntamento con questo dipendente di basso livello?

In realtà quello che lei pensasse di preciso non lo può sapere nessuno, e non possiamo neanche interpretare la sua posizione in base ai suoi gesti, o alle sue parole, secondo l'assunto fondamentale che bisogna mostrare e non dire. Lei in queste ore non poteva fare assolutamente niente, soltanto aspettare che qualcuno arrivasse e che succedesse qualcosa. Ma quel giorno non successe assolutamente niente, non arrivò nessuno, e l'unica novità era che il rumore delle acque che sfioravano la finestra era sempre più forte.

La sua dedizione al lavoro e la sua integrità erano proverbiali, e lei ci teneva a mantenere questa reputazione. Eppure non era una scema, qualche cosa aveva capito, e cioè che se da questa faccenda fosse riuscita a cavarne le gambe ne sarebbe venuta fuori con un grosso colpo alla sua credibilità. Adesso si avvicinava a capire che quello che aveva scoperto le si sarebbe ritorto contro, e avrebbe infangato la sua reputazione, come se lei fosse complice delle storture che aveva scoperto, e capiva che le persone che aveva sotto tiro per gravi inadempienze dolose erano pronte a tutto. E che avrebbe potuto fare lei?

Si sentiva mancare, su quel pagliericcio. Forse il giorno prima avrebbe fatto bene a buttarsi nel fiume, in quell'unica occasione di fuga, e invece era stata bloccata dalla paura.

E paura l'aveva anche adesso. Per un verso temeva il ritorno dei suoi aguzzini, per un altro sperava che avvenisse il più presto possibile. Cedere? Venire a patti? Era questo a cui ambivano, venire a patti, eppure lei non ne voleva sapere. Per questo l'avevano lasciata lì da sola, in mezzo alla sua pipì, perché arrivasse alla conclusione che era meglio capitolare.

Le pareva di delirare, era talmente spossata che il sonno aveva la meglio su di lei, ma un sonno malsano, una confusione di veglia e di assopimento, e di sogni, che puntualmente le ricordavano di essere perduta. Sognava di fare un viaggio per una destinazione lontana, forse una vacanza. Il problema si poneva al momento del ritorno, lei cercava di rifare le valigie ma tutta la sua roba era lontanissima dal poterci entrare. Non riusciva a fare i bagagli, perché le sue cose, che erano le stesse del viaggio di andata, non entravano più nella borsa. E il tempo passava, e lei aveva la sensazione di non riuscire a fare in tempo a prendere il treno o l'aereo di ritorno.

Si svegliava, sconvolta da questi sogni, che non riusciva a mettere da parte, a superare, perché si confondevano con l'incubo che stava vivendo.

I ratti tornarono nella sua stanza, convinti che le gatte si fossero allontanate, impaurite dall'avanzare delle acque, che invece loro, abili nuotatori, non temevano affatto. Marta sognò di luride bestie che si approfittavano di lei mentre due pantegane le annusavano il sedere e le si accovacciavano sulla pancia, sfruttando il calore delle pisciate che Marta si faceva addosso.

Alba ci mise più di dieci ore a demolire la base di muratura dentro la quale era piantata la grata di ferro arrugginito della finestrina orizzontale che la separava dalla libertà. Aveva lavorato con un grosso chiodo di ferro. Dopo qualche ora era riuscita a forza di graffi a scalzare un lato della base. A quel punto, disperata ed esausta, pensava che bastasse fare forza sulla grata per sradicarla, come un dente ormai disincagliato dalle radici. Non fu così, la graticola, anche se fissata su un lato solo, rimaneva immobile, non c'era verso di smuoverla neanche facendo forza con le gambe. E così Alba dovette ripetere l'operazione anche dalla parte opposta, cercando di rimuovere la calcina indurita attorno ai tubi di ferro, uno alla volta.

Nonostante fosse praticamente circondata dalle acque, moriva di sete, e sudava come fosse caldo, non riusciva a fermarsi, a riposarsi, neanche per un secondo. Doveva andare avanti, nonostante fuori piovesse ininterrottamente, giurava a se stessa che appena fosse stata capace di uscire di lì si sarebbe bevuta la pioggia, costasse quello che costasse.

Aveva continuato per tutta la notte a lavorare, al limite della resistenza, al buio, ma tanto ormai quella grata metallica la conosceva a memoria, continuava al tatto.

Finalmente, in mattinata, cominciò a sentire che la grata si smuoveva. Fece forza disperatamente, e l'inferriata iniziò a staccarsi. All'ultimo atto, in piedi su una cassa di legno fece pressione con la schiena e la grata cedette, muovendosi verso l'alto e sfondando il finestrino. Le caddero addosso un'infinità di pezzi di vetro, nel tentativo di proteggersi si ferì a una mano. Ma non si fermò. Quando riuscì a liberare la cornice di legno dai frammenti studiò il modo di tirarsi su per uscire fuori. Con tutto il materiale che c'era in quella specie di cantina costruì una pira, e ci montò sopra.

Adesso sbucava con la testa all'aperto e poté vedere dove si trovava. Avrebbe immaginato di essere in un cortile, in una corte di qualche casamento adiacente, invece si trovò in un piccolissimo spazio quadrato, chiuso su tutti e quattro i lati, un resede, o come si chiama, insomma una di quelle piccole corti dove si affacciano le mura interne delle case, senza alcuna uscita verso l'esterno. Fra l'altro il pavimento del resede era invaso dall'acqua, che si riversò nella finestrina come uno scolo.

Alba ne bevette quanta poté, le giovò un po', ma non tantissimo vista la situazione inaspettata nella quale si trovava. Quattro mura scrostate e grigie, poche finestre e nessuna ad altezza raggiungibile, nessuna scala, nessuno sbocco verso l'esterno.

Tirandosi su a forza di braccia uscì fuori, sotto la pioggia battente. Cominciò a urlare disperatamente. «Aaiiuutoo! Aiiuutoooo! Sono qua sotto! Aiutatemi! Sono rimasta prigioniera dell'acqua! Aiutooo!».

Nessuno parve sentirla, nessuno si affacciò a qualche finestra. Evidentemente in quelle case non ci abitavano, o non la potevano sentire, o se ne erano andati tutti via, oppure semplicemente facevano finta di non sentire quelle urla strazianti, perché avevano già abbastanza rotture di coglioni per conto proprio.

Dopo un quarto d'ora che urlava Alba si accasciò a terra, lasciando che la pioggia la impregnasse fino al midollo.

Urlò imprecazioni di tutti i tipi, anche un paio di bestemmie, a mo' di richiesta d'aiuto. Ma che male ho fatto io, che cazzo di male ho fatto? Le venne la nausea, le scappava da vomitare, in effetti lo fece di lì a poco. È perché ho bevuto l'acqua piovana da terra?

Rientrò nella stanzetta, il pavimento era coperto d'acqua, avrebbe voluto che fosse solo un sogno, un incubo orribile, ma non lo era.

Cercò di respirare profondamente, secondo una tecnica che aveva imparato in un corso sull'uso della voce a Pordenone e di raccogliere le idee. Tornò fuori. Ormai non pensava più alla Sibilla, a quello stronzo di Stefa, alle maschere di *Pinocchio di colore*, pensava soltanto a come uscire da quella maledetta corte interna, i cui unici frequentatori erano tre piccioni, che se ne stavano al riparo sotto una piccola tettoia, a un'altezza di sei-sette metri dal suolo.

Alba dette un'occhiata alle mura, valutò quale fosse la finestra più vicina.

L'unica possibilità era quella di salire su un muro, arrampicandosi su un tubo di scarico, e penetrare in una finestra, ma quella grondaia era lassù, tre metri sopra la sua testa. Come avrebbe fatto ad arrivarci?

Il tenente Barbato si era incuriosito e si era affezionato all'ipotesi più metafisica che il suo software aveva elaborato, dopo l'inserimento dei dati, per capire che cosa stesse succedendo a Treviso in quei giorni.

Non aveva avuto molto tempo per dedicarsi al lavoro al computer, visto che era stato coinvolto in operazioni «sul campo», cosa che il tenente in teoria schifava soltanto per la definizione. «Sul campo»? Ma che è 'sto campo?

Comunque era dovuto andare ad accompagnare i russi all'aeroporto, facendo particolare attenzione a che non si verificassero incidenti con la popolazione locale, e con i danneggiati dal raid degli investitori dell'Est.

Dopo lo avevano inserito in un'operazione di salvataggio di una famigliola la cui casa era stata allagata, che si era rifugiata sui tetti. Barbato, insieme a un elicotterista, era riuscito a portarli in salvo, e da questa operazione «sul campo» in realtà ebbe una certa soddisfazione, lui non ci era abituato, e capì che a un'azione può corrispondere una reazione, e talvolta questa reazione è efficace. Era sbalordito, ma soddisfatto. Dovette un po' rivedere le sue convinzioni precedenti.

Poi aveva dovuto interrogare quei tipi dell'INPS, relativamente alla scomparsa dell'ispettrice Coppo, e quei quattro gli dettero da pensare. Possibile che, riguardo a una faccenda che li interessava del tutto marginalmente, rispondessero esattamente allo stesso modo?

Ma subito era dovuto correre ad Asolo, per la strage dei camorristi, o mafiosi che fossero, di queste cose Barbato non si intendeva tanto, però sette morti sono sempre sette morti.

Lui non li aveva mai visti sette morti tutti insieme, per la verità neanche uno da solo. Ne rimase parecchio impressionato, anche se nella sua testa continuava a elaborare schemi astratti che cercavano di stabilire delle connessioni logiche fra tutti gli eventi accaduti.

Così, quando tornò in questura, gli avevano intimato di andarsi a riposare per ameno un'ora, in realtà si piazzò davanti al suo computer, pieno di curiosità, che utilizzò per verificare l'ipotesi che lo aveva solleticato, l'ipotesi T24: *si prevede l'esistenza di «elemento perturbatore», umano, animale o extraumano, un cosiddetto punto di connessione, per ora impossibile da decifrare,*

*dovuto a un altro sistema più grande di dispersione del-
l'energia. Il perturbatore lavora aggiungendo elementi che
tolgano senso all'insieme degli avvenimenti, senso rappresentato proprio dal movimento di escissione attuato dal perturbatore stesso.*

Barbato inserì, all'interno di questa misteriosa ipotesi, nuovi dati, presi dalla cronaca locale: oltre al funerale di quel Pozzobon ci aveva schiaffato l'ipoteti-
ca relazione sessuale fra Salvatore Fichichi, il giovane trovato morto sgozzato nel Sile, e una certa Stefania Colledan, relazione emersa da osservazioni su
chiamate telefoniche e dati ricavati da Facebook. Poteva essere un dato ininfluente che Stefania Colledan
fosse la proprietaria di Fufi, il terzo dei cani decapitati? E chi era il marito di Stefania Colledan e copro-
prietario di Fufi? Walter Galati, impiegato per l'appunto dell'INPS. Poteva essere casuale che Salvatore
Fichichi disponesse in casa sua dell'arma con cui era
stato ucciso il secondo cane?

In più Barbato inserì ulteriori dati che riguardavano
la figura di Marta Coppo, del suo intervento all'INPS, e
dei soggetti interessati. Secondo lui di dati ce n'erano
più che a sufficienza: mancava soltanto un chiarimento
su chi o che cosa fosse l'«elemento perturbatore», ma
era fiducioso che presto ci si sarebbe arrivati.

Ovviamente dovette aggiornare il tutto in base alla strage di Asolo, avvenuta in mattinata. E ancora non sapeva quello che sarebbe successo a Treviso in serata.

Chi poteva essere questo elemento perturbatore?
La macchina si esprimeva in termini generici ma era più

che evidente che si trattasse di una persona, o di un gruppo di persone, che agivano al cuore delle vicende, e ne rappresentavano il punto di connessione. Forse occorreva aggiungere altri dati ancora, l'opinione del tenente Barbato era che non si fosse così lontani da chiudere il cerchio.

Ma ora, a quell'ora della sera, doveva ripartire, tornare «sul campo», non poteva applicarsi per dare ulteriori feedback al computer, che invece sembrava smanioso di saperne di più, e di focalizzarsi sul colpevole.

L'inganno nel mondo animale

Nel mondo umano con la parola «inganno» di solito si intende una serie di pratiche e comportamenti comunicativi volti a portare altri membri della comunità ad agire in un modo che porti benefici all'autore dell'inganno e con tutta probabilità degli svantaggi a colui che è ingannato, per esempio facendo «credere una cosa per un'altra».

L'inganno agisce sempre attraverso forme di comunicazione: può essere menzogna, al posto della verità, per esempio assicurando che un determinato farmaco può guarire certe forme di carcinoma quando non è assolutamente vero, ma può anche agire su altre caratteristiche della comunicazione: le famose clausole nei contratti di assicurazione scritte in corpo piccolissimo a loro modo riportano affermazioni non ingannevoli, ma sono talmente minuscole che nessuno le legge, e quindi sono una forma di mistificazione basata sulla dimensione. Altra forma di inganno basata sulla dimensione è esercitata da colui che si infila il cotone idrofilo nei pantaloni, all'altezza della patta, per indurre gli osservatori a pensare che il suo membro sia molto voluminoso.

Nel mondo animale l'inganno è una vera e propria categoria etologica, che distingue comportamenti comunicativi volti a migliorare la sopravvivenza.

Già Aristotele si era reso conto che gli animali ricorrono a trucchi ingannatori per sopravvivere, per esempio: «Quando un cacciatore si imbatte per caso in un nido di pernici, la madre si rotola davanti a lui come se fosse stata colta da un attacco di "Piccolo male" (epilessia); in tal modo essa lo attira verso di sé facendogli credere di poterla catturare facilmente, fintantoché i piccoli se ne siano scappati in tutte le direzioni. Dopodiché essa se ne ritorna al nido e li richiama a sé».

La forma di inganno più diffusa è il mimetismo, che può essere visivo, acustico, olfattivo. A grandi linee il mimetismo può essere difensivo, perlopiù per non farsi scorgere dal predatore, oppure aggressivo, per non farsi scorgere dalla potenziale vittima.

Inoltre l'animale può mimetizzarsi con l'ambiente, e allora si parla di mimetismo criptico, oppure con altri animali, e allora è mimetismo fanerico.

Incrociando queste quattro categorie possiamo fare esempi noti a tutti oppure meno noti.

L'insetto stecco (*Bacillus rossius*) è un classico esempio di mimetismo criptico difensivo: l'animale imita l'aspetto di un pezzo di legno, in modo che i potenziali predatori non si accorgano di lui. Perfeziona la sua strategia muovendosi lentissimamente, e curando la sua posizione per non fare ombra in un modo che possa tradirlo (altri insetti imitano perfettamente l'aspetto di una foglia, i cosiddetti insetti foglia, il che li difende dai predatori carnivori, ma non passano dalla padella alla brace?). Alcuni pesci si travestono da alghe, altri da pietre.

La mantide religiosa (*Mantis religiosa*), universalmente nota per le sue abitudini cannibaliche post-nuziali, nel senso che la femmina divora il maschio durante l'atto riproduttivo (curioso il fatto che il maschio continui a copulare anche senza testa), è invece un meraviglioso esempio di mimetismo criptico sia difensivo che aggressivo: non si fa individuare né dai suoi potenziali aggressori né dalle sue innocue vittime.

Anche i camaleonti (*Chamaeleonidae*), gli animali mimetici per antonomasia, utilizzano il loro mimetismo variabile sia per aggredire che per non essere aggrediti.

La maggior parte degli strigiformi basano le loro strategie di caccia sul mimetismo: le civette e gli assioli si confondono con corteccia e legnami. Fenomeno curioso è che questi uccelli utilizzano altri loro cospecifici come sottofondo per mimetizzarsi: venti assioli si pongono uno accanto all'altro, e pensano che nessuno li veda.

Anche nel caso del mimetismo fanerico l'imitazione dell'aspetto o dei comportamenti di un'altra specie può servire a difendersi o ad aggredire. Tipico è il caso del mimetismo batesiano (dal nome dello scienziato Henry Walter Bates), fenomeno difensivo, secondo il quale alcuni animali del tutto edibili, in particolare farfalle, imitano l'aspetto di farfalle tossiche o disgustose, per non farsi mangiare. Alcuni bruchi (per esempio

Leucorampha ornatus) attuano due mimetismi contemporaneamente: sul dorso sono colorati di un bel verde come i vegetali sui quali di solito stazionano, invece sulla pancia hanno un disegno che li fa assomigliare alla testa di un serpente: una volta scoperti si ergono e spaventano il predatore simulando di essere serpenti velenosi.

Molto citato è il caso delle lucciole cosiddette femme fatale (*Photuris*): queste imitano il lampeggiare di un'altra specie di lucciole (*Photinus*) per attrarne i maschi e mangiarseli.

Ma l'inganno, il «fare finta» presenta un'infinità di sfumature in natura, dagli uccelli che messi alle strette fanno finta di essere morti, come aveva già notato Aristotele, all'interessante caso dello stercorario opportunista, anche se forse la sua è furbizia, più che inganno. Si dà il caso che questo stercorario mostri una forma abbastanza evidente di dimorfismo, per cui alcuni maschi di grandi dimensioni si impossessano della femmina e del diritto a riprodursi. Tali maschi si dispongono imperiosamente all'ingresso della tana, e impediscono violentemente l'accesso a qualsiasi altro maschio, insomma fanno la guardia. Alcuni maschi opportunisti, più piccoli, perdenti in partenza, scavano altre gallerie, e raggiungono la femmina. La fecondano, mentre il maschio «padrone» sorveglia l'entrata, e consuma molta della sua energia in questo compito.

Possiamo qualificare questo comportamento come «ingannatore»?

L'ingegner Filippo Tomat, anni trentadue, figlio di Augusto Tomat e quindi nipote di Aurelio Tomat, prese posto nella sua BMW M5 berlina e si allacciò la cintura di sicurezza. Avviò il motore, un ronzio appena percepibile ai bassi regimi, un bel rombo alla prima accelerata. Uscì dal cancello meccanizzato, e impostò i tergicristalli nella funzione automatica, ovverosia si adeguavano da soli all'intensità della pioggia, che in quel momento era forte. Sulla scintillante carrozzeria della BMW i rivoli di pioggia scivolavano come sulla buccia di una pesca.

Walter Galati si fece vivo solo dopo qualche chilometro, seduto sul sedile posteriore piazzò la canna fredda della sua Desert Eagle sulla tempia dell'ingegner Filippo, e lo invitò a sostare in una piazzola sterrata a fianco della strada, scelta con gran cura.

«Accosti da questa parte».

«Qui?».

«No, un po' più avanti».

Filippo Tomat lì per lì non disse niente, come se fosse abituato a questo genere di cose, in realtà cercava di riflettere, ma non ci riusciva. Aveva una pistola nel

446

cruscotto, ma che avrebbe potuto fare? Fra l'altro lui con le armi non aveva nessuna dimestichezza.

«Lei mi dovrebbe dire chi è stato».

«Cosa? Come? Cosa? Chi è lei?».

«Le ho chiesto chi è stato».

«Chi è stato a fare che?».

«Come a fare che? Quello che è stato fatto a suo zio».

«Mio zio? Mio zio è morto più di dieci anni fa».

«No, suo zio è morto cinque giorni fa, l'ho visto io. E sono stato anche al suo funerale, a Camalò. Lo sa che quello di cui siete responsabili è peccato? Un peccato mortale. Non solo avete fatto fuori due persone, fra le quali un parente stretto. Se poi ne avete uccise anche altre non lo so di preciso. Ma le avete fatte seppellire col nome sbagliato, vi rendete conto?».

«Ma lei chi è? Per chi lavora? Per i russi?».

«Non che io sappia, non lavoro per i russi, però, indirettamente, non lo escludo».

Filippo Tomat aveva molta paura, a lui non era mai capitata una cosa del genere, e adesso trovarsi in macchina un tagliagole gli faceva venire i crampi allo stomaco. E sudava, sudava forte, cosa che nella vita normale non gli succedeva. Anche perché Walter oltre alla pistola aveva estratto un rasoio da barbiere, di quelli vecchio stile.

«Se lei mi spiega subito perché avete commissionato la morte di suo zio lei si risparmia un sacco di inutili sofferenze», disse Walter gingillandosi col rasoio. «Lei conosce una certa Marta Coppo?».

A questa risposta Filippo sapeva come rispondere, cioè con la verità: «No, mai sentita».

«Ah no? Senta, ma che mi dice del signor Pozzobon?».

«Io non so niente, non c'entro niente, glielo giuro».

«Ma come non sa niente, e allora al funerale del Pozzobon che ci è andato a fare?».

«Beh, cioè, quello lo sapevo, che non era il Pozzobon».

«E quindi non è vero che suo zio è morto dieci anni fa, perché mi dice le bugie?».

Fuori dall'auto pioveva fortissimo, i vetri erano completamente appannati, visto da fuori si sarebbe detto che dentro c'era una coppietta intenta a fare l'amore.

«Che ha fatto suo zio per meritarsi tutte queste attenzioni, anche dopo essere ufficialmente morto?».

«Lei lo sa meglio di me che cosa ha fatto, se no non sarebbe qui».

«Lei si sbaglia, signor Filippo. Lei non può immaginare perché io mi trovo qui, è per una questione professionale».

«Mio zio è morto per una crisi respiratoria, da tanto tempo era malato».

«E voi avete speso svariate centinaia di migliaia di euro per ottenere la morte di uno che è deceduto di morte naturale? Stento a crederlo. E se qualcuno chiedesse, a ragion veduta, la riesumazione di suo zio, cioè del Pozzobon, e se venisse fuori che non era il Pozzobon? E che non è affatto morto di morte naturale? Voi che fareste?».

«Lo zio stava per fare scelte sbagliate, a Jesolo e altrove. Avanti, faccia una cifra. È inutile continuare con questa manfrina, faccia la sua cifra, non mi pare di avere tanti margini di trattativa».

«Ma cosa pensa, che io sia un ricattatore? Alla vita ci tengo, sa? Io non voglio proprio niente, io voglio che lei mi racconti».

Filippo Tomat aveva molta paura, e si era anche cagato un po' addosso, uno spruzzetto, ma in macchina se ne sentiva l'odore. Alla fine si lasciò andare.

«Io lo so chi è lei, ho mentito anche in questo caso. Lei si chiama Walter Galati, o almeno così si fa chiamare da una decina d'anni. Ma questo che lei sta facendo adesso non le porterà nulla di buono, lo sa? Certo che lo sa, ha deciso di suicidarsi? Invece, se ci mettiamo d'accordo, nessuno saprà di questo nostro incontro e tutto tornerà come prima. Effettivamente lei è molto bravo, una cosa del genere non era mai successa in precedenza, almeno a quello che mi dice mio padre. Ma io preferirei che mio padre non venisse informato, le va bene una cifra tonda?».

Walter Galati era rimasto veramente sorpreso, ma veramente. Ah, questa poi... non se l'aspettava proprio. Questa era una strabiliante novità. E dunque i Tomat... no, non è possibile... e io... Cercò di non mostrare alcuna reazione, ma non poté evitare di restare in silenzio per alcuni minuti, meditando e ricostruendo.

Filippo Tomat se ne accorse e pensò anche lui, e si rese conto di aver fatto un errore pazzesco, di aver detto un'enorme cazzata. Allora Galati non lo sapeva? E allora glielo aveva detto lui?

Tuttavia nei ragionamenti operativi Galati era più veloce dell'ingegner Tomat.

«Stia tranquillo, nessuno saprà mai di questo nostro incontro. Lo sa perché?».

Tomat riprese a sudare e ne aveva motivo.

Walter gli spruzzò uno spray nel naso, e questo perse i sensi quasi immediatamente. Poi, dopo avere tolto il freno a mano a pulsante, scese dall'auto, sotto la pioggia. Spinse la BMW M5 berlina lungo la strada, in discesa. Questa prese un po' di velocità e alla curva finì nel canale in piena. Ci mise un po' ad affondare, ma non tanto, a causa della forte corrente.

E questo mi viene a dire che non conosce Marta Coppo!, pensò Walter. Eppure era ancora soverchiato dalla sorpresa.

No, non aveva più senso perdere altro tempo alla ricerca della Coppo, e poi era stanchissimo, estenuato. Era venuto il momento di tornare a casa, l'indomani sarebbe stata la giornata decisiva, e lunghissima.

Le strategie di Mose erano molto diverse da quelle di Galati, e per lui il tempo non era una variabile così importante.

Con calma, attraverso la targa, ritrovò la proprietaria dell'auto che aveva caricato il Trentanove, e che gli era scappata a causa dei maiali.

Si chiamava Maria Annunziata Quagliarella ed era anche lei una dipendente dell'INPS di Treviso. Una semplice storia di corna? Forse sì e forse no. Ma di questo a Mose poco importava.

Così piazzò la sua auto di fronte alla residenza della Quagliarella, che a differenza di Trentanove non aveva figli, però un marito sì, di mestiere faceva il politico, di basso livello ma sempre un politico, di maggioranza. Era assessore alle politiche sociali in un piccolo comune della provincia trevigiana.

Però quando raggiunse la casa della Quagliarella non c'era nessuno, perché la signora era in questura, e suo marito ce l'aveva accompagnata.

Mose rimase nella sua postazione, e poté osservare che nel primo pomeriggio il marito tornò a casa, accompagnato da una ragazza che poteva avere al massimo diciannove anni. La ragazza uscì dalla casetta, simile a quella del Trentanove ma più piccola e meno «prestigiosa», non aveva nemmeno il garage sotterraneo, dopo un'ora circa.

La signora Quagliarella tornò soltanto alle otto di sera, fisicamente provata.

Mose passò tutta la notte in osservazione, gli teneva compagnia una bottiglia di Grappa Nonino extra.

Fin dall'alluvione del 1966 che colpì non solo Firenze ma anche le zone lagunari di Venezia e molte altre, si scatenò la discussione su come proteggere Venezia e la laguna dall'invasione delle maree, che producevano il fenomeno dell'acqua alta in misura sempre maggiore.

Cominciò a definirsi un progetto di protezione che dall'inizio si chiamava Progettone e poi nel corso del tempo è stato contraddistinto dall'acronimo MOSE,

Modello Sperimentale Elettromeccanico, ma che ovviamente strizza l'occhio al nome del profeta che riuscì a separare le acque del Mar Rosso per creare un passaggio al Popolo Eletto.

Lo scopo del MOSE è quello di impedire l'accesso delle alte maree, attraverso la chiusura meccanica delle tre bocche di comunicazione della laguna col mare aperto, vale a dire la bocca del Lido, quella di Malamocco e quella di Chioggia. In questi tre siti si è avviata la costruzione di enormi paratoie che in condizioni normali giacciono sul fondo marino, invisibili. In caso di alta marea superiore a certi parametri (a quanto pare intorno ai 110 centimetri) le paratoie vengono svuotate dall'acqua che le riempie, e invece sono riempite d'aria con un sistema a pressione: queste si alzano, e creano un sistema di dighe mobili. A quanto previsto, perché il sistema non è ancora in funzione, i tempi di sollevamento delle paratoie sono intorno ai trenta minuti; quindici invece per riportarle in posizione. Il fulcro, di nome e di fatto, dell'intero progetto sono delle specialissime cerniere di acciaio che dovrebbero permettere la mobilità delle paratie.

Naturalmente per un progetto così titanico, nel vero senso della parola, non sono mancate le polemiche, le questioni legali, i ricorsi, i commissariamenti, gli scandali, gli avvisi di garanzia, il blocco dei lavori, corruzioni e collusioni. Il fondamentale sospetto che l'intero progetto sia solamente un mangia mangia generale, che non serva e non servirà mai a niente, continua ad avere forte credito.

Qui, avendo a che fare con tutt'altra materia (anche se la presenza della 'Ndrangheta e di altre organizzazioni analoghe a Porto Marghera e nel Veneto in generale ovviamente non esclude cointeressenze nel progetto MOSE), vale soltanto la pena di ricordare che nel caso di un'alluvione che viene dalla terra, e che scarica enormi quantità di acque in laguna, una struttura come il MOSE non serve, evidentemente, a niente. A quanto pare il MOSE non si prevede che sia costruito per far defluire in mare le acque in eccesso presenti in Laguna, portate lì dai fiumi. In ogni caso all'epoca in cui sono avvenuti i fatti e gli eventi meteorologici cui ci riferiamo, il Modello Sperimentale Elettromeccanico non era ancora operativo, e quindi le polemiche vibranti che si sarebbero scatenate lasciavano un po' il tempo che trovavano. D'altra parte se il MOSE fosse stato operativo si sarebbe detto: ecco, vedete a che cosa è servito questo enorme e forzoso spreco di risorse? Adesso invece si sarebbe potuto affermare: e perché il MOSE non è ancora operativo? Quante vite si sarebbero potute salvare se lo fosse stato?

A Venezia esiste una famosa chiesa dedicata a San Moisè, all'interno della quale c'è uno spettacolare monumento sull'altare maggiore raffigurante il Monte Sinai tridimensionale, e l'intero episodio di Mosè e le tavole dei Comandamenti. Purtroppo non c'è una raffigurazione bi- o tridimensionale del Passaggio del Mar Rosso, probabilmente per questioni scaramantiche. Ma Mosè è considerato un santo? In Veneto Moise è un nome di battesimo che utilizzano anche i Goi, e quindi non c'è da stupirsi che il MOSE si chiamasse così.

La famiglia di Marta Coppo era rimasta in questura, senza novità di rilievo. Non si riusciva a capire che cosa potesse essere successo all'ispettrice INPS, forse un incidente a causa del maltempo? In realtà gli inquirenti qualcosa in più sapevano, e ci stavano lavorando, ma non lo andavano certamente a raccontare al preoccupatissimo marito e alla figlioletta, che però provava delle cattive vibrazioni: «Papà, la mamma è morta?».

«Va' là, Giada, probabilmente si è persa con questo marasma del tempo, le strade sono tutte bloccate, non hai visto?».

«E moriremo anche noi?».

«Ma che dici Giada, su, non dire queste cose. Adesso i Carabinieri troveranno la mamma e poi ce ne torniamo a casa».

«E perché non telefona? Se si fosse persa avrebbe telefonato».

Il suo papà non sapeva più che dirle, ormai erano le otto di sera, e in questura nessuno si occupava della signora Coppo, con tutti i casini che erano successi. Morti a pioggia.

Nel frattempo nel rifugio dove era custodita Marta Coppo l'acqua aveva superato il livello inferiore della finestra, e trapelava attraverso i vetusti infissi, il pavimento ormai era allagato, Marta, agonizzante, percepiva l'umidità e sentiva il forte rumore delle acque, che se fossero riuscite a sfondare l'esigua vetrata avrebbero invaso il vano. Anche i ratti avevano percepito l'emergenza e se n'erano andati di nuovo, pure per loro non erano momenti facili.

Verso le sette di sera Walter Galati fece ritorno a casa, esausto e pensieroso. Fermò la Volkswagen davanti al bandone del garage, scese e lo tirò su, riflettendo sulla situazione. Non era chiuso a chiave, mmhh, Stefania non lo chiudeva mai. Quando fu dentro e accese la luce si accorse che nel box c'erano ben sette persone, dall'aspetto sufficientemente inquietante. Tre di queste erano armate e gli dissero di entrare dentro e di chiudere la saracinesca.

«Lei è il signor Galati?».

«Sì, sono io, ma voi chi siete, che volete da me, io non ho fatto niente...».

«Lo sappiamo che lei non ha fatto niente, niente di niente».

Mentre quello che sembrava il capo dei sette diceva questa battuta gli altri ridacchiavano, anche se con un po' di amarezza.

«Noi stiamo cercando la signora Stefania Colledan in Galati, sua moglie».

«E perché la cercate? Per la storia del cane?».

«In parte».

«Oddio, parlate chiaro, siete della Polizia? Ci sono nuove rivelazioni? Si sa qualcosa della dipartita di Fufi?».

Walter riconobbe il tipo che aveva incontrato tempo prima nella caserma dei Carabinieri, quello con l'aria calma e temibile, accanto a quel cretino di Marino Fichichi.

«Fufi? E chi è Fufi?».

«È, anzi era, il nostro cagnetto, purtroppo è stato assassinato».

«Ah, un altro cane mandato a morte, questa non la sapevo. Ed era il vostro?».

«Sì, Fufi era il nostro adorato cagnolino».

Guelfo guardò Santino e scosse la testa, come a dire che c'era da immaginarselo.

Mentre i sette, un po' annoiati, si guardavano fra di loro con espressione ironica, Walter osservava attentamente, scannerizzava come un computer, il gruppetto. Sembravano tutti abbastanza inoffensivi, tranne uno, quello che aveva già visto, che era bendato e portava una ingombrante fasciatura sul braccio, che però guardava sempre, con espressione indifferente, dove si doveva guardare. Per esempio controllava come lui muoveva le mani, e lo scannerizzava a sua volta. Walter cercava di pensare velocemente: questi qui erano parenti del ragazzo da lui sgozzato che aveva trovato in casa al posto di sua moglie, e che le acque del Sile avevano restituito alla città. In particolare l'anziano, quello che si atteggiava a capo in testa, doveva essere suo padre, si assomigliavano parecchio. Gli altri non sembravano parenti, zii o fratelli o cugini, erano associati. Guardò con attenzione le armi, delle Beretta, roba che si prende in affitto, da resa dei conti o da strage, ma non da assassinio su commissione.

Walter cercò di capire velocemente cosa stessero cercando quei tipi. Evidentemente erano venuti a sapere che il loro pupillo Salvatore Fichichi frequentava Stefania. Come avevano fatto? Probabilmente tramite un telefonino o roba del genere.

Sembravano una squadra di killer da strapazzo, e Walter aveva saputo, dalla radio, che ad Asolo c'era stato un regolamento di conti, alla vecchia maniera. Erano stati loro?

Però, che imbecilli, che atteggiamento amatoriale! Prima sarebbero dovuti venire a parlare con Stefania e con chi interessava a loro, magari anche con la signora Trevisan. Poi avrebbero dovuto darsi da fare ad Asolo, o a Mestre, e quindi togliersi dalla circolazione. Dilettanti.

Adesso probabilmente questi sette si erano convinti che Stefania sapesse qualcosa di quelli di Mestre, mettiamo il caso che fosse stata lei a fare la soffiata: «Salvatore so dov'è, in questo momento». Roba del genere. E allora volevano sapere da lei qualcosa di più, e dopo che l'avessero saputo le avrebbero chiuso la bocca. A lui invece la bocca gliela avrebbero chiusa subito.

Infatti il capo si fece dare da Walter la chiave dell'appartamento, e disse a tre dei suoi di seguirlo, fra questi anche il tipo pericoloso, che mostrò un'espressione un po' tetra, ma non disse niente.

Il capo si rivolse ai tre che rimanevano. «Non fate troppo rumore».

Walter parlava e parlava, preso da una crisi iperfasica. «Io non so niente, io che c'entro, chi è questo Salvatore di cui parlate, io sono solo un impiegato dell'INPS».

«Lo sappiamo che non c'entri un cazzo, ma non è mica colpa nostra».

Il capo e gli altri tre se ne andarono, e presero l'ascensore.

Guelfo e i suoi entrarono nell'appartamento dei Galati, Stefania non era ancora tornata, ma ci volle molto poco, questa rientrò con dei sacchetti della spesa e cominciò a chiamare: «Walter... perfetto imbecille, lo sai che...», si interruppe quando vide che in salotto c'erano quattro uomini dall'aspetto minaccioso.

Fra questi il più anziano guardava Stefania, una quarantenne non brutta ma neanche particolarmente attraente: e mio figlio si è fatto infinocchiare da una donna così?, si chiedeva.

«Ma voi chi siete? Chi vi ha fatto entrare? È stato quell'idiota di mio marito? Oppure state cercando lui?».

«No, signora Colledan, noi siamo qui per parlare proprio con lei».

«Con me? È una storia che riguarda Fufi?».

«No, signora Colledan, stia un po' zitta». Guelfo estrasse dalla tasca della giacca una piccola fotografia formato tessera, e la mostrò a Stefania.

«Lei signora conosceva questo ragazzo?».

La foto era un ritratto di Salvatore. Stefania non sapeva cosa dire. Riconobbe immediatamente il soggetto, ma disse, chissà perché: «No, non mi pare».

«Guardi meglio, signora. Lei deve sapere che io sono il padre di questo ragazzo, o almeno lo ero».

«Lo era? E perché dice così? Lei è il padre di Salvatore?».

«Ero il padre, lei non sa niente?».

«No, io non so proprio niente, ecco perché non mi rispondeva, e io che credevo... oh, Maria Vergine...».

Stefania giurò di non sapere che il cadavere di Salvatore era stato ritrovato nel canale, glielo spiegarono quei signori.

«Oh, Santo Cielo, e chi lo avrebbe mai immaginato...».

«È quello che ci chiediamo anche noi signora...».

Stont stonft stont, dei rumori di arma da fuoco furono perfettamente avvertibili anche dall'appartamento di Galati.

«E meno male che a questi cazzòni ho detto di non fare rumore, a quegli stronzi. Voi due, andate a vedere che è successo in garage, e ripulite il tutto, quelli hanno detto che non ripuliscono».

Antonio e Giuseppe andarono a vedere cosa avevano combinato gli uomini di Barbacane, così con la signora Stefania rimasero in *tête-à-tête* soltanto Guelfo e Santino, che mostrava segni di inquietudine. C'era qualcosa in quel signor Galati che non gli tornava, anche lui guardava con attenzione i movimenti degli occhi e i movimenti delle mani. E poi i tre di Barbacane non possedevano armi con ricarica a gas, che fanno quel tipico rumore, le Desert Eagle, per esempio.

Mentre Stefania piangeva la morte di Salvatore – che pessima attrice, pensava Guelfo –, Antonio e Giuseppe scesero in garage. Aprirono senza particolari precauzioni il bandone. C'era silenzio e buio, e un odoraccio pastoso. Walter li colse di sorpresa scendendo dall'alto, e assestò a ciascuno dei due un paio di colpi della sua fedele sparapunti, in testa. I due crollarono a terra, con un minimo spargimento di sangue e senza rumore.

Nel frattempo Stefania raccontò a Guelfo e Santino della sua relazione con Salvatore, che lei amava alla follia. Lui però sembrava un po' distratto, e sempre le chiedeva dei soldi, come se non ne avesse. Che strano, no?

«Ma lei cosa ha pensato quando ha visto che Salvatore non era più in circolazione?».

«Ah, non era una novità, tante volte non si faceva trovare per giorni e giorni, si faceva vivo solo quando non trovava di meglio, però a me andava bene lo stesso... e poi, sapete, in questi giorni sono stata travolta da un altro lutto».

«Un lutto? E chi è morto?».

«Fufi, non lo sapevate?».

«Ah già, Fufi, il suo cagnetto...».

Ci fu un attimo di silenzio, Guelfo guardò Santino.

«Vi faccio un caffè, o un tè?», chiese la signora.

«Ma sì grazie, signora, un tè deteinato lo gradiamo». Guelfo guardò di nuovo Santino scuotendo la testa.

In quel momento Walter era entrato nell'appartamento, senza fare il minimo rumore, senza bisogno delle chiavi. Approfittò della pausa caffè o tè, quando Guelfo si dovette assentare un momento per andare in bagno. Lì Walter lo aspettò. In perfetto silenzio assalì da dietro il Fichichi, e lo strangolò con il filo di ferro.

Santino era preoccupato e teso, la situazione non gli era piaciuta fin dall'inizio, e quel marito non gliela raccontava giusta. Walter tirò lo sciacquone e si mise ad attendere quello pericoloso, che prima o poi sarebbe arrivato. Salì come un gatto sopra l'architrave della porta del bagno e lassù si nascose. Santino spinse la porta, che era aperta, e vide Guelfo accasciato sul water. Non fece in tempo a realizzare quello che era accaduto che Walter gli fu addosso e lo terminò con un colpo di martello sulla cervicale, più o meno ad altezza C3. Santino si schiantò a terra, in fondo era quella la morte che avrebbe sempre desiderato, senza rendersi conto di niente.

Stefania intanto era in cucina, che cercava di allestire un tè dignitoso, trovò nella dispensa anche dei biscottini Petit beurre.

Dette inconsapevolmente il tempo a Walter di caricarsi addosso i due pesanti calabresi, e di portarli in garage, entrambi.

Fu così che quando Walter rientrò nell'appartamento trovò la moglie che nel suo intimo non sapeva capacitarsi del perché quei due signori calabresi se ne fossero andati via. Sembrava smarrita, ma non disse niente al marito, se non: «Ah, sei qui. Ma cos'hai fatto tutto il giorno? Dove cazzo eri finito?».

Walter era tutto sudato e sfibrato.

«Ma che hai fatto, scimunito, guarda come sei ridotto». Non accennò ai calabresi, che prima erano quattro, poi due, e poi nessuno.

«Ho preparato un tè. Ma prima vai a darti una ripulita, guarda le tue scarpe!».

«Grazie, ne ho proprio bisogno, di un tè».

Walter andò a togliersi le scarpe, e a cambiarsi i pantaloni. Bevve il tè avidamente.

«Ci sono anche i biscottini... Ma non hai visto nessuno che usciva dal casamento, quando sei rientrato?».

«No, non ho visto nessuno», disse Walter mentre sgranocchiava un Petit beurre, talmente vecchio che in bocca non opponeva alcuna resistenza.

L'unica speranza di Alba era quella di raggiungere la grondaia che partiva a tre metri dal suolo, per arrivare a una finestra, senza grate, a circa sei metri d'altezza. Il muro non presentava appigli, ma lei non si arrese, pensò che di chiodi come quello che aveva usato per scardinare l'inferriata ce n'erano altri, una decina in tutto, lunghi quindici centimetri. Le serviva solo un martello, o qualcosa del genere, trovò nel pavimento coibentato del resede, che era una specie di discarica pubblica, quello che le serviva, un pesante pezzo di ferro rugginoso.

Il primo chiodo lo piantò a un metro d'altezza, forse ottanta centimetri. Sotto l'intonaco decrepito c'erano pietre, ma questo per lei fu un vantaggio, infilò il chiodo nella fessura, come fanno i veri alpinisti. Le sembrava che il chiodo potesse tenere i suoi 56 chili, ma per sicurezza ne conficcò un altro accanto. Ci montò sopra, i chiodi tennero.

Ne piantò altri due, all'altezza degli occhi, più o meno, poi veniva il difficile perché gli altri li avrebbe dovuti conficcare stando in equilibrio sui chiodi che aveva piantato.

Dopo tre ore, sotto la pioggia, qualche tentativo fallito, un chiodo piegato, una caduta in basso, per fortuna da un altezza inferiore al metro e mezzo, Alba era arrivata alla grondaia, che vomitava acqua. Ne bevve un po'.

La toccò, per controllarne la stabilità, pareva reggere. Piantò l'ultimo chiodo che le era rimasto.

Adesa al muro, si fece il segno della croce, afferrò la grondaia e ci si aggrappò: nel terrore salì su, l'appiglio sembrava cedere da un momento all'altro, se Alba fosse caduta da quell'altezza si sarebbe rotta qualche osso. Ma la grondaia resse, e Alba raggiunse il livello di quella finestra. Si aprì senza bisogno di rompere il vetro, gli infissi erano marci.

Si aggrappò all'interno del davanzale, contò fino a tre e poi si buttò dentro, con tutta la forza che aveva. Cadde dall'altra parte, sul pavimento, ma era talmente carica di adrenalina che non sentì neanche dolore alla spalla, che aveva picchiato pesantemente cadendo giù, la finestra era piuttosto alta, in quella cucinetta. A terra, Alba si mise a piangere. Non ci credeva neanche lei di avercela fatta, ebbe una crisi.

Quando si fu ripresa si guardò in giro, era quasi buio. La cucina pareva quella di una casa del dopoguerra. Misera e sporca, non c'erano elettrodomestici. Solo un fornello a gas a due fuochi, collegato a una bombola. Alba provò ad accendere la luce, ma evidentemente in casa non c'era corrente elettrica.

Sul lavabo c'erano padelle e piatti sporchi, chissà da quanto. Per scrupolo fece: «C'è nessuno? C'è nessuno in casa?».

Nessuna risposta. L'appartamento doveva essere stato abbandonato, forse da qualche giorno, forse da molto di più.

In un cassetto del tavolo, anch'esso coperto di stoviglie sporche, trovò una mezza candela, al quarto fiammifero impregnato di umidità riuscì ad accenderla.

Tornando alla realtà sentì freddo, era fradicia e stravolta, coperta da uno strato di fanghiglia che la faceva sembrare uno zombie.

Con la candela si aggirò per l'appartamento, sembrava che ci abitasse una persona anziana, evidentemente questa se ne era andata, il locale pareva in stato di abbandono, comunque molto trascurato. Arrivò in camera da letto, ammobiliata come cento anni fa: un armadio scuro con la specchiera nell'anta centrale. Alba si vide per un istante allo specchio, faceva orrore.

Aprì dei cassetti del settimanale, alla ricerca di qualcosa di asciutto da mettersi addosso. Trovò qualche camicetta, dei golfini, delle sottovesti e delle mutandone, sicuramente non un paio di jeans.

Sentì un rumore proveniente dall'angolo buio della camera. Alzò la candela, aguzzò lo sguardo. C'era una signora molto anziana, seduta su una sedia, indossava uno scialle. Aveva una pistola in mano e prese la mira.

«Maledetti sciacalli, zingari di merda, prendi questo».

Sparò un colpo e prese Alba su un ginocchio. Lei cadde a terra, urlando per il dolore.

La vecchia prese la mira un'altra volta.

Durante la notte Walter uscì di nuovo. Recuperò la chiave del furgone a noleggio sul quale si spostavano i calabresi e lo portò in garage. Questa volta i cadaveri che ci aveva lasciato c'erano ancora. Caricò sul furgone tutte e sette le vittime, coprendole alla meglio affinché non le si potessero vedere dall'esterno, per fortuna c'erano vetri scuri. L'indomani se ne sarebbe liberato.

Poi si dedicò alle pulizie, contro il muro di fondo c'era una bella quantità di sangue.

Alle cinque del mattino aveva finito, era veramente spossato. Si chiedeva se tutto ciò avesse un significato. Va bene credere nella professionalità e sacrificarle tutto, sapere che la propria identità è quella, e che non si può derogare. Però tutto ha un limite, pensava Walter, anche se non sapeva quale fosse.

Tornato a casa si ributtò sul letto accanto a Stefania, che russava profondamente. Probabilmente era l'ultima notte che avrebbe passato accanto a sua moglie. Non è che questo pensiero gli potesse togliere il sonno, era tutto previsto, però provava un pochino di nostalgia preventiva per sua moglie, per le sue piccolezze e le sue fisime, che avevano avuto sempre il potere di rassicurarlo, di togliergli quelle rare ansie di cui soffriva, che peraltro avevano poche vie di manifestarsi, per esempio quando estraeva le chiavi di casa molto tempo prima di essere davanti al portone.

Poi ripensò a Filippo Tomat, e non poteva fare a meno di ripetersi: ah, questa poi, come avrebbe fatto un borghese di fine Ottocento alla notizia che il prete aveva una relazione carnale con l'anziana perpetua. Tomat era il mio datore di lavoro?

9
Il diluvio universale

Fratelli e sorelle,

orrore, morte e distruzione! Orrore, morte e distruzio-
ne! L'Apocalisse! Una strage, un massacro, una carnefi-
cina nel nostro territorio, anche ieri! A pochi chilometri
da qui c'è stata una strage, un massacro, una carneficina!
Sette persone sono state selvaggiamente uccise a colpi di
arma da fuoco, mentre i nostri territori sono martirizzati
dal diluvio!

L'Apocalisse! L'Apocalisse! Ieri ormai l'Apocalisse è ar-
rivata a Treviso, si è forse aperto il Settimo Sigillo?

Solo il giorno prima la nostra città era stata messa a fer-
ro e a fuoco da un'orda di slavi, di apostati, un'orda cor-
teggiata, vezzeggiata dalle autorità che ci governano e che
ci impongono l'arte degenerata e che mirano solo alla
materia, all'arricchimento, al piacere erotico. Gli Unni han-
no invaso la nostra città già martoriata, ridotta a una So-
doma e Gomorra.

In questi ultimi giorni soltanto un'escalation di fatti
criminosi, di omicidi, di atti di violenza. Devo forse rias-
sumerli?

Ormai la morte che falcia tutte le teste si è stabilita nei
nostri territori, e colpisce a destra e a manca, senza pietà.

Il diluvio mette a repentaglio le nostre vite e sta per distruggere tutto. I fiumi sono usciti fuori dall'alveo naturale e mietono vittime.

A parte i cani selvaggiamente uccisi, un segno biblico, quanti sono i nostri fratelli morti?

Il giovane sgozzato, restituitoci dalle acque del Sile, non è stato che il primo. Un nostro illustre concittadino ha trovato la morte in mezzo alle fiamme. Devastazioni! Acque e fuoco, che altro si riserva a questa città corrotta dal peccato?

Una grandissima esplosione ha tolto la vita a un altro individuo. E probabilmente i sette o più morti di ieri sono correlati a quell'attentato dinamitardo. Si parla di vendette mafiose, di organizzazioni criminali, e cosa sono queste se non il Male incarnato? E il Male pervade Treviso.

Ma non si tratta solo di regolamenti di conti all'interno delle logiche criminali di spartizione, anche due innocenti persone anziane, due onesti lavoratori della terra, sono morte crivellate di colpi. E una signora è scomparsa, forse rapita, forse uccisa.

Ma fosse solo questo! Quanti giorni sono passati da quando due giovani maschi, due corpivendoli abituali, sono stati ritrovati dentro due opere d'arte di un discusso artista inglese, immersi nella formalina? Ah, fino a che punto può arrivare la degenerazione del genere umano! Due morti diventano delle opere d'arte! O Dio mio, ti chiedo pietà per l'abiezione dei nostri fratelli congeneri.

Fratelli e sorelle! Quante altre vittime usciranno dall'acqua, dalle rogge, dai canali, dalle mostre di arte degenerata? Quante altre saranno bruciate come all'inferno?

Che altro dobbiamo aspettare?

Oh Signore, proteggici dal Maligno. Il Maligno è pene-trato nelle nostre famiglie, nei nostri campi, nei nostri cen-tri commerciali. Pentiamoci! Siamo sempre in tempo per farci perdonare dal Misericordioso. Urliamo la nostra pre-ghiera al Signore: perdonaci!

Don Carlo Zanobin
Omelia del celebrante
Parrocchia di *** (TV)

Nella mattinata del 20 aprile le cateratte del cielo si aprirono a titolo definitivo. L'allarme ormai riguarda-va tutta la piana e le zone collinari. Il Piave aveva de-bordato da giorni in più punti, a Grave, a Fagaré del-la Battaglia, a Romanziol, a Musile, praticamente lun-go tutto il suo corso. Gli argini, sia quelli provvisori di sacchi di sabbia sia quelli permanenti, avevano ce-duto. Il Sile vomitava fango marrone nella laguna, ma ormai a rilasciare milioni di milioni di metri cubi di ac-qua e di terra era tutta la pianura veneta. I fiumiciat-toli erano diventati torrenti inferociti, i canali toboga furiosi dove l'acqua correva a velocità straordinaria, i piccolissimi rivoli erano diventati dei fiumi, i fiumi del-le lagune, già grandi aree erano state evacuate dalla Pro-tezione Civile, molte case erano sommerse e altre se-misommerse, alcune addirittura portate via dalla furia della corrente. Per giunta si era sciolta la neve abbon-dante che aveva coperto per metri, nell'inverno, le montagne venete. Adesso queste nevi, dato il clima caldo di tipo tropicale abbinato alle piogge, si erano sciolte in un attimo. Il Po' era sopra il livello di sicurezza di oltre otto metri, ed era uscito nel Polesine, nel Rodigino, e a monte. Nelle zone collinari, quelle del vino pregiato, a Valdobbiadene, a Conegliano, le frane avevano bloccato le strade, molti centri abitati erano isolati, valanghe di pantano arrivavano a distruggere le case, i capannoni e le vigne. Il Brenta era uscito per ogni dove, in particolare nella zona di Piove di Sacco. Lo Zero, il Dese, e anche fiumiciattoli di cui pochi sanno il nome erano diventati dei mostri che tutto si prendevano. Venezia era sommersa dalle acque, e tutta la laguna sembrava mare aperto.

Nel Trevigiano ormai poche strade erano praticabili, e ciascuno, cercando di mettere in salvo beni, valori e provviste, lo faceva a suo rischio e pericolo. Molta gente era riuscita a scappare dirigendosi verso le montagne, cercando materialmente un rifugio in alto dove l'acqua non potesse arrivare. Molti avevano trovato le strade interrotte dalle frane, da smottamenti, o dal semplice fatto che i ponti erano crollati oppure erano stati sommersi dalle acque.

A Jesolo e lungo tutta la costiera il mare forza otto o più respingeva le acque che cercavano di riversarsi nell'Adriatico, i canali di scolo erano intasati, tutta l'area nord del Lido era sommersa dalle acque, ma non era un'esondazione di quelle che durano poche ore, il mare infuriato aveva eliminato la spiaggia e raggiungeva alberghi e case private della Miami dell'Adriatico.

E gli sciacalli, già gli sciacalli cominciavano a circolare, in città, nei piccoli centri, nelle seconde case, nelle frazioni isolate. Sciacalli diversi da quelli che uno si potrebbe immaginare, normalmente sono animali del deserto, delle riarse pianure: questi invece erano sciacalli anfibi, che sapevano muoversi in mezzo ai flutti e volevano razziare le ricchezze dell'operosa gente del Veneto penetrando nelle loro case private. Naturalmente il valore al quale le famiglie tenevano di più era la macchina, o le macchine, perché in ogni nucleo familiare ce n'erano parecchie. Le automobili non erano difficili da mettere in salvo, ma gli sciacalli sapevano dove venivano portate al riparo, e lì avrebbero agito, in massa, senza pietà. Ma che dire di quelli che possedevano collezioni di vini pregiati, o di modellistica navale? E quelli che in cantina avevano qualche chilo d'oro? Proprio quell'oro gli sciacalli andavano a cercare, convinti che ce ne fosse molto.

A proposito di sciacalli, animali che peraltro non meritano per niente questa nomea di approfittatori delle disgrazie altrui, le ultime dodici ore per Alba Romagnoli erano state senza dubbio le peggiori della sua vita. Già prostrata per quello che le era successo prima, la scalata del muro e della grondaia, adesso si ritrovava sul letto, con un ginocchio spappolato, sotto il tiro della pistola di quella pazza omicida.

«Canaglie schifose», le diceva la vecchia, «sciacalli, meritate solo di morire! Andare in casa dei poveri vecchi a rubargli le cose! Voi siete la feccia dell'umanità e bisognerebbe sterminarvi tutti. Però a te ti è andata male, sei stata sfortunata, e io a questo punto sono contenta, tanto nessuno mi viene a prendere, e se muoio qui moriremo insieme, così avrai il tempo di pentirti. Morirai qui con me, sei contenta? E cosa pensavi di trovare in casa mia? Gioielli? Denari? Lo sai quanti soldi ho in casa?».

Parlava con voce roca e un po' gracchiante, con una cadenza lievemente meridionale.

«Ma... aarg!, tiri giù quella pistola, mi lasci spiegare», Alba si guardò il ginocchio sanguinante, il dolore era insopportabile. Con un filo di voce cercò di calmare la vecchia. «Sono entrata in casa sua perché ero rimasta intrappolata qua sotto, nella corte. L'unica via di uscita si è allagata, sarei morta là sotto. Non sono uno sciacallo, mi chiamo Alba Romagnoli, e lavoro per una televisione privata».

«Ah, parli italiano? Peggio ancora, almeno tu fossi una zingara potrei capire, ce l'hanno nel sangue, ma gli italiani dovrebbero avere vergogna ad andare a rubare nelle case dei poveri anziani. Lo sai quanto prendo di pensione? 630 euro, prendo. L'invalidità non me la riconoscono. Eppure io non mi posso muovere. C'è un signore che mi va a ritirare la pensione, ma con questa baraonda questo mese non c'è andato, non si è fatto più vivo. E mi, lo sai quanti soldi ho in casa? 14 euro. Li vuoi tu?».

«Ma signora, chiami la Polizia, chiami il 113, io qui mi sto dissanguando!».

Alba peraltro era riuscita, con la federa del cuscino, a fasciarsi la gamba, in modo da non perdere troppo sangue.

La padrona di casa però non aveva nessuna intenzione di chiamare l'ambulanza o la Polizia.

«E poi non ho nemmeno il telefono, non funziona da una settimana. Moriremo qui, io e te, mi vuoi lasciar morire da sola? Ce ne andiamo al Creatore insieme, non sei contenta? Ma quando siamo lassù glielo spiego io al Dio del Cielo cosa volevi fare in casa mia».

Nel corso della notte Alba aveva ancora cercato di spiegare alla vecchia, ma questa non ci credeva e minacciò Alba di spararle anche all'altro ginocchio, se non stava zitta.

La vecchia peraltro aveva voglia di parlare. Sosteneva che lei possedeva il sesto senso. Certe volte le avevano chiesto di partecipare a delle sedute spiritiche. E lei per cinque o dieci euro a quelle sedute ci andava, ma era tanto tempo fa. «La gente è pazza, crede che ci siano persone che hanno altri modi di conoscere la verità. Sì, è vero, certe volte "sento" delle cose, ma di solito si tratta di antipatia. Per esempio prima "sentivo" che qualcuno stava arrivando, ed eri tu».

Alba a quel punto della notte non era più cosciente, non la ascoltava, forse si era addormentata, forse, più probabilmente, aveva perso i sensi.

Così in questo momento, alle sette del mattino languiva sul letto, la federa che le avvolgeva il ginocchio era zuppa di sangue. Dalla finestra cominciò a filtrare un po' di luce, pochissima, perché il cielo era sempre più nero, si sentiva il rumore della pioggia che batteva sul vetro, a vento.

Alba si risvegliò, e si guardò in giro. Adesso poteva vedere la vecchia un po' meglio. Teneva la pistola in grembo. Vestita tutta di nero, portava degli occhiali pesantissimi, con le lenti semi oscurate. Teneva la testa sollevata, un po' reclinata all'indietro, orientata verso la parete di fondo. Che dormisse?

Alba provò a spostarsi sul letto, a muovere la gamba integra.

La vecchia si scosse, ma non girò la testa verso la sua prigioniera, bensì alzò ancora di più il capo, come se volesse sentirci meglio.

L'altra mosse un braccio rapidamente verso l'alto, senza fare rumore. Nessuna reazione. Ripeté il gesto con l'altro braccio, la vecchia non si mosse, sembrava annusare l'aria.

Così la prigioniera, piano piano, si accorse che quella signora era cieca. Ogni piccolo rumore la allertava e la orientava, ma non gli stimoli visivi.

Alba, che pure non era in grado di camminare, cercò di muoversi, senza fare rumore. Forse le sarebbe stato possibile buttarsi giù dal letto e strisciare via, uscire dalla camera, alla disperata, e raggiungere la porta d'ingresso a gattoni, facendo forza con la gamba buona. Per i primi due metri l'avrebbe protetta il letto, poi come avrebbe fatto quella strega a prendere la mira? Cercò di avvicinarsi, con movimenti millimetrici, al bordo del letto. Tentò di alzarsi col busto, e di spostare la gamba sinistra.

La vecchia sparò un altro colpo a scopo intimidatorio. A fatica si alzò dalla sedia e le cambiò di posizione, collocandola vicino alla porta.

«Resta dove sei e non ti far venire delle idee. Finalmente ti sei accorta che non ci vedo. Ce ne hai messo di tempo. Ma sta' tranquilla che se ti muovi ti prendo, ho una mira infallibile. E poi con quel ginocchio dove pensi di andare? Non arrivi neanche alla porta. Se ci provi un'altra volta ti spappolo anche l'altro. Non voglio che tu muoia subito, se no rimango da sola per troppo tempo».

Se la dottoressa Coppo fosse stata in condizioni di perfetta coscienza avrebbe potuto sentire distintamente il vortice delle acque che lambivano il casolare sul fiume dove era segregata. Ormai erano più di ventiquattr'ore che nessuno veniva a darle da mangiare o da bere. Legata sul pagliericcio non poteva fare niente, era immobilizzata. In una situazione normale un'ansiosa come lei sarebbe andata in crisi quando sapeva che c'era qualcosa che si poteva fare e che andava fatto per tempo, ma in questo momento non poteva fare niente, e non se ne rendeva conto nemmeno più.

L'acqua aveva superato il livello della finestra e se la Coppo non avesse avuto il cappuccio in testa avrebbe potuto vedere che una marea marrone scorreva al di là del vetro. Tutta quell'acqua mista a rifiuti di ogni tipo, che scorreva a velocità mostruosa la Coppo non la poteva vedere, ma forse avrebbe potuto sentirla, uno scroscio continuo come in mezzo a una cascata. Dal tetto gocciolavano litri di acqua, taluni la colpivano sul letto, il pavimento era impiastricciato di fango.

Ma la Coppo, allo stremo delle forze, erano due giorni che non assumeva liquidi, stava delirando, ormai aveva perso il lume della ragione, in testa sua sentiva delle canzonette, per esempio i New Trolls, *Quella carezza della sera*, o *Maledetta primavera* di Loretta Goggi, che le rimbombavano dentro, insieme a sequenze incontrollabili di immagini a flash, fra le quali quella di sua madre e quella della zia Delia, che le chiedeva se aveva fatto merenda. No, lei non l'aveva ancora fatta, però non c'era tempo, doveva fare la valigia, per ripartire. E qui venivano le difficoltà perché la valigia era troppo piccola, non c'entravano dentro tutti i suoi bagagli, che all'andata invece ci erano entrati benissimo, e così il tempo passava inesorabile, e ormai non avrebbe più fatto in tempo a prendere il treno, eppure continuava a cercare di fare il bagaglio.

In uno sprazzo di lucidità Marta si chiese perché anche i ratti l'avessero abbandonata, se n'erano andati via... Poi riprese il delirio:

Se
per innamorarmi ancora
tornerai
maledetta primavera
che imbroglio se

478

per innamorarmi basta un'ora?
Che fretta c'era
maledetta primavera?
Che fretta c'era
se fa male solo a me?

Se la dottoressa Coppo aveva perso le speranze sul fatto che qualcuno l'avrebbe liberata da quella prigione, prima che fosse allagata, se non addirittura sradicata dalle sue fondamenta e portata via dalle smisurate correnti, aveva fatto un errore. Presi dal panico i membri della Banda dei Quattro avevano deciso di andarla a prendere, per trasferirla da qualche altra parte. Anche loro sfidarono gli elementi, ma col pick-up di Parolin pensarono di potercela fare. Sulla macchina c'erano Trentanove, la Quagliarella e lo stesso Parolin alla guida. Mammì era irreperibile, quel bastardo, chissà dove si era andato a nascondere.

Affrontarono la pioggia che turbinava spinta da un vento che superava i cento chilometri orari, e raggiunsero il casolare abbandonato, sul fiume. Ebbero una brutta sorpresa; il ponticello che portava alla casa non c'era più, travolto dalla corrente, la porzione della costruzione che dava sul fiume era praticamente avvolta da un turbine di onde e di orribili vortici spumeggianti. Dall'altra parte non c'era modo di raggiungere il casolare, era tutto allagato.

«E adesso che facciamo? La lasciamo là dentro?», domandò la Quagliarella.

«E tu che proponi? Ci vai tu a riprenderla, a nuoto?».

«Il fatto è che è legata, se non fosse legata al letto la corrente la porterebbe via e nessuno ci penserebbe più, la ritroverebbero nell'Adriatico, fra un paio di mesi, ammesso che la ritroverebbero».

«Che la ritrovassero, Quagliarella».

«Che la ritrovino, direi».

«Insomma, come volete voi, ma io là dentro non ci vado, fra l'altro secondo me è già annegata, l'acqua è salita molto al di sopra del livello della stanza».

«Tu, Parolin, che dici?», chiese Trentanove.

«Io dico, togliamoci di qui e saliamo da qualche parte, se no ritroveranno anche noi affogati dentro la macchina. Ci penseremo. Se la casa sarà portata via dal fiume non credo che avremo tanto da temere, sarà tutto polverizzato, e la Coppo non sarà l'unico morto che ritroveranno in laguna. Se per miracolo la muratura dovesse reggere torneremo qua quando possibile, e vedremo il da farsi. Non bisogna perdere la testa».

«D'accordo», disse Trentanove.

«Va bene», fece la Quagliarella, «sarà bene muoversi».

Il signor sindaco di buon'ora si era fatto accompagnare in taxi all'officina meccanica convenzionata, nella periferia di Rosenheim. Per fortuna la sua assicurazione gli garantiva una copertura in tutta Europa, carroattrezzi, garage, riparazione, e addirittura il costo dell'albergo dove lui e la sua famiglia avevano dovuto riparare. La gomma nuova l'avrebbe dovuta pagare, vabbè, ma forse la si poteva aggiustare, forse l'avevano già fatto.

Il sindaco mostrò al tassista un biglietto dove era scritto l'indirizzo dell'officina. Dopo un quarto d'ora fu scaricato lì davanti. Ora c'era il problema della lingua, ma in qualche modo ci si sarebbe arrangiati.

Davanti al meccanico c'erano due auto della Polizei. Bah, qui portano tutte le auto incidentate sull'autostrada, pensò il sindaco. Invece quei poliziotti erano lì per lui. Erano stati da poco chiamati dal gestore dell'officina, perché dentro la macchina italiana alla quale dovevano semplicemente riparare una gomma avevano trovato qualcosa di anomalo.

Ecco, qui cominciarono davvero i problemi di comunicazione, la polizia chiese al sindaco le generalità e se era lui il proprietario di quella Audi A8, e di mostrare i documenti.

A fatica gli agenti riuscirono a far capire al sindaco che li doveva seguire negli uffici della Polizia, dove ci sarebbe stato un interprete.

«Un interprete, e perché?».

Gli agenti gli fecero capire che non ne potevano parlare lì, e che l'auto e tutto ciò che conteneva erano sotto sequestro, che in tedesco si dice Konfiszieren.

«Konfiszieren? Warum?».

Il perché glielo avrebbero comunicato solo in ufficio, di fronte al responsabile.

«Ma io sono il sindaco di Jesolo! Ich bin Jesolo Burgmeister!». Culicchia si avventurò nel poco tedesco che conosceva, d'altra parte una bella quota dei turisti che frequentano il litorale veneto sono germanici.

«Jesolo! Ah, sehr shoen!», commentò un agente che ci era stato in vacanza.

Senza poter ritirare la macchina e andare a prendere la famiglia in albergo, il sindaco fu tradotto nella caserma. Lì fu condotto davanti a un signore in borghese, affiancato da due agenti femmine in uniforme, e da un individuo di evidenti origini italiane e meridionali, l'interprete.

Fu notificato a Culicchia Antonio che la sua auto era sotto sequestro perché nel vano dove alloggia la ruota di scorta erano stati trovati 47 lingotti d'oro da un chilo, più altri sette lingotti di taglio inferiore, per un totale superiore ai 50 chili.

«Ma non è mica un reato portare con sé una quantità di materiali preziosi!».

L'interprete tradusse.

«Sì e no. Lei può certificare la provenienza di questi lingotti?».

L'interprete tradusse di nuovo.

Insomma venne fuori che non è un reato trasportare dei lingotti d'oro attraverso il territorio germanico, ma per valori simili occorre essere in grado di certificarne la provenienza, l'ordine d'acquisto.

E a quanto pareva alcuni di quei lingotti, punzonati come tutti i lingotti, risultavano forse rubati. Altri erano di dubbia provenienza.

Oh, a questo il sindaco proprio non ci aveva pensato, abituato a comportarsi secondo criteri di normale impunità, non si era neanche informato.

Comunque lo portarono in cella, e gli fu concessa una sola telefonata, alla moglie. Le disse di aver fiducia –

frase che già da sola fece crollare il mondo addosso alla consorte – e che tutto si sarebbe risolto molto rapidamente – frase che tolse definitivamente qualsiasi
speranza alla moglie.

Mose non era uno che si facesse prendere dal panico per due gocce d'acqua, se doveva ritrovare quella signora che aveva ucciso Terminator lui l'avrebbe ritrovata. Per questo aveva seguito il pick-up con a bordo
Trentanove, la sua amante Quagliarella e un altro che
non conosceva. Il pick-up si era fermato davanti a un
casolare circondato dall'acqua. L'auto con i tre a bordo aveva fatto qualche manovra per perlustrare il lato
posteriore, poi si era rifermata. Dopo dieci minuti, un'inversione e se ne era tornata indietro.

Mose invece non si fece intimorire dal fatto che il
casolare paresse circondato dalle acque. Non l'avevano visto e lui fece quello che avrebbero dovuto fare
i pavidi membri della Banda dei Quattro. Tirò fuori
dal bagagliaio della sua 4x4 degli stivaloni da pesca,
che indossò, e un'accetta. Localizzò un albero crollato lì vicino, velocemente lo tagliò nei pressi della radice. Poi sollevò il tronco e lo trascinò davanti alla casa, l'albero pesava un centinaio di chili ma Mose seppe come muoverlo. Riuscì a spingerlo in avanti in modo che l'estremità inferiore superasse il divario di
tre-quattro metri invaso dalle acque: insomma realizzò
un ponte di fortuna, le acque lo lambivano, ma sembrava reggere all'impatto delle correnti. Ci montò
sopra e attraversò.

Andò a dare un'occhiata al casolare. Il portoncino di ingresso era chiuso a chiave. Non gli ci sarebbe voluto molto con l'accetta, però la situazione sembrava poter precipitare da un momento all'altro.

Trovò un passaggio su un ciglio, salì su alcune pietre mezze divelte, si aggrappò a un vecchio pero morto sulla sommità e si calò vicino a una finestra sul retro, che non aveva vetro. Entrò nella casa. Nella vecchia cucina, semiallagata, c'erano delle scatolette di tonno aperte, delle bottiglie di acqua minerale non gassata, biscotti, schifezze, comunque tutta roba che era stata lasciata lì non più di uno o due giorni prima. Con calma perlustrò i locali al piano di sotto, già allagati, poi salì le scale. La casa vibrava per le scosse date dalla corrente, sembrava ci fosse il terremoto.

La stanza di sopra era chiusa da una porta di ferro, ma la chiave era infilata nella toppa. Mose trovò la Coppo immobile, legata sul pagliericcio. Dallo zainetto fradicio che aveva sulla schiena estrasse un coltellaccio di grosse dimensioni e tagliò le fettucce e il nastro isolante metallizzato che tenevano legata quella signora. Lei a stento si rese conto di quello che stava succedendo, aveva difficoltà a parlare, diceva frasi sconnesse, abbracciava Mose. Credette che qualcuno l'avesse salvata, ma non era in grado di capire chi e come.

Mose le mise in mano una bottiglia di acqua minerale e la fece bere.

Le chiese: «Lei è la signora Marta Coppo?».

Quella, dopo aver bevuto avidamente, rispose che sì,

era lei Marta Coppo. «Ma lei chi è? Un poliziotto?». Non lo pareva proprio.

Quello non rispose alla domanda. La invitò a bere ancora, a rifocillarsi velocemente, perché non c'era tempo, il casolare poteva essere portato via dalle acque da un momento all'altro.

Poi, con la donna in grembo, si affrettò verso il portone da basso. Al modo di un principe salvatore o un marito alla prima notte di nozze portava in collo la Coppo come se non avesse peso e come se non puzzasse dei suoi escrementi. Mose a queste cose non ci faceva caso. Traversarono il ponte improvvisato e arrivarono al SUV, ormai la casa scricchiolava, stava per abbandonare le sue fondamenta al più presto.

Mose raggiunse rapidamente l'auto nonostante il fardello che portava con sé, che non sarebbe stato troppo pesante in quanto tale, ma che era bagnato fino al midollo.

La Coppo fece appena in tempo a dire «Grazie...» con un filo di voce che Mose la gettò nel baule della sua grossa macchina, insieme alla bottiglia di acqua minerale. La legò e imbavagliò di nuovo. La Coppo era stupefatta, non ebbe la forza di dire niente.

L'orco si tolse gli stivaloni, rindossò gli scarponi e ripartì con premura. Oramai era questione di attimi, guidava in mezzo all'acqua e al pantano come un abile rallista, d'altronde lui, che era di Gorino, a portare la macchina nel pantano ci era abituato. Superò un guado dove l'acqua era alta più di un metro: il liquido entrò nel baule, quasi affogando la povera Coppo, la quale però un pochino si svegliò, e si rese conto che era di nuovo segregata, questa volta nel bagagliaio di una macchina.

Finalmente la decisione fu presa dal prefetto, si abbatterono gli argini in zona Portegrandi, Lanzon e Caposile, per creare una sorta di cassa di espansione del Sile, e scaricare milioni di metri cubi d'acqua e fango nella laguna. Il provvedimento avrebbe avuto delle conseguenze molto gravi per tutta la cosiddetta Palude Maggiore, delimitata a sud dal Cavallino. In particolare si temeva per Torcello, anche se la zona più a rischio era quella di Lio Piccolo, proprio dove era prevista la costruzione della città a luci rosse, una bellissima area umida, vale a dire paludosa, alta un metro sul livello del mare.

L'operazione fu assai complessa, alcune ruspe sbancarono l'argine lungo la strada, rischiando di venir trascinate anche loro nella laguna. Comunque si riuscirono ad aprire alcuni varchi, proprio quando era in arrivo la definitiva ondata di piena, che stava spazzando via tutta la pianura.

Per coloro che si trovavano lì la scena fu impressionante. Una massa enorme di fango e terra si riversò in accelerazione nella laguna. Questa andò a conflagrare con la marea in ascensione e con la forza del mare, al centro della Palude Maggiore si sviluppò un fenomeno che probabilmente nessuno aveva mai visto in quell'area negli ultimi trenta secoli, vale a dire una gigantesca cresta dell'onda, alta forse più di cinque metri, quando i due potenti flussi si incontrarono. Il risultato fu un riverbero di marosi in tutte le direzioni, di ritorno verso il litorale, di pressione verso la costa del Cavallino.

A Lio Piccolo arrivò un'ondata formidabile, alta più di tre metri, lenta ma inesorabile, che sommerse tutto il piccolo centro abitato, ma soprattutto la zona dove sarebbe nato l'enorme cantiere di Sex City.

Una enorme massa di fango travolse tutto, e si andò a depositare proprio dove si sarebbero fondati i cantieri.

Con tutta probabilità, come è sempre successo nella laguna, in seguito ci sarebbero stati dei fondamentali e radicali riassestamenti, per fortuna Torcello non fu devastata.

La visibilità era vicina allo zero. Galati non si trovava molto bene alla guida del van Mercedes, carico dei sette calabresi. Adesso non era facile trovare una strada per raggiungere il Sile, o qualche altro fiume, dove liberarsene. Con questa emergenza climatica non c'era da andare troppo per il sottile, e avventurandosi fuori dal garage capì che il novanta per cento delle strade erano chiuse al traffico. Ne forzò una, quella da Signoressa a Trevignano la conosceva abbastanza bene, si manteneva sufficientemente alta, di due o tre metri, sul livello dell'acqua.

I calabresi morti, seduti sulle due file di sedie dietro quella del guidatore, ondeggiavano, voluminosi e pesanti. Occorreva accelerare, ormai da un momento all'altro tutta quella zona sarebbe stata invasa dall'acqua.

Per questo Walter prese una curva a velocità eccessiva, sbandò, e in uscita si trovò nel mezzo della carreggiata: ebbe solo una frazione di secondo per rendersi conto che di fronte a lui aveva un grosso SUV che procedeva in senso opposto. Non fece in tempo a evitarlo e lo scontro frontale fu violento. Il van Mercedes ebbe la peggio e Walter picchiò col torace contro il volante e perse i sensi. I suoi passeggeri, che non avevano le cinture di sicurezza agganciate, si ammassarono in avanti, contro i due sedili anteriori.

Dopo l'urto ci furono una trentina di secondi di silenzio assoluto, si sentiva solo il rumore della pioggia battente, mista a grandine, del vento, degli alberi che soffrivano inclinati di 90 gradi. Il primo a riprendersi fu Mose, scrollò la testa, che aveva battuto nel parabrezza. Vide le due auto fumanti che dopo il frontale si erano respinte di una decina di metri. Scese dal SUV e si diresse verso il van, che aveva l'anteriore distrutto. Il conduttore era riverso da una parte, tutti gli altri membri dell'equipaggio erano morti, lo si vedeva dagli occhi aperti e paralizzati.

Casso, i xè morti tuti, pensò Mose nella sua semplicità. In effetti erano morti tutti, ma non per il motivo che pensava lui.

In realtà l'autista era l'unico che non avesse gli occhi spalancati, e sembrava anche, a fatica, respirare.

Mose aprì la porta del guidatore e Galati estrasse l'automatica e gli sparò quattro colpi in testa. Mose cadde pesantemente a terra. Galati non perse tempo: si guardò intorno e vide che lì vicino c'era un ponticello di pietra sommerso dalle acque. Il van non si rimetteva in moto, e dunque dovette, sotto l'uragano, trascinare i cadaveri verso il corso d'acqua, uno per uno. L'ultimo fu Mose, che pesava circa 120 chili. Li appoggiò tutti sul ponticello.

Improvvisamente si sentì un rumore violento, un sibilo sovrumano, il vento vorticava a cento chilometri l'ora, Galati guardò in su e vide una vertigine grigio plumbea che roteava sopra la sua testa, e che sradicava alberi, tetti, pezzi di tettoie in laminato o in ondulit e oggetti pesanti. Walter corse via e si rifugiò in un buco sotto un muretto di pietra. E a quel punto vide qualcosa che anche lui non si sarebbe mai sognato di vedere in vita sua, lui che non faceva troppo caso all'aspetto emozionale o icastico di ciò a cui assisteva, nonostante ne avesse viste molte. La tromba d'aria, dalle dimensioni veramente inusuali per il Mar Mediterraneo, stava sollevando tutto e tutti quelli che incontrava sulla sua strada. Buttò in alto nel cielo i cadaveri che galleggiavano in un'ansa un po' meno movimentata del fiume, li sollevò e questi salirono su, non si vedeva fino a che punto. Il tornado non ebbe problemi nemmeno a far volare l'enorme corpo del Mose, anche lui fu innalzato verso l'alto a venti, cinquanta, cento metri.

Ma c'era di più: la tromba d'aria, che schiantava tutto ciò che incontrava, scardinò e divelse il tetto di un magazzino di materiali agricoli, un Consorzio dove si vendevano tagliaerba, zappe e attrezzi di vario genere, fra cui falci e falcetti. Sollevò anche tutto questo materiale facendolo turbinare sempre più in alto. Era una scena da un certo punto di vista non priva di un suo valore estetico, quella rappresentata da una trentina di falci che mulinavano nel cielo, e che mozzavano tutto ciò contro cui si imbattevano, fossero rami, foglie, animali o esseri umani, fossero essi già morti, quelli che aveva depositato Walter, o fossero persone ancora, parzialmente in vita, quelle sbarbicate dalle loro case.

Galati, infilato nel buco, con la testa piegata verso l'alto, non credeva ai suoi occhi. Gli otto cadaveri, alcuni dei quali fatti a pezzi dalle falci rotanti, furono portati lontano, ciascuno secondo una diversa tangente centrifuga. Ma chi, chi mai, avrebbe potuto assistere a questa pioggia di cadaveri? Solo qualcuno di coloro che, insensibili ai richiami delle autorità, erano rimasti chiusi in casa, nonostante il pericolo, qualcuno che aveva osato guardare l'incredibile furia del tornado abbattersi sulla sua terra, ecco, qualcuno che in futuro avrebbe giurato di aver visto dei morti che piovevano dal cielo, quella sera, con le teste mozzate, a causa di una tromba d'aria mandataci dal nostro Signore, per farci comprendere quali siano i nostri peccati. La Morte, da Lui incaricata, aveva messo in moto decine di falci turbinanti, sarebbe stato un bel problema anche soltanto attribuire la giusta testa al rispettivo corpo.

Galati assisteva incantato allo spettacolo. La sua mente razionalista tendeva a non sopravvalutare certi aspetti simbolici particolarmente eclatanti e sorprendenti, ma questa scena era veramente impressionante. Non lo faceva mai, ma questa volta scattò delle fotografie con lo smartphone. Una falce si era infilata di punta nella schiena di una signora che si trovava lì per caso. Viaggiava a dieci metri sopra il livello del suolo. La foto venne discretamente.

Dopo il passaggio della tromba d'aria Galati rimase ancora un po' nel suo rifugio, che gli aveva salvato la vita. Il vento adesso cambiava repentinamente direzione, a stento si reggeva in piedi ma riuscì a raggiungere la macchina del Mose, che era stata spostata di qualche decina di metri, ma non era stata portata via dalla tromba d'aria. Galati riuscì a rimetterla in moto e a ripartire alla cieca.

A un bivio Walter sentì di nuovo il vento fortissimo che provava a sollevare la macchina, roba di tutti i generi gli cascava addosso, lui si fermò in un posto che pareva lievemente riparato. Qualcosa di pesantissimo e molle si spiaccicò sul parabrezza, incrinandolo. Era il corpo di uno dei calabresi, quello pericoloso, quello che guardava come muovevi le mani, la cui faccia Walter si ritrovò proprio davanti alla sua. Fece un paio di metri in retromarcia e il corpo scivolò a terra. Guardò in cielo, e vide...

Vide in mezzo alle nuvole uno stranissimo squarcio, una zona azzurra e illuminata dal sole, come in certi quadri barocchi, specialmente quelli del Tiepolo, mentre a terra infuriava ancora la bufera. Galati non era tipo da credere a eventi soprannaturali, però in quel momento ne fu tentato. Ma adesso bisognava mettersi in movimento, togliersi da quella zona abbandonata (o forse presa di mira) da Dio, con i dovuti accorgimenti.

Gli animali e la percezione dei cataclismi

Da secoli se non da millenni si è sempre parlato della eventuale capacità degli animali di percepire in anticipo le catastrofi naturali, dai terremoti alle eruzioni vulcaniche, dai tifoni alle alluvioni.

Lo storico e filosofo Claudio Eliano narra di come, nel 373 avanti Cristo, cinque giorni prima che il terremoto distruggesse la città di Helike, molti animali, come topi, serpenti, millepiedi e scarafaggi, avessero abbandonato la città.

Sono innumerevoli le testimonianze di comportamenti animali anomali, come fughe di massa o la tendenza, in caso di imminenti alluvioni, di riparare in luoghi rilevati, come si dimostrano capaci di fare gli elefanti. Sono testimoniati infiniti casi di mucche che non fanno latte, galline che non fanno uova, conigli che non copulano.

In molti casi si tratta semplicemente di un incontenibile nervosismo, ma comunque si sono condotti studi intensivi sulla possibilità di utilizzare i comportamenti animali come segnali di avvertimento per attuare strategie di prevenzione. Si osservano i comportamenti dei serpenti che lasciano il loro nido, anche in periodi di letargo, fino a cinque giorni prima che avvenga il terremoto.

In realtà i risultati di questi studi non hanno portato a soluzioni definitive. Che gli animali reagiscano alle calamità naturali in corso è più che ovvio, che siano in grado di presentirle non è dimostrato: la maggior parte della casistica riguarda testimonianze a posteriori, dopo che il cataclisma è avvenuto.

Studi recenti sulle formiche provano l'esistenza di mutamenti comportamentali prima di scosse telluriche o dell'arrivo di tempeste. In caso di imminenti grandi piogge le formiche rinforzano i formicai, e costruiscono delle sorte di argini per impedire alle acque di invadere le gallerie. Inoltre si concentrano in luoghi rialzati, per evitare di essere trascinate dalle acque in piena. Si pensa che le formiche dispongano di recettori in grado di avvertire cambiamenti nei gas atmosferici e nei campi elettromagnetici, determinati da terremoti o da tornado. I contadini spesso osservano il comportamento delle formiche, e notano casi di iperattività nell'imminenza di precipitazioni fuori della norma.

Fra gli insetti, anche le api si distinguono per la loro capacità di prevenire i grandi scrosci d'acqua: si ritirano in tempo negli alveari.

Nel mondo degli uccelli, probabilmente poco impauriti dai terremoti, come lo sono invece i serpenti e altri animali che vivono in gallerie sotterranee, in particolare si nota la capacità di preavvertire i tornado: alcune specie, per esempio le parule alidorate (*Vermivora chrysoptera*) abbandonano i loro siti residenziali fino a 24 ore prima che sopraggiunga la perturbazione violenta.

Un caso particolarmente interessante è quello della beccaccia (*Scolopax rusticola*), uccello migratore, preda di particolare interesse per i cacciatori. Le beccacce paiono preavvertire i mutamenti meteorologici di una certa rilevanza, e cambiano di conseguenza i loro itinerari di migrazione.

Recentemente si sono osservate improvvise mobilitazioni dei fenicotteri, quando uno tsunami era in arrivo nelle coste dell'India e dello Sri Lanka.

Fra i mammiferi in grado di avvertire in anticipo l'arrivo di calamità naturali ci sono gli orsi: in questo caso sarebbe il potentissimo olfatto a permettere loro di sentire un disastro in arrivo.

Ma anche i cavalli si danno a corse sfrenate, gli elefanti barriscono e si mettono in fuga, i pipistrelli abbandonano i loro rifugi.

Un caso diverso, se non opposto, è quello degli squali: questi pesci si concentrano nelle aree marine dove ci sono rapidi cambiamenti di temperatura, che di norma coincidono con quelli in cui le tempeste hanno origine. Si pensa di utilizzare le osservazioni sui movimenti degli squali per individuare i luoghi in cui si formano eventi meteorologici a carattere di burrasca.

Non si può non citare la possibilità che a poter preavvertire i disastri naturali siano alcuni esseri umani, in particolare quelli che hanno sviluppato, a causa della deprivazione di un organo percettivo, per esempio la vista, o in relazione a particolari tecniche di meditazione, capacità sensoriali fuori della norma. Non a caso molti oracoli, o indovini, nella tradizione, sono ciechi.

Barbato ebbe modo di consultare il suo computer solo verso mezzogiorno.

Il suo software aveva prodotto una risposta più precisa per quanto riguardava la definizione dell'elemento perturbatore, il cerchio si stringeva all'interno dell'ipotesi, probabilità adesso del 27%. A quanto pareva l'elemento perturbatore era sicuramente umano, singolo, che si trovava a rappresentare l'esatto punto di connessione fra un numero rilevante di eventi. *Il perturbatore, quello che aveva operato in funzione di togliere senso agli avvenimenti, senso rappresentato proprio dal movimento di escissione attuato dal perturbatore stesso, probabilmente si chiama Walter Galati.*

Il software si dilungava sui vari motivi di questo suo vaticinio. Citava anche la sindrome di Clark Kent, e una serie di coincidenze perlomeno strane.

Un nome, abbiamo un nome su cui lavorare, esultava Barbato. Devo immediatamente comunicarlo ai miei superiori. 27%! È quasi una certezza!

Riuscì a parlare col superiore, il vicequestore Mattighello, annunciandogli di essere arrivato, grazie al software, vicino alla soluzione di tutto o quasi quello che stava accadendo nella provincia di Treviso.

Barbato, in sollucchero, riassunse l'ipotesi al vicequestore: «Abbiamo un nome».

«Di chi?».

«Del colpevole, il motore di tutto quello che sta succedendo, compresi i morti di Asolo, i cani, gli spogliarellisti e i calabresi».

«Un nome? Ha confessato?».

«No, ancora no, è un'ipotesi del software INDAOP, *Investigation Data Operational*».

«E chi sarebbe?».

«Un tale che si chiama Walter Galati».

«E perché l'avrebbe fatto?».

«Perché non si potesse risalire a un ambiente entropico più grande, un universo di grado maggiore, probabilmente criminoso».

«Ma che sta dicendo? E chi è?».

«Walter Galati, un impiegato di basso livello dell'INPS di Treviso, il proprietario di Fufi».

«E chi è Fufi?».

«Un cane cui è stata tagliata la testa».

Al vicequestore, già sconvolto ed esasperato per conto suo, stava montando la furia, ma per fortuna di Barbato dovette rispondere a due o tre telefonate contemporaneamente. Quando trovò un secondo per dire al tenente quello che pensava, si mise a urlare. «Barbato, con tutti i problemi che abbiamo tu ti diverti con queste fantasie. Abbiamo centinaia di morti in questi giorni, e altri ce ne saranno, e tu mi vieni a raccontare che c'è un elemento perturbatore, e che questo elemento perturbatore non può essere altro che un individuo singolo, residente a Treviso, che sarebbe da solo responsabile di una caterva di morti. Un impiegato dell'INPS. Barbato, qui abbiamo da lavorare. Fai passare la nottata e te ne torni a casa tua, per sempre. Adesso lascia perdere queste scemenze. Corri a Caorle, che sta succedendo un casino con gli sciacalli».

Barbato uscì da questo incontro pieno di frustrazione. D'altronde l'avevano avvisato, negli Stati Uniti, durante uno dei mille corsi ai quali aveva partecipato, che avrebbe trovato difficoltà nell'imporre un punto di vista generale, scientifico.

«Siete due vigliacchi», disse la Quagliarella. «Ma si lascia morire così una persona, affogata?».

«Secondo me aveva già perso i sensi, non si è accorta di niente, e poi perché dobbiamo morire anche noi, che senso ha? Non l'avremmo mai salvata».

«Meglio farla fuori direttamente, no? Piuttosto che lasciarla morire legata a un letto di ferro e affogata».

«Vedrai che la ritrovano a Ragusa, intendo dire Dubrovnik, non Ragusa in Sicilia».

«Fermati che mi scappa la pipì».

«Ma sei matta? Non vedi come piove? E dobbiamo fare in fretta».

«Me la sto facendo addosso, lo stress è troppo forte, vuoi che te la faccia qui, sul sedile posteriore? Ci metto un attimo, accosta qui a destra».

Parolin accostò, e la Quagliarella, col cappuccio in testa, scese rapidamente e neanche si cercò un posto riparato, la fece lì, accanto alla macchina, senza vergogna.

«Che roba», commentò Parolin.

«E dire che c'è gente che si eccita a vedere le donne pisciare», disse Trentanove. «A me me lo fa ammosciare come nient'altro».

«Perché, ci hai provato?».

«Ma che cazzo dici, no certo, si fa per dire, in generale».

«Ah, in generale».

Quagliarella rientrò immediatamente e Parolin mise la prima marcia. Ma ebbe una brutta sensazione, come se la macchina stesse affondando nel pantano. Effettivamente si era abbassata di una ventina di centimetri e adesso, innestata anche la ridotta e tutte e quattro le ruote motrici, la macchina sembrava non muoversi e affondare sempre di più.

«Cazzo, ci siamo impantanati, stiamo affondando, la macchina non esce!».

«Cosa? Ma sei scemo? Muoviamoci dai, non vedi in che bufera siamo? Qui arriva il tornado!».

«Uscite fuori, date una spinta, trovate qualche pezzo di legno da mettere sotto le ruote, muovetevi!».

«E muoviti tu stronzo, possibile tu non abbia visto che hai parcheggiato in una pozza di fango, siamo nelle sabbie mobili!».

Uscirono tutti e tre dalla vettura, sotto i rovesci, non si vedeva niente. Mentre cercavano di spingere la macchina, senza alcun risultato, sentirono un rumore, un rombo assordante, un clangore di parti metalliche, legnami e roba più floscia.

Fecero appena in tempo a rientrare in macchina che la tromba d'aria fu su di loro, e il ciclone del pantano, delle sabbie mobili, se ne fregava, sradicò la macchina da terra e la sollevò, innalzandola gradatamente sempre più in alto.

I tre, terrorizzati, furono portati fino a cento metri d'altezza, ma ci misero un po' a rendersi conto di essere così in alto, passarono sei o sette secondi in mezzo al cielo, durante i quali provarono una sensazione di straniamento, come quella che si vive sulle montagne russe quando la cremagliera ti porta fino in cima. Lì c'è un istante di sospensione, prima che inizi l'ebbrezza del precipizio. Lo stesso capitò alla Banda dei Quattro, mancante del signor Mammì. Poi effettivamente precipitarono anche loro, perché la tromba d'aria era come se si fosse stufata di averli portati così in alto.

Si schiantarono in basso, e da quell'altezza era indifferente precipitare nell'acqua o su una superficie solida. Per la precisione su un basamento di cemento armato in un cantiere stradale che era fermo da mesi. Il macchinone si spiaccicò come quelle strane sostanze gelatinose che vendono gli abusivi nelle località turistiche, per esempio a Venezia. Le butti in terra e si spiattellano come una frittata, poi riassumono la loro forma originale. Invece l'auto non tornò al suo aspetto e rimase appiattita sul cemento. Peraltro non era l'unica automobile che aveva subito quel tipo di destino.

A Tele Treviso Italnews si vivevano momenti di concitazione. Gli studi si trovavano in una zona periferica, distante dai maggiori corsi d'acqua, un po' rilevata. Si seguivano con frenesia gli eventi in corso.

Il regista dello show *La Sibilla*, River ne pensava di tutte. «Non possiamo non andare in onda proprio oggi», diceva a chi lo stava a sentire.

«Ma chi vuoi che si metta a guardare il programma, fra l'altro nell'ottanta per cento delle case non c'è la corrente elettrica, e molta gente se ne è andata via, anche nelle zone meno colpite».

«Non importa, tanti si collegheranno da fuori, in streaming, ormai siamo seguiti in tutta Italia, chiamami la Dany».

Arrivò la Dany.

«Dany, oggi devi dare il massimo, devi superare te stessa».

Provarono i dialoghi.

«Devi raccontare una visione, una visione terribile, devi raccontare che c'è uno spirito cattivo che ha invaso il Trevigiano, ma che vedi una figura che ci protegge, è Padre Pio, un enorme Padre Pio alto come le montagne che scaglia anatemi contro il maligno».

«Ma River, non ci riesco, cossa ghe digo?».

«Inventati qualcosa, no? Ormai sei tu la Sibilla, non hai capito che carriera ti si para davanti?».

La Dany ci provò, con voce gracchiante.

«Vedo, vedo, mi vedo...».

«Ma no Dany, ti no te deve parlar veneto».

«E come mi fasso? No son buona a parlar come i teroni».

«Devi dire: Vedo... vedo... vedo qualcuno, è alto quanto una montagna...».

«Vedo, vedo qualcuno... xè alto come una montagna».

«Non ci siamo, non ci siamo...».

River era sconsolato, ma no, Dany non poteva parlare, era una causa persa.

Però la sua mente era vulcanica. «Dany, ho un'idea, tu non parlerai... ti esprimerai in un'altra maniera... come fanno gli oracoli! Presto, portatemi una lavagna, un foglio di carta, una tela! Vedi Dany, a un certo punto la Sibilla chiederà un pennello, un pennarello, un carboncino, ecco, sì, un carbonchino. Vuole fare un disegno della sua visione. E allora arriverà un cartello bianco, un pezzo di stoffa, un pezzo di cartone, qualsiasi cosa, e lei lì sopra farà delle iscrizioni, sai fare un disegno sul cartone?».

«Come no, mi g'ho fato il Liceo Artistico».

«Bene allora provaci, devi fare un disegno della tromba d'aria, e accanto una presenza demoniaca, ma accanto ancora un monaco, Padre Pio. Lo sai fare Padre Pio?».

«Mi ghe poso provar».

«Ricordati, il disegno deve essere confuso, non ci si deve capire niente, e la Sibilla non ha forze, è in fin di vita, sta per avere la crisi definitiva».

«Okkey», disse la Dany.

Provò a schizzare qualcosa. Una spirale d'aria al centro, non era venuta male, assomigliava proprio a una tromba d'aria. All'interno della spirale raffigurò due o tre teschi. La morte secca le era sempre venuta bene, lì accanto un'ombra cornuta, appena appena visibile. Vicino ai teschi alcune falci incombenti. Dietro una gigantesca figura di un monaco, con la barba bianca e lo sguardo spiritato.

«Ma sei brava a disegnare, Dany, perché non lo hai detto prima? Questo disegno è perfetto, pensi di riuscire a rifarlo in diretta?».

Purtroppo il disegno in diretta non sarebbe mai stato fatto, perché andò via la corrente anche agli studi di Tele Treviso Italnews. C'è da aggiungere che il particolare delle falci era stata una invenzione della Dany, dell'evento capitato qualche ora prima lei non ne sapeva, almeno secondo i normali parametri della razionalità, assolutamente niente.

Augusto Tomat e signora si erano spostati a Cortina d'Ampezzo, nella loro villa signorile, una delle poche residenze cortinesi dei primi del Novecento rimaste intatte. Pioveva anche lì, ma la vera preoccupazione era che Filippo non si era fatto più vivo, non rispondeva al telefono, e chissà dove si era cacciato.

Augusto aveva delle brutte sensazioni, ma non le comunicò a sua moglie.

«Notizie di Filippo? Risponde?».

«No, ma secondo me dipende dai ripetitori, che non funzionano più, magari alcuni sono crollati».

«Al telegiornale hanno detto che la zona di Treviso è stata flagellata da trombe d'aria, la fine del mondo, i fiumi hanno tutti esondato, sono preoccupata, non si sarà trattenuto lì troppo a lungo?».

In realtà il dottor Augusto non pensava al maltempo, piuttosto era massimamente preoccupato per le notizie che aveva avuto da Asolo, e cioè della strage dei malavitosi di Porto Marghera.

Evidentemente gli sloveni avevano deciso che era il momento giusto, ma non solo per il maltempo, anche per la faccenda dei russi e per quella dei due morti nelle teche dell'artista inglese.

E se gli sloveni erano passati all'azione quali erano le basi di una possibile riorganizzazione? Che avessero acchiappato anche Filippo? Col suo satellitare non era questione di ripetitore.

Ma il problema principale era un altro, e Augusto Tomat non sapeva come perdonarsi. Era disperato. Lo sapeva e doveva aspettarselo. Quando aveva visto Walter Galati al funerale del Pozzobon, cioè di suo fratello, si era allarmato, si era chiesto: ma che ci fa lui qui? Non aveva adottato nessun provvedimento, ma per tutto il funerale fu incapace di pensare ad altro, cercando un motivo, una soluzione, rimandando la decisione. Ma con uno come Galati non c'era da pensare, da far passare il tempo. Come aveva fatto? Come era risalito al Pozzobon? Doveva esserci stata una falla, il che era inammissibile.

Galati poteva starne certo, per lui era tutto finito, l'avrebbe ritrovato anche in capo al mondo, prima o poi. Ma Filippo no, con tutta probabilità lui non l'avrebbe ritrovato. E come fare adesso con Veronica?

«Augusto, io sono molto preoccupata», disse per l'appunto sua moglie.

«Aspetta che faccio un paio di telefonate». Per farle si chiuse nello studio e utilizzò la linea dedicata. Chiamò Habblewhite e gli comunicò i suoi timori. Habblewhite rimase veramente stupefatto, Tomat non gli aveva mai telefonato, doveva trattarsi di una questione veramente importante. Peraltro non approvò che lo avesse chiamato in quel modo.

«Mio figlio, ha capito?».

«Chiamo la Colomba?».

Tomat ci pensò un po'.

«No, la Colomba meglio di no».

Habblewhite dichiarò che aveva ricevuto, e che nel giro di sei ore avrebbe relazionato. Quattro uomini, i migliori, furono reclutati per trovare Galati, provenivano da tutta Europa, ci avrebbero messo almeno tre o quattro ore ad arrivare.

Una delle numerose squadre di soccorso si stava muovendo in base a una segnalazione. Pareva che in un appartamento fosse rimasta intrappolata una signora anziana, gravemente menomata, da sola.

Nel quartiere dei Mulini, particolarmente colpito dagli allagamenti, si diressero due Vigili del Fuoco, più due volontari di esperienza, provenienti da Bagnacavallo, in provincia di Ravenna. Raggiunsero l'appartamento segnalato, al secondo piano di una casa piuttosto malmessa. Si avventurarono per le scale e provarono a suonare il campanello. Naturalmente non funzionò, in quel quartiere, come in tutti gli altri del centro, non c'era più corrente elettrica. Allora cominciarono a bussare, con forza. Non ci fu risposta, ma questo non significava che nell'appartamento non ci fosse nessuno, le indicazioni erano state precise, entrate lì dentro e vedete se c'è qualcuno. Attenzione, si tratta di persona molto anziana, potrebbe non essere più in vita, e a maggior ragione la dovete tirare fuori di lì.

Dopo aver bussato a lungo la squadra decise di sfondare la porta. Non era impresa troppo difficile, un vecchio portoncino senza alcun catenaccio, i Vigili del Fuoco lo forzarono con facilità.

Entrarono nell'appartamento, se così si poteva chiamare, c'era cattivo odore, i quattro erano pronti al triste rinvenimento.

Quindi fu con molta sorpresa che trovarono la vecchia signora in vita, la quale chiese loro, aggressivamente: «E voi chi siete? Chi vi permette di sfondare la mia porta d'ingresso?».

«Signora, stia tranquilla, siamo i pompieri, siamo venuti a portarla via, a metterla in sicurezza».

«In sicurezza? E che cosa vuol dire? Dove mi portate?».

«Prima al punto di raccolta, dove c'è anche l'ospedale da campo, poi lei sarà dirottata verso uno dei centri di ospitalità, su questo non possiamo dirle di più, non lo sappiamo».

La vecchia parve tirare un sospiro di sollievo, allora

qualcuno si era ricordato che lei esisteva, in pericolo di vita. Per un attimo mise da parte i suoi istinti bellicosi, per esempio quello di sparare all'impazzata contro coloro che avevano sfondato la porta di casa sua.

«Lo sapevo che sareste arrivati, me lo sentivo, sapete, io ho le premonizioni».

Il Vigile del Fuoco solo allora si rese conto che la vecchia in mano aveva una pistola.

«Signora, ma cosa fa con quella pistola, lasci perdere, la dia a me».

«È per via degli sciacalli, vengono a rubare in casa, ma io so cavarmela!».

«Sì, signora, d'accordo, ma la pistola la dia a me».

La vecchia eseguì, ma aveva qualcosa da aggiungere: «Andate a vedere in camera da letto! Arrestatela immediatamente, si è introdotta in casa mia per sottrarmi i miei averi. Processatela, condannatela, mandatela a morte!».

Parte della squadra di soccorso si recò in camera e grossa fu la loro sorpresa quando videro che la signora anziana non era sola: sul letto c'era una donna sui quaranta, ridotta malissimo, e con una ferita seria a una gamba, aveva perso molto sangue. Lì per lì non sapevano cosa fare, poi procedettero, meno male che c'era un infermiere con loro, uno dei volontari di Bagnacavallo. Chiesero ad Alba chi fosse e che cosa fosse successo, ma questa non era in grado di rispondere, svenuta.

I volontari realizzarono una lettiga di fortuna, con una delle ante laterali dell'armadio, la vecchia cieca si rese conto della situazione senza vederla, ed ebbe qualcosa da ridire: «Ma come, mi sfasciate l'armadio per quel rifiuto dell'umanità?».

Riuscirono a scendere il piano di scale, adesso veniva il difficile. C'era da caricare la vecchia non vedente e la donna ferita e priva di sensi sul gommone arancione Zodiac, perché la strada era allagata, pareva un fiume.

Ma né la vecchia cieca né Alba ebbero modo di sorprendersi alla vista di quel fiume che aveva invaso le strade cittadine, l'una perché non vedente, l'altra perché priva di sensi.

Il Vigile del Fuoco Salani accese il motore e cercò di mettersi in contatto per telefono col capitano. I volontari erano a mille, finalmente un salvataggio degno di questo nome. I pompieri un po' meno: c'era una donna cui avevano sparato a un ginocchio, questo non rientrava nelle loro competenze.

Stefania, sola in casa, cercava di telefonare a suo marito, che non si faceva sentire da alcune ore, era uscito in macchina. Dove era andato, in quella situazione? Ormai avevano dato l'allarme definitivo, non bisognava uscire di casa, abbandonare tutti i locali che non fossero più alti del primo piano, rifornirsi di acqua e di generi di prima necessità, e di non immettersi assolutamente per qualsiasi strada ancora praticabile, perché erano destinate ai soccorsi. Segnalare al numero verde la propria presenza in casa e attendere gli aiuti della Protezione Civile, che sarebbero arrivati in tempi che andavano dalle 12 alle 24 ore. Era previsto che la corrente elettrica sarebbe saltata, e già quasi tutte le zone ne erano prive. A casa di Stefania procedeva tutto come al solito, comunque lei aveva riempito un paio di taniche, e anche la vasca da bagno. Ogni dieci minuti provava a chiamare suo marito, ma non era mai raggiungibile o forse aveva spento il telefono, non c'era più una linea funzionante, o forse il cellulare era finito nell'acqua, insieme al proprietario.

Provò anche a chiamare il numero verde, ma le linee erano congestionate, la mettevano in attesa e non si faceva vivo nessuno.

Telefonò ai Braschi, che Walter fosse lì? Stefania si sfogò con la signora: «Ma dove sarà andato quel cretino? Sarà rimasto bloccato da qualche parte, ma a fare che?».

La signora Braschi rispondeva con calma, bisognava avere pazienza e fiducia, sicuramente sarebbe andato tutto per il meglio.

«Ma io sono in ansia, dove è andato? Sono giorni che va alla ricerca di una certa Marta Coppo, sa, quella che ha ucciso i cani. Oppure... non sarà mica andato al suo tanto amato capanno, a vedere se ha subìto danni? E perché non risponde più al telefono?».

Stefania recitava la parte della moglie disperata, ma dentro di sé non lo era, anzi, covava un filo di speranza.

Insonnolita, instupidita, si mise davanti alla televisione. Si immaginava senza remore alcuni scenari futuri. E se Walter fosse stato trascinato via dalle correnti, portato via nei gorghi della piena, e se non ce l'avesse fatta? E dunque se lei, inaspettatamente, si fosse trovata a essere una vedova inconsolabile?

Mentre i telegiornali diffondevano notizie sull'alluvione del Veneto lei pensava a come avrebbe gestito i primi giorni della vedovanza. Sicuramente Walter non l'avrebbero immediatamente dato per morto, ma per disperso. Poche erano le probabilità che lo ritrovassero subito, e lo potessero identificare. Oddio, se era finito nell'acqua con l'automobile l'identificazione era presto fatta. Ma in caso contrario lei sarebbe rimasta in apprensione per alcuni giorni o più. Una vedova a mezzo servizio, che diventa sempre più vedova ogni giorno che passa. Il quartiere dove abitava non sarebbe stato invaso dalle acque, era in una zona rilevata di cinque-sei metri rispetto a quelle più basse, allagate.

Comunque avrebbe dovuto abbandonare la casa, chissà dove l'avrebbero sfollata, che dovesse fin da subito preparare una valigia?

Pensava a come l'avrebbero accolta alla prossima riunione del Comitato contro la violenza sui cani, se si fosse mai tenuta: lei, vittima della ferocia del killer dei cani, e adesso anche vedova, a causa della furia degli elementi. No, anche se convocassero una simile riunione, pensò, io non ci andrò, sarebbe troppo.

Si lasciava andare a pensieri consolatori, al centro dei quali comunque c'era solamente lei.

E che ne sarebbe stato della sua vita, una volta vedova? Le era dovuta una pensione di reversibilità? Da questo punto di vista non ci vedeva chiaro, ma, è inutile nasconderlo, provava un certo senso di sollievo all'idea che quel coglione di suo marito non fosse più fra le palle.

È vero, almeno per i primi tempi avrebbe dovuto recitare la parte di quella che fra l'altro era rimasta senza un soldo, avrebbe dovuto accusare un lieve contraccolpo finanziario, ma Stefania di questo non si preoccupava poi troppo. E l'appartamento sarebbe stato tutto suo, magari l'avrebbe rivenduto, e cambiato città. Lei di Treviso, alluvione o non alluvione, non ne poteva più.

Insomma si era abbandonata a pensieri poco edificanti, ma che, soprattutto quando si è molto stanchi e preoccupati, possono anche venire.

Stefania provò a suonare il campanello dei suoi vicini di casa. Non c'erano, neanche quelli del piano di sopra, né quelli del piano di sotto. Gli unici inquilini che non avevano abbandonato la nave erano i Paganin, del quinto piano. Le dissero che avevano riserve alimentari per quattro settimane, acqua per due mesi, un generatore elettrico a gasolio in terrazza, potevano sfidare qualsiasi eventualità. Non si sognarono neanche di rassicurare la signora Galati dicendole che comunque poteva contare su di loro. Si limitarono a chiederle: «Lei ha fatto scorte per sé e suo marito?».

Tornò a casa e decise di fare la valigia, in fretta.

Tirò fuori una borsa dallo stanzino, e iniziò a scegliere maglie e golfini adatti, non era convinta. Le venne un dubbio. Si mise a controllare il guardaroba di Walter, se si era portato via qualche cosa. Aprì cassetti, sportelli, andò a vedere nello sgabuzzino se mancasse una giacca a vento, un paio di scarpe. No, non mancava niente, Walter non era partito, cioè fuggito da lei, che era

quello che tutto sommato si augurava, non lo avrebbe
negato. Poi ebbe un'illuminazione. Andò in salotto e
aprì il cassetto dove tenevano le fotografie, da quelle
del matrimonio a quelle delle vacanze. Stefania le controllò una per una, e a un certo punto manifestò un'e-
spressione di trionfo, ne mancavano tre: una foto alla
quale Walter era molto affezionato, raffigurante la
madre; una di quando faceva il militare e, incredibilmente, una delle loro nozze. Ah, caro Walter, questa
volta ti sei fregato con le tue stesse mani.

Stefania riprese di buona lena e di ottimo umore a
fare la valigia, poi si sedette sul divano, ad aspettare.

In serata anche a casa Galati-Colledan non c'era più
la luce elettrica. Stefania andò a letto, ma non prese
sonno, e Walter non era ancora tornato.

Il cataclisma che si stava verificando in Veneto balzò
agli onori della cronaca, al centro dell'attenzione e
dell'apprensione di tutto il Paese. Ormai era evidente, si trattava di un'alluvione di grandi proporzioni. Si
parlava di centinaia di morti e migliaia di dispersi, ma
ancora la situazione era in pieno caos, le strade e le campagne erano invase dalle acque, i litorali devastati, le
lagune sommerse.

Si scatenarono immediatamente le polemiche. Da una
parte c'era lo schieramento degli Apocalittici, dall'altra quello dei Negazionisti, almeno questi erano gli ap-
pellativi con cui ciascuno designava la fazione opposta.

Gli Apocalittici mettevano in discussione «la dissennata politica negazionista della Regione, tesa a sotto-

valutare, per non dire a far finta che non esistesse, il problema del dissesto idrogeologico, e a permettere e appoggiare uno sfruttamento selvaggio del territorio, si pensi alle zone vitivinicole di pregio, incapace adesso di esercitare quell'effetto drenante e di contenimento delle acque». In nome della politica del «tanto io domani non ci sarò» oppure più semplicemente del «e a me che me ne frega, sono tutte balle», la politica delle autorità era andata nella direzione della speculazione incontrollata, della edificazione priva di un'attenta valutazione geologica e idrica, della cementificazione, nella totale disattenzione per la manutenzione straordinaria e ordinaria dei corsi d'acqua, nella totale indifferenza dei moniti che venivano dagli esperti di tutto il mondo, sull'effetto serra, sul riscaldamento del pianeta, sull'innalzamento del livello del mare, sui repentini mutamenti climatici. Speculare, sfruttare al massimo, distruggendo la laguna, le zone umide, la ricchezza della biodiversità, i naturali e complessi meccanismi di autoequilibrio sui quali si regola un territorio ad alta complessità. Negare gli esiti catastrofici dell'inquinamento da CO_2, bastava vedere la storia di Porto Marghera, della tropicalizzazione del clima dovuta all'effetto serra, dell'innalzamento della temperatura degli oceani e del livello delle acque che presto avrebbero portato alla sommersione del litorale, dei lidi e anche Venezia, era un atto di irresponsabilità, una associazione a delinquere.

Fior fior di meteorologi spiegavano, in un linguaggio purtroppo non accessibile a tutti, quello che era accaduto, e che il livello di prevenzione di simili eventi calamitosi, prevedibili e previsti, era stato insufficiente. Alcuni non esitavano ad accusare esplicitamente le autorità, da quelle locali a quelle nazionali, visto che molti cittadini non erano in grado di mettersi in salvo.

Gli Apocalittici non resistevano a pronunciare frasi dal tono oracolare come «Sono vent'anni che solleviamo il problema, e ci vuole un cataclisma perché adesso qualcuno si svegli e se ne renda conto».

Si procedeva anche con note più tecniche, quelle invise al popolo che di certi dettagli non ne vuole sentire parlare. Per esempio perché non si erano realizzati i serbatoi anti-piena a monte? Perché i corsi d'acqua erano stati regimentati col cemento, così che si produceva l'effetto «a canna di fucile» per le acque sparate a tutta velocità fino a casse di espansioni inesistenti? Eh, già, perché lo sviluppo urbanistico privo di controllo aveva voluto che si costruisse dappertutto, anche nelle anse normalmente utilizzate dai corsi d'acqua per esondare, e i bacini di espansione?

Dalla parte dei Negazionisti si reagiva dando esplicitamente agli Apocalittici dei gufi menagrami, adesso evidentemente contenti del cataclisma, tronfi del loro linguaggio incomprensibile. Ma le alluvioni in Veneto e in particolare nelle zone di Treviso e della laguna c'erano sempre state, dicevano, nel VI secolo, nel Medioevo, nel Cinquecento e nei secoli successivi. E allora cosa c'entra il riscaldamento del pianeta, la moderna regimentazione dei corsi d'acqua? In realtà si assicurava che erano state spese cifre ingentissime per la manutenzione del territorio, che peraltro nel corso dei secoli era sempre rinato dopo i disastri dei quali si può incolpare solo la Natura. A questo punto, come era sempre successo nel Triveneto, bisognava reagire con ottimismo ed energia, caratteristiche del popolo locale, e non col pessimismo cosmico dei menagrami, che aveva soltanto portato sfiga.

E che inoltre in una situazione così tragica, dove c'erano morti e dispersi, e migliaia di persone avevano perso tutto, a cominciare dalla casa, bisognava mostrare rispetto per il dolore, anziché recitare il solito «io l'avevo detto».

Il problema era che si rendeva necessaria immediatamente una legge speciale, con relativa massiccia erogazione di fondi, almeno per gestire l'emergenza. Le autorità locali erano sfavorevoli alla nomina di un Commissario Straordinario, perché la fase di emergenza, e soprattutto quella successiva, la ricostruzione, cioè la gestione e la distribuzione di un elevato numero di miliardi di euro, doveva essere gestita dai veneti, e non da Roma. Adesso bisognava rimboccarsi le maniche e smetterla di fare polemiche, che avvelenavano gli animi, aumentavano lo stato di disperazione del popolo, creavano un ostacolo alla gestione dell'emergenza.

Mentre le notizie che affluivano dai luoghi del disastro erano ancora frammentarie, confuse e talvolta contraddittorie, già si intervistavano intellettuali e scrittori sul significato di quegli eventi, sulla tragedia del Polesine, sulla memoria e sul pessimismo leopardiano. Gli intervistati, colti troppo a caldo, si mettevano di norma a litigare fra di loro.

Walter Galati stava guidando la macchina di quel bestione, che per fortuna aveva ruote enormi ed era a tenuta stagna, poteva guadare passaggi dove l'acqua superava il metro. E continuava a marciare nonostante il frontale.

Così riuscì a raggiungere la sua auto, che aveva posteggiato dalle parti di Badoere, al sicuro, ma non lontano da un'ansa del fiume Zero, nel quale contava di farcela scivolare a cose fatte. Recuperò i due zainetti e li mise sul sedile anteriore del SUV, ormai era quasi buio, doveva sbrigarsi.

Tolse il freno a mano della sua Volskwagen, e la avviò nella discesa. L'auto raggiunse rapidamente il corso d'acqua e ne fu travolta, altre auto andarono a picchiarci contro, di questi urti, nel frastuono generale, a stento se ne poteva distinguere il rumore.

E dunque Walter dall'altura riuscì a ripartire, e a immettersi nella statale in direzione di Vicenza.

Ripensava a quello squarcio di sole in mezzo alla tromba d'aria, alle falci, alle teste mozzate, e a lui, che normalmente era protagonista dei fatti che gli avvenivano, che in questo caso si era trovato a essere spettatore. Non è male osservare passivamente, non hai il pensiero di dover decidere, al massimo non gradisci, ma non hai nessun compito da svolgere, nessuno ti chiede niente, se non di essere spettatore. Nonostante l'urto il SUV coreano sembrava procedere bene, ci pensò e ci ripensò e poi decise che non valeva la pena di cambiare mezzo. Prese la A4 Milano-Venezia, per meglio dire Venezia-Milano, a mezzanotte era già a Modane, e l'idea di essere all'estero lo fece sentire più leggero.

Aveva deciso di non passare dalla Svizzera perché la macchina non aveva il bollo autostradale, e poi c'è una bella differenza fra la Francia e la Svizzera.

Ripensava anche all'incredibile evenienza dell'incontro con Filippo Tomat. Questo veramente esulava da tutto il possibile e l'immaginabile. Se le cose fossero andate come era lecito aspettarsi c'erano già almeno quattro persone che lo stavano cercando, forse una di quelle era Marta Coppo, chissà come si chiamava veramente, e se era lei la Colomba. Ma forse no, non poteva essere, a quanto aveva sentito dire la Colomba non era tipo da farsi fregare, in nessun modo. Fra l'altro ricordiamoci che Marta Coppo era nel bagagliaio del SUV di cui lui era al volante, anche se ne era ignaro.

Mentre guidava nelle belle autostrade francesi Walter non smetteva di pensare alla questione del Pozzobon. Se prima era certo che si trattasse di una trappola, adesso veramente stentava a configurarsi la situazione. Ok, aveva seguito dei corsi avanzati in cui si insegnava a inserire la variabile caso all'interno di un corso di eventi nei quali aveva poco significato. Ma questa volta temeva che il caso avesse avuto la meglio, indipendentemente dalla scelta di chicchessia. Per cui non ci capiva niente. Eppure il morto era un Tomat, e

517

quindi, la variabile caso evidentemente aveva assunto altre forme, imperscrutabili.

Non lontano da Bourgoin-Jallieu la Polizia lo fermò sull'autostrada, perché un fanale non funzionava, dopo l'incidente, o forse già da prima.

Walter ce l'aveva con se stesso, e dentro di sé si rimproverava, mentre la Polizia francese gli spulciava i documenti. In altre epoche avrebbe certamente controllato se la fanaleria era a posto, adesso, invecchiato e preso dagli eventi, non aveva pensato agli aspetti più semplici. Il libretto di circolazione, quello sì lo aveva guardato, sapeva chi era il proprietario della macchina, un tal Moreno Masuit, nato a Gorino. Ovviamente non era tenuto a specificare che cosa ci facesse in Francia, però il fanale sinistro non funzionava, e l'auto evidentemente aveva subito uno scontro frontale, abbastanza di recente.

Gli chiesero di aprire il bagagliaio.

Walter non aveva idea di che cosa potesse conservare quel tipo nel portabagagli, e in effetti non aveva controllato. Così per lui non faceva differenza se la Police andava a visionare cosa ci fosse nel baule.

Non sollevò obiezioni.

Improvvisamente si sentì un rombo assordante. Sull'Autoroute A43 era transitata una Lamborghini a una velocità che approssimativamente Walter valutò essere superiore ai 280 chilometri all'ora.

I poliziotti francesi erano tutti emozionati: «C'est Ibrà, c'est Ibrà! C'est lui!». E quindi, davanti alla possibilità di inseguire nientepopodimeno che Ibrahimović, quell'italiano col faro rotto perse per loro di interesse. Nel baule neanche ci guardarono, e partirono a sirene spiegate con le loro BMW all'inseguimento della fuoriserie. Lasciarono lì Galati, pronto a pagare la multa, e sempre più meditabondo sui destini dell'umanità.

Così Walter si rimise in marcia. Alla successiva stazione di servizio fece in modo che la lampadina fosse sostituita, anche se il vetro del faro era rotto, ma almeno adesso i fanali funzionavano tutti e due. Ora si trattava di fare una tirata fino a Parigi, aeroporto di Orly, ma pensava di lasciare la macchina da qualche altra parte, per esempio a Fontainebleau, dove si sarebbe disfatto del SUV, facendolo affondare in qualche zona paludosa vicino alla Senna. Conosceva un paio di posti adatti, che aveva identificato durante una gita turistica. Quelle cose che si fanno senza volere, per abitudine, trovandosi in luoghi idonei a uno scopo, anche se lo scopo non c'è.

Alle prime luci dell'alba sul Trevigiano le nuvole cominciavano a diradarsi. Qualcuna prendeva strane forme, allontanandosi. Non mancava chi era pronto a giurare di aver visto una nube la cui forma assomigliava a quella di Padre Pio, che con cipiglio satanico si allontanava dal luogo del misfatto.

10
Il ritiro delle acque

Anche la chiesa di Don Zanobin era stata invasa dalle acque, e lui, rifugiato al secondo piano della canonica dovette rinunciare alla messa e alla predica. E pensare che ce n'erano un bel po' di cose da dire, e che lui aveva previsto tutto. Comunque un riassunto epocale ci voleva, e lui fece il discorso a se stesso, davanti allo specchio dell'armadio, riflettendo sulla situazione veramente apocalittica e consultando i suoi appunti, lavorando di aggiornamenti e di copia-incolla. Si immaginò di parlare a migliaia di persone, raccolte nella chiesa di sant'Antonio, a Padova. Migliaia di fedeli che pendevano dalle sue labbra, e che riconoscevano in lui l'autorità profetica, la conoscenza del futuro, lo stigma della Verità.

Fratelli e sorelle – si ripeteva fra sé e sé Don Zanobin, quindi con un tono un po' più intimistico – *eccola, l'Apocalisse.*
La furia del Cielo e delle Acque ha colpito la nostra terra e le nostre case, travolte da trombe d'aria mai viste al mondo, allagate dai fiumi incontrollabili, dalle risorgive che dal basso hanno vomitato acqua, fino a restituire ai

nostri operosi territori l'aspetto di una caotica palude. I fiumi sono diventati dei mostri furenti, gli stagni dei laghi, la laguna mare aperto. E il fango ha coperto tutto. Dal fango siamo nati e nel fango siamo tornati.

Orrore, morte e distruzione! Orrore, morte e distruzione! Il ciclone ha sollevato decine e centinaia di cadaveri, la Morte in persona ha reclutato migliaia di falci volanti, che hanno fatto a pezzi i corpi degli umani. Una pioggia di morti e delle loro spoglie è poi caduta sul Trevigiano, a memento. Le trombe d'aria si sono colorate di rosso sangue, teste mozzate, corpi martoriati, vittime o colpevoli?

Altri regolamenti di conti, altre carneficine, e distruzione. Può essere un caso che la zona più colpita sia quella di Lio Piccolo, completamente sommersa dal fango? Proprio la zona dove i nostri commercianti del sesso volevano costruire la città del vizio. Con l'oro degli apostati slavi! Peccatori! Feccia dell'umanità, che noi siamo, perché il Signore ci ha voluto colpire così a fondo? Cosa ci ha voluto comunicare?

Fratelli e sorelle, vale la pena di ricordare che cosa è successo nelle nostre zone negli ultimi giorni, oltre al Diluvio Universale?

Sono morti cani a cui è stata tagliata la testa, sono state uccise persone con metodi stragistici da organizzazioni criminali, che tengono in mano i nostri territori. E incendi, attentati dinamitardi, sparatorie, perfino due prostituti in nudità sono stati trovati all'interno di due teche di vetro, opera di un famoso artista inglese degenerato! Il sesso trasformato in opera d'arte, attraverso il via-

tico della morte. È questo che ha fatto indignare definitivamente il nostro Dio Padre? Che forse era già parecchio indisposto con la nostra comunità, che ha vezzeggiato gli Unni che hanno invaso la nostra città già martoriata, ridotta a una Sodoma e Gomorra. Qual è lo scopo di ergere dei grattacieli in una località balneare? Sono le nuove torri di Babele? Una Babele intrisa di vizio, di perdita del senso dell'Amore, quello che Cristo ci ha insegnato.

Ormai la morte che falcia tutte le teste si è stabilita nei nostri territori, e colpisce a destra e a manca, senza pietà.

Perché il Signore Onnipotente ha deciso di sprofondare la nostra città nell'Apocalisse?

Il diluvio ha distrutto tutto, il Male che si è insediato nelle nostre case, nelle strade, forse è anche qui, nella casa del Signore.

Oh Signore, proteggici dal Maligno. Il Maligno è penetrato nelle nostre famiglie, nei nostri campi, nei nostri centri commerciali. Pentiamoci! Siamo sempre in tempo per farci perdonare dal Misericordioso. Urliamo la nostra preghiera al Signore: perdonaci!

Don Carlo Zanobin
Appunti per un'omelia del celebrante
Parrocchia di *** (TV)

Al mattino, incredibilmente, era tornato il sereno. Le acque si stavano lentamente ritirando, lasciando soltanto morte, orrore e distruzione. Quante persone erano decedute perché non avevano voluto abbandonare le loro case, i loro beni, i loro averi? Molte. Sarebbero stati necessari giorni e giorni per ritrovarle tutte. Alcuni si erano rifugiati sui tetti, in attesa di soccorso, ma gli elicotteri non potevano certamente raggiungere quelle case, e nemmeno lo potevano i gommoni dei Vigili del Fuoco. Peraltro ne sarebbero serviti centinaia, ce n'erano solo una decina, alcuni erano stati portati via dalla corrente, molti soccorritori erano morti tentando di salvare coppie di anziani rifugiatisi nelle loro mansarde, peraltro spazzate via dalla piena.

Alcune case furono sradicate per intero dalla corrente, altre, travolte, si sbocconcellarono sotto la pressione dei flutti, fino a disintegrarsi. E chi avrebbe mai potuto verificare se quelle case estratte dalla loro sede come denti cariati contenevano dei corpi umani?

Molto più facile era recuperare le persone che, travolte dalle acque, erano state trascinate via, nella laguna, era come se ci fossero un paio di luoghi di concentramento, la corrente raccoglieva le salme tutte insieme. Ce n'erano a centinaia, irriconoscibili per la furia dei flutti, i traumi e l'immediato accanimento dei pesci.

La città di Treviso era devastata, ben poco si era salvato, adesso c'era solo pantano. Il vero problema erano i centri balneari di Jesolo Marina, Caorle, e tutto il litorale, la Miami del Veneto, che sembravano essere stati rasi al suolo da combattimenti furibondi, interrotti dall'intervento definitivo, la bomba all'idrogeno. Gli altissimi grattacieli progettati dalle migliori archistar del mondo erano crollati, gli era mancato il terreno sotto i piedi, si erano schiantati al suolo e il calcestruzzo polverizzato già nel momento in cui precipitava si era intriso della pioggia, cadendo giù come fanghiglia. E a terra c'erano metri di acqua sciabordante, i grattacieli distrutti si mescolarono presto con tutto il resto, tranne le enormi superfici di vetro, ridotte a un'infinità di granuli, sembrava che in zona torme di ladri dell'Est avessero sfondato qualche milione di parabrezza. Ma le correnti portavano via tutto, all'istante. Meno male che quei grattacieli erano perlopiù disabitati. Persero la vita solo alcuni membri del personale, guardie giurate, addetti alle pulizie, sorveglianti.

Le riprese dall'elicottero risultarono agghiaccianti, altro che bombardamento di Treviso del 1944. I porticcioli non esistevano più, era addirittura difficile individuarli a vista, le classiche casette di vacanza a un piano era state sommerse e portate via come dei cubetti di Lego.

Adesso il mare, che si stava calmando, riportava indietro quello che ci era stato scaricato nella notte precedente. Automobili, bambini, galleggianti e cani furono riversati dalle onde sul litorale.

Nel posteggio adiacente al Parco di Treviso, lo stesso dove era stato ritrovato il primo cane decapitato, era stata stabilita la sede del Centro Operativo dei Soccorsi. Nel parco i volontari avevano montato una tendopoli e un ospedale da campo, ma molti si chiedevano a che servisse un ospedale, visto che le condizioni possibili dopo la catastrofe erano principalmente due: vivi o morti. Quelli che erano morti erano morti, quelli che erano vivi non erano malati o feriti. Ma questa era una stupidaggine che dicevano le persone nei bar del Veneto: molti avevano veramente bisogno di cure. Altri tutto sommato no, eppure si recarono in massa presso la nuova struttura ospedaliera, sostenendo di soffrire di una infinità di mali, alcuni psicologici, gravissimi.

«Lo stress, lo stress, ma lei ha idea di che cosa ho passato io stanotte?».

Una delle pazienti, che non aspettò neanche il completamento dell'istallazione dell'ospedale da campo per farsi ricoverare, fu proprio Stefania Colledan in Galati.

«Sono sotto shock», disse lei. «Mio marito è scomparso, e io stanotte non ho chiuso occhio, ho gli attacchi di panico».

Al triage non è che fossero molto organizzati, soprattutto in relazione alle crisi nervose.

«Per il momento non abbiamo ancora uno psicologo, ci stiamo attrezzando, si rivolga a questo numero verde, le diranno qual è la struttura di riferimento».

Lì intorno c'era un pullulare di volontari, ancora non collocati e smaniosi di darsi da fare.

«Ho sentito dire che serve uno psicologo, io sono uno psicologo, vengo da Alessandria, Piemonte, a disposizione. Lei signora, mi dica, come si sono manifestate queste crisi di panico?».

«No, fermi, un momento, voi volontari, andate al centro di raccolta, registratevi, ci sono dei responsabili...».

La povera addetta al triage non ci capiva più niente, fra l'altro proprio in quel momento un mezzo anfibio scaricò cinque o sei persone gonfie come otri che sembravano proprio morte.

«Barellieri! Barellieri!».

Stefania guardava se fra quei morti affogati c'era suo marito, in fondo era venuta per quello, ma per farsi prendere in considerazione bisognava giurare di avere un problema grave. No, non c'era. Fu avvicinata dal sedicente psicologo, che le chiese se poteva in qualche modo essere d'aiuto: «Che tipo di crisi di panico? Da evento traumatico? Secondo lei il suo è un disturbo post-traumatico da stress oppure un disturbo acuto da stress? Fa un'enorme differenza».

«Me lo dica lei, io che ne so? So che lo stress mi attanaglia, e mio marito non l'hanno neanche ritrovato. Bastardi! Ci metteranno mesi, ammesso che lo ritrovino, e io, nel frattempo, che cazzo faccio?».

«Lei deve cercare di ridurre la rabbia, il senso di ostilità, il senso di isolamento sociale e la depressione. In scala da uno a dieci, lei in che misura si sente in questo momento depressa?».

Stefania guardò sbalordita lo psicologo.

«Secondo lei se mio marito non viene ritrovato io come mi devo comportare? Risulta morto?».

«Mah, di preciso non lo so, non rientra nelle mie competenze».

«E allora io devo passare il resto della mia vita a pensare che mio marito potrebbe essere ancora vivo? Oppure che rimarrà senza sepoltura? E la casa? La nostra casa, potrò farne quello che voglio oppure ufficialmente non ne sarò la proprietaria finché mio marito non sarà definitivamente dichiarato "non in vita"?».

Fra i ricoverati all'ospedale da campo c'era anche Alba Romagnoli, la donna ferita al ginocchio da un colpo di arma da fuoco.

Alba si era risvegliata in ospedale più o meno nelle stesse condizioni di quando recitava la parte della Sibilla. Con la gamba fasciata, una flebo nel braccio destro, antibiotici, e una in quello sinistro, antidolorifici. La situazione del suo ginocchio non era buona, andava operato, e quindi Alba sarebbe stata trasferita appena possibile in un reparto chirurgico ortopedico, a Verona, a Venezia, a Trento... Almeno così le aveva detto il dottore, in una fugace apparizione.

Paradossalmente accanto ad Alba si trovava la sua feritrice, la vecchia signora Danielutto che le aveva sparato. A parte il fatto che era non vedente, non presentava problemi particolari, se non che era disidratata. Fu messa una flebo anche a lei, di soluzione fisiologica.

Nonostante il personale paramedico si sforzasse di mettere un po' d'ordine le tende dell'ospedale da campo erano un caos, entravano e uscivano centinaia di persone, la maggior parte delle quali erano alla ricerca di loro congiunti. Un simile controllo occorreva farlo a vista, non c'era una registrazione, una accettazione, la gente era stata ammassata nei reparti, se così si potevano chiamare, un po' a caso, data l'emergenza.

Fra le persone che si aggiravano senza controllo anche Stefania si fece un giro in mezzo ai letti per cercare il marito. Chiese notizie, perfino ad alcuni pazienti. Passò vicino al letto di Alba: questa la vide e le chiese la cortesia di aiutarla ad alzarsi un pochino col busto, da sola non ci riusciva. Stefania la aiutò e per gentilezza e per curiosità le chiese che cosa le fosse successo.

«Ah, mi hanno sparato a un ginocchio, me lo hanno spappolato».

«Sparato, e perché? Maria Vergine...».

«Ah, lasci perdere, se gliela raccontassi tutta, alla fine mi è andata anche bene, almeno sono viva».

Stefania parve perplessa, un'altra sparatoria?

La vecchia cieca aveva cominciato ad agitarsi, pareva sentirsi male, forse perché aveva ascoltato le parole di Alba.

In trance paragnostica tremava e cominciò a urlare: «È qui, è in mezzo a noi! La sento! Il Male è arrivato, il Male che distrugge tutto! Portatemi via da qui, portatemi lontano!».

Era in piena crisi, d'altronde non era l'unica, molte persone risultavano fortemente traumatizzate, riemergeva l'orrore e il terrore.

Ma la vecchia era incontenibile, si strappò la flebo dal braccio, si alzò dal letto, voleva andarsene, fuggire via. Sbatteva contro i lettini, buttava in terra tutto ciò che le si parava di fronte. O aveva paura che la mettessero in galera per il colpo esploso? Eppure non era forse il suo il classico caso di legittima difesa?

I paramedici riferirono ai medici, cioè al medico di turno, un ragazzo che al massimo aveva ventisei anni, che una signora anziana non vedente, portata lì per un controllo, fortemente disidratata ma nulla più, stava uscendo di senno. Le fu prescritto un calmante blando, ma quella continuava a essere parecchio irrequieta, continuava a urlare: «Il Male incarnato! Lei è qui, la sento!».

«La signora è sotto shock per il trauma, capita soprattutto alle persone anziane».

Ma un'altra novità contribuì ad aumentare il caos nell'ospedale da campo. Era arrivata la troupe di Tele Treviso Italnews, guidata da River che intervistava i pazienti, senza alcuna autorizzazione. Naturalmente cercava i casi più pietosi, la signora che aveva visto suo marito annegare davanti ai propri occhi, la bella ragazza col naso schiacciato dal crollo di una trave, il bambino che aveva perso entrambi i genitori.

Attirato dalla crisi isterica della vecchia cieca venne informato che quella signora aveva sparato a un'altra donna, che era sul letto accanto. Quando si accorse che la vittima era Alba ebbe un soprassalto: era troppo anche per lui.

«Alba, ma che ci fai qua. E noi che pensavamo che tu volessi ricattarci! Mi dispiace così tanto... Ma com'è che ti hanno sparato, vuoi fare una dichiarazione? Bastano due parole, il resto lo raccontiamo noi, però mi raccomando, in esclusiva. E non nominare la Sibilla».

Alba, prostrata, non ebbe la forza di parlare, ma dentro di sé inveiva: «Bastardo, che Dio ti mandi all'inferno, ma prima... Che qualcuno ti infili un palo di due metri nel culo».

River nel frattempo guardava la vecchia cieca che si agitava e bofonchiava lamenti e maledizioni, la sua fervida fantasia lo portò istantaneamente a immaginare una trasmissione della Sibilla dall'ospedale da campo: bastava procurarsi l'attrezzo che le faceva sanguinare gli occhi – ah, perché non ce lo siamo portati dietro!

Non solo la vecchia era cieca veramente e aveva gli occhi quasi bianchi, ma lanciava maledizioni, accennava alle forze del male, un talento naturale!

Stefania intanto se ne era andata, c'era rimasta un po' male. Adesso doveva raggiungere il centro sfollati.

Alle sei del mattino Walter era già all'altezza di Fontainebleau, e uscì dall'autostrada A6. Voleva disfarsi della macchina del bestione, tanto per cambiare gettandola in un canale, e di canali dentro la foresta di Fontainebleau ce n'erano parecchi, però come fare poi ad arrivare alla stazione di Melun, e prendere un treno che lo portasse a Orly? Si rendeva conto che non aveva tanto tempo da dedicare a questa impresa, e probabilmente, dopo il fatto di Filippo Tomat, c'erano già svariati uomini in piena efficienza che lo stavano cercando per l'Europa. D'altronde un colpo di fortuna l'aveva già avuto, se ne poteva meritare un altro?

Secondo lui *loro* si aspettavano che lui se ne andasse in Messico, d'altronde negli anni passati ci era andato, apposta, per confondere le piste, almeno tre volte. E adesso un biglietto aereo proprio per Città del Messico se l'era procurato, aveva fatto in modo che fosse in qualche maniera rintracciabile, e si era assicurato che qualcuno fosse in partenza per davvero, con quel biglietto. Il signor Tempestini Aldo.

Il vero biglietto di Walter era per tutt'altra destinazione, e non era detto che *loro* l'avrebbero individuata. Pertanto aveva anche ideato un piano B, e anche un piano C, ma erano talmente segreti che neanche noi, qui, ne sappiamo qualcosa.

Insomma, si era organizzato a dovere. Avrebbe potuto buttare l'auto in una delle zone paludose delle anse della Senna, che conosceva, e poi avrebbe costretto qualche automobilista a dargli un passaggio. Purtroppo poi sarebbe stato obbligato a farlo fuori, e ne aveva abbastanza di terminare innocenti, che fra l'altro *loro* avrebbero potuto individuare facilmente.

Così lasciò la macchina del Mose non distante dalla stazione di Melun, immaginandosi che l'avrebbero trovata senza problemi, ma dopo che lui era già partito per Bangkok, con una identità che gli era costata molti soldi e che conosceva solo lui.

Dunque parcheggiò l'auto in un fabbricato abbandonato, e non avendo tempo per fare diversamente, le dette fuoco, dopo averla cosparsa di benzina, anche se in linea di massima non condivideva molto il sistema, la macchina l'avrebbero ritrovata, ma lui non voleva che pensassero che non aveva preso un aereo da Orly, voleva che pensassero che l'aveva preso per Città del Messico.

Quando le fiamme cominciarono ad avvolgere la macchina Marta Coppo fu svegliata da un caldo asfissiante, però non ebbe la forza per reagire. Ma anche se ce l'avesse avuta, che avrebbe potuto fare? Per fortuna il suo livello di coscienza era veramente ridotto ai minimi.

Da Melun Walter prese un treno per Paris Gare de Lyon, ma scese a Val de Marne e lì acchiappò un taxi, che lo condusse all'aeroporto.

Il Presidente del Consiglio visitò immediatamente in elicottero i luoghi del disastro, che adesso mostrava la sua sovrumana entità. Il Capo del Governo comunicò il suo cordoglio alle popolazioni colpite, fece un discorso breve e privo di retorica, per quanto ne fosse capace.

I telegiornali nazionali trasmettevano le riprese della laguna e delle zone interne, devastate e sommerse dal fango. Le immagini dall'alto si alternavano con primi piani del presidente, che con aria cupa e compresa controllava i tweet sul telefonino. Molte troupe televisive si erano recate sul posto, alcune c'erano già. Giornaliste dall'espressione mesta, in giacca a vento della Protezione Civile o dei pompieri (quelle di loro proprietà erano troppo alla moda, non avrebbe fatto una buona impressione), raccontavano il terrore e la rabbia della gente, la maggior parte della quale ce l'aveva a morte con lo Stato e anche con la Comunità europea.

I giornalisti ponevano particolare enfasi sul fenomeno dello sciacallaggio (ma al loro lavoro ci avevano pensato?). Pareva addirittura che nel centro di Treviso, semideserto, una signora anziana avesse sparato in casa sua a una donna rom che era penetrata nel suo appartamento per saccheggiarlo.

Per il rispetto delle vittime fu deciso, anzi imposto, di non trasmettere le immagini più raccapriccianti, già belle pronte e montate, quelle degli affogati gonfi d'acqua, dei bambini in lacrime, delle madri che avevano perso i loro figli.

Le riprese più succulente le aveva ottenute un TG di grande diffusione: erano le immagini della montagna di morti, molti dei quali ancora non identificati, prodotta dalla spaventosa tromba d'aria nell'entroterra. Comunque quel particolare evento catastrofico fece la parte del leone nella copertura mediatica: lunghe interviste ai testimoni, che avevano visto coi loro occhi i corpi umani turbinare nel cielo, assieme alle falci volanti che mozzavano le teste.

Il cielo era popolato di elicotteri, la maggior parte dei quali era occupata dalle autorità che valutavano la situazione dall'alto (dei Carabinieri, sui quali volava il Presidente della Repubblica, della Protezione Civile, su cui c'era il Direttore Generale della Protezione Civile, dei Vigili del Fuoco, con sopra il Presidente della Regione Veneto, il Soccorso Alpino per il Ministro dell'Interno), il che, oltre a rendere le cose più difficili ai soccorritori, impegnava un numero elevato di aeromobili, magari utilizzabili per i soccorsi stessi.

C'era un tale traffico che non era neanche facile trovare una piazzola dove atterrare. Il Presidente del Consiglio però volle scendere a tutti i costi, lo fece dalle parti di Meolo, dove c'era un assembramento di persone su un lembo di terra lievemente rialzato, libero dalle acque. Il Presidente scese dall'elicottero insieme a un paio di poliziotti e al cameraman; quando i presenti lo riconobbero cominciarono a contestarlo violentemente: alcuni trevigiani in stivali e impermeabile da pesca gli urlarono: «Ti vatene a ca', prima che te lo facciamo vedere noi, bastardo». «Vatene a Roma, porco!», era una delle affermazioni più morigerate.

«Calma calma, cittadini, stiamo facendo tutto il possibile», diceva il Presidente arretrando, cercando di raggiungere di nuovo l'elicottero, mentre con un gesto faceva cenno al cameraman di non riprendere.

Poi avvenne un piccolo incidente, che avrebbe fatto parlare. Il Presidente del Consiglio, che correva all'indietro, inciampò in un sasso e cadde a terra, nel pantano. Si sporcò tutto di fango, ridusse a uno schifo il suo elegante completo grigio di shantung di seta. Naturalmente non fu ripreso dal cameraman al seguito, ma purtroppo lo fu da svariati presenti coi loro smartphone. Della scena circolarono vari filmati, con differenti inquadrature. Immessi in rete ebbero milioni di visualizzazioni.

Il partito di opposizione sfruttò la circostanza estrapolandone una metafora abbastanza ovvia: il Presidente nel fango, il regime nel pantano, la casta nella mota.

Il premier ci scherzò sopra: siamo tutti nati dal fango. La battuta non fece ridere le popolazioni alluvionate.

L'Agenzia, secondo una procedura del tutto inusuale, aveva convocato quattro elementi, i migliori, perché lavorassero insieme alla ricerca di Walter Galati. Per gli operatori era una assoluta novità. Non ebbero molto tempo per interrompere tutto quello che stavano facendo e, a eccezione di uno che aveva mano libera, in tre da vari posti d'Europa conversero su Treviso.

Trovarono lo sfascio più completo, una vera alluvione, non disponevano senz'altro delle scarpe adatte, erano tutti stranieri tranne un agente, oriundo, che sapeva parlare l'italiano.

Si riunirono al centro di raccolta di Quarto D'Altino, fecero finta di essere dei parenti di un turista britannico che si era perso nella laguna.

Naturalmente gli operatori erano in alto mare, ma invece di rispondere, come sarebbe stato naturale, che del signor Nigel Martin non avevano alcuna notizia, cominciarono a inveire contro quelle persone che si presentavano direttamente al centro di raccolta, così, come se fosse consentito dalla legge. I due incaricati assunsero posizioni arroganti, intimando ai tre stranieri di liberare il campo, sennò avrebbero chiamato gli agenti di controllo.

«Voi non potete stare qui».

Nel frattempo arrivavano decine di vittime, che venivano ammonticchiate nello stanzone: «Questi dov'è che 'i metemo?».

«Aspettate qui, aspettate qui, dobbiamo sentire il tenente...».

I tre stranieri si guardarono fra di loro, incerti se sparare qualche colpo in testa a quei due maleducati e imbecilli. Se soltanto avessero saputo chi avevano davanti.

Quello che sapeva parlare l'italiano affrontò con molta calma gli incaricati, e riuscì a sapere, con metodi relativamente educati, che il signor Galati Walter non era ancora stato rinvenuto.

Comunque nessuno dei tre pensava che lì lo avrebbero effettivamente ritrovato.

A quel punto i tre si divisero i ruoli.

Il primo agente, una donna, si incaricò di andare all'INPS, allagata, alla ricerca di notizie sui dipendenti e colleghi, ma ovviamente non trovò niente e nessuno. In breve riuscì a farsi qualche idea sulla faccenda della Coppo e si immaginò che a rapirla fosse stato il Galati, che poteva averlo fatto per un motivo o anche no. Crackando il computer di Galati (per farlo funzionare dovette procurarsi una batteria indipendente) riuscì a ricostruire quello che stava facendo la Coppo, vale a dire un'ispezione su certe irregolarità avvenute dentro l'ufficio, ma Galati ci entrava solo tangenzialmente. La signora si irritò dell'incarico che le avevano dato, evidentemente inutile. Per rispondere alla chiamata aveva dovuto lasciare il matrimonio di sua sorella, in Galles, e contattare una interprete, che le spiegasse le cose.

Il secondo agente, svizzero tedesco, aveva puntato sulla capanna di pesca di Galati e ispezionato il rifugio, che Walter aveva avuto cura di lasciare esattamente com'era, con le armi, il computer e tutto il resto, in modo che non pensassero che se ne era scappato. Cioè, per meglio dire, che pensassero che se ne era scappato, facendo finta di essere scomparso accidentalmente, perché era sicuro che *loro* non avrebbero creduto affatto che lui fosse annegato nella laguna.

L'agente svizzero osservò con attenzione la struttura del rifugio, e ne ammirò l'organizzazione. Visto che nessuno poteva vederlo e che tutto sommato quella visita, in luoghi così difficili da raggiungere e così inutile, non serviva a niente, si portò via un'arma da collezione, una Beretta del '39, perfettamente funzionante.

Il terzo agente si mosse da Quarto D'Altino, era quello che sapeva parlare l'italiano, insieme a molte altre lingue, era la sua specialità. La sua nazionalità era ignota, ma il fatto che parlasse fluidamente il lituano, il lettone e l'estone tendeva a collocarlo da quelle parti, come nascita. Rudy, questo era il suo nome di battaglia, era un uomo non più giovanissimo, probabilmente l'agente più anziano ancora in servizio, pareva che in vita sua avesse ucciso una trentina di obiettivi, quelli che ne avevano sentito parlare lo temevano, si diceva che fosse talmente insensibile che, se gli avessero dato l'incarico, avrebbe ucciso anche sua madre.

Fu lui ad andare da Stefania, a casa Galati, facendosi passare per un volontario della Protezione Civile, in divisa fosforescente. I Paganin, gli inquilini del piano alto, lo assalirono sul pianerottolo. «Era ora di farsi vivi, noi qui siamo completamente abbandonati, quand'è che venite in forze? Non abbiamo niente, né acqua né corrente elettrica, non sappiamo cosa fare», diceva quella gente che in casa aveva provviste, acqua e vino per sei mesi, e un generatore sul terrazzino.

«Un momento, lasciatemi passare, per il momento siamo alla ricerca di persone scomparse...».

Rudy entrò prudentemente nell'appartamento dei Galati, dichiarò a voce alta le sue credenziali: «Signora Galati, siamo della Protezione Civile!».

Nell'appartamento pareva non esserci nessuno. Rudy, con estrema prudenza, lo setacciò da cima a fondo, gli occupanti se ne erano andati. Uniche tracce interessanti, qualcuno, la moglie, aveva fatto i bagagli in fretta e se ne era andata, erano ancora aperti i cassetti, ma quelli contenenti capi femminili.

C'era da immaginarselo.

Il quarto agente, quello che non era andato a Treviso, di nazionalità francese ma di origini armene, tal Abdel Hibrandelkazian, aveva deciso autonomamente di seguire altre piste, convinto, come lo sarebbe qualsiasi francese, che Galati, che peraltro gli avevano segnalato come uno dei migliori, dovesse passare dalla Francia, e che, se avesse preso un aereo, sarebbe dovuto andare a Orly: forse ragionando per stereotipi si immaginò che Galati se ne sarebbe fuggito in Messico, effettivamente sul volo per Città del Messico, partito alle 10 del mattino, c'erano svariati italiani, nessuno ovviamente corrispondeva al nome di Galati Walter. Probabilmente si era fornito di altre identità, anche Hibrandelkazian ne aveva altre tre.

Passò tutta la mattinata a Orly, davanti alla coda di attesa per i controlli col detector. A meno che non si fosse fatto la plastica facciale, cosa impossibile visti i tempi, Galati non era lì, probabilmente era già partito per Città del Messico qualche ora prima. Che dovesse muoversi immediatamente anche lui? Se gli avessero lasciato il vantaggio lo avrebbero perso. Così telefonò a Habblewhite, contro ogni procedura. Questi gli ordinò di non muoversi dalla Francia.

Hibrandelkazian lasciò l'aeroporto alle due del pomeriggio. Venne a sapere che a Melun avevano trovato un'auto con targa italiana, che era stata lasciata in un'area abbandonata e alla quale era stato dato fuoco. Si recò immediatamente sul posto.

In realtà Stefania non era affatto fuggita, era stata sfollata a Pieve di Cadore, in un albergo che fu riaperto fuori stagione per l'emergenza. Ciò avvenne in svariate località montane e pedemontane, dotate di ampia recettività. In realtà la casa Galati-Colledan si trovava in un quartiere che non era allagato, se non per una ventina di centimetri d'acqua che si era riversata nelle strade, adesso già colata via, c'era rimasto solo un bel po' di fango. Tuttavia si era deciso di sfollare anche gli abitanti di quelle aree, visto che nelle case non c'era corrente elettrica né acqua. Stefania, fu caricata su un pullman, lì condotta, insieme ad altri sfollati, con dei mezzi militari. In viaggio si parlò della situazione, di quanto a lungo sarebbero dovuti rimanere in Cadore (gli sfollati ancora di preciso non conoscevano la loro destinazione), di cosa sarebbe successo in futuro.

In realtà non era molta la gente che aveva accettato di essere sfollata, la maggior parte voleva restare sul posto della tragedia, o alla peggio farsi ospitare da parenti nelle vicinanze. Tutto meglio che starsene con le mani in mano per giorni o settimane.

Stefania invece pareva abbastanza tranquilla. Le sue speranze di ritrovare, o meglio di non ritrovare, suo marito si affievolivano sempre di più, in ogni caso che poteva fare lei a questo punto?

La alloggiarono in una camera singola, in un hotel a tre stelle dove era stato ospite anche Leonardo Sciascia, c'era una sua fotografia nella sala ristorante che però era chiuso, gli sfollati avrebbero consumato i pasti in una mensa appositamente messa in piedi. A Pieve di Cadore ce n'erano circa trecento.

Alle tre del pomeriggio Stefania era in camera, stava mettendo a posto le sue poche cose nell'armadio. Accese la televisione, i telegiornali trasmettevano senza sosta immagini dal Trevigiano, aggiornavano continuamente il numero delle vittime e dei dispersi, si comunicavano i numeri di telefono, gli indirizzi di riferimento, le novità.

A Stefania non pareva importare molto. L'unico pensiero che sembrava coinvolgerla era quello di che fine avesse fatto suo marito, se fosse morto oppure vivo, e dove. Spense la TV, in bagno estrasse dalla borsetta della toilette un sacchettino pieno di piccoli oggetti pesanti: erano i suoi gioielli, poche cose. Uno era una pietra verde, uno smeraldo non incastonato di 49 millimetri di diametro. Un altro era un rubino che misurava 29x45x35 millimetri, di 68 carati. Seguivano altre pietre preziose un po' più piccole ma non tanto. Lei ci teneva molto, era il suo tesoro, accantonato in tanti anni di lavoro. A differenza di suo marito lei non credeva nei conti bancari e nelle diverse valute, a lei piacevano i beni rifugio. E non aveva intenzione di affidarli a cassette di sicurezza o a insicurissimi caveaux.

Distribuì i suoi preziosi sul tavolino di vetro del bagno, non ne mancava nessuno. C'erano anche due oggetti di nessun valore, due collarini di cani. Li teneva così, per ricordo. Uno era di Little King, l'altro di Fufi.

Finita l'ispezione li rimise a posto, nella borsina da toilette. In qualche modo si sentiva più libera. Aveva la sensazione che comunque, anche se Walter fosse tornato, la sua vita sarebbe cambiata, si chiudeva un ciclo e se ne apriva un altro. Peraltro era più che sicura che Walter non l'avrebbe visto mai più, in ogni caso. Si guardò l'anello al quarto dito della mano sinistra: la fede. Era l'unico pezzetto di oro che possedesse, ma presto se ne sarebbe liberata. Lei odiava l'oro, era così materiale, e poi una volta per strapparle un orecchino d'oro a momenti le portavano via un orecchio. Da quella volta di orecchini non se ne era più messi, neanche di materiali vili.

Gli ci volle del tempo, ma l'agente Rudy riuscì a rintracciare la collocazione di Stefania, sfollata a Pieve di Cadore all'Hotel Al Pelmo. Di Walter Galati non si faceva menzione, risultava fra i dispersi ma non fra i morti, comunque non era affar suo, lui doveva soltanto rintracciare la moglie.

Bussò alla porta della camera, annunciandosi come incaricato della Protezione Civile che si occupava dei dispersi, voleva alcune informazioni dalla signora Galati, se non era troppo disturbo.

«Entri, entri, pure, era ora che vi faceste vivi». Rispose Stefania dal bagno. «Comunque sono io che chiedo notizie a voi, io non so niente, e io mi chiamo Colledan. Arrivo subito».

Rudy dubitava che Galati potesse essersi nascosto in quella camera d'albergo, ma non si poteva mai sapere. E se si fosse messo d'accordo con la moglie? La donna a quanto ne sapeva lui non era minimamente al corrente, e non doveva esserlo. Lo stesso con prudenza varcò la soglia, chiuse la porta dietro di sé.

Stefania, dal bagno, gli disse che il marito era scomparso dal giorno prima, lei temeva che fosse finito nel fiume, aveva anche chiamato il numero verde, ma con quell'uomo chi poteva mai sapere... «Era talmente imbecille! Però non è stato ancora ritrovato, ma la macchina sì».

Macché finito nel fiume, pensava Rudy, chissà dov'è in questo momento.

Finalmente Stefania tirò lo sciacquone e uscì dal bagno. A quel punto Rudy la vide in faccia, e la riconobbe. Quel volto l'aveva visto una decina di anni prima e subito capì che la sua vita sarebbe finita lì, in quel momento.

La famiglia del sindaco di Jesolo fu trasferita in una specie di guest house della Polizei, visto che il capofamiglia era stato tratto in arresto per contrabbando d'oro e per detenzione di valori rubati, fra l'altro nel corso di una sanguinosa rapina a mano armata, proprio in Germania.

Il furgone cellulare scaricò il terzetto di fronte a un'elegante casetta fatta di legno, a una decina di chilometri da Rosenheim. Era una piccola località rurale, alle pendici delle montagne, un posto mica male. La famiglia era accompagnata da due robuste agenti femmine.

I bambini, all'inizio diffidenti, gradirono la novità, c'era un bel giardino e anche l'altalena.

«Mamma, ma è questa la nostra nuova casa? Siamo in Danimarca?».

«No cuccioli, non siamo in Danimarca».

Entrarono in casa. Insomma, poteva andare peggio. C'era il caminetto e una televisione al plasma. La camera dei bambini disponeva di un letto a castello, i letti erano rifatti con dei pesanti coltroni morbidi e caldi. I bambini sembravano entusiasti.

In cucina non c'erano provviste. La signora Culicchia si domandò come avrebbe fatto per le compere. Una delle due poliziotte, che parlava un po' di italiano con accento romagnolo perché andava sempre in vacanza a Rimini, le disse che l'avrebbe accompagnata al market, a fare un po' di spesa. Con i figli sarebbe rimasta l'altra agente, che non sapeva una parola di italiano, ma che, forzuta com'era, dava delle spinte all'altalena che quasi quasi i bambini facevano il giro della morte.

Al market la signora Culicchia acquistò il necessario, wurstel di manzo, latte, burro, affettati misti affumicati, biscotti e un'infinità di altra roba.

«Ma quando verrà rilasciato mio marito?», chiese alla poliziotta.

«Ach, questo io non sapere. Sa vut ca sepa».

La signora, nonostante avesse ventimila euro in contanti nella borsa, che le aveva dato suo marito, alla cassa cercò di pagare con la carta di debito. Tuttavia non fu accettata, risultava bloccata. La poliziotta non fece una piega, pagò lei, con una carta specifica da utilizzare in questi casi. La moglie del sindaco era sbalordita. E perché non fermarsi lì a Rosenheim? Le sembrava un posto assai carino, ed erano così gentili.

Quando tornò a casa trovò i figli che giocavano a saltacavalla con l'altra agente, che era tutta rossa in viso.

Eh, all'estero è tutta un'altra cosa, pensò la signora Culicchia.

La stessa cosa pensò il sindaco quando vide la sua cella singola, dotata di tutti i confort, frigorifero, televisione e servizi igienici indipendenti.

Date le sue attitudini statistiche il tenente Barbato fu incaricato di ricomporre, identificare, per quanto possibile, i cadaveri che via via venivano recuperati nella laguna dai sommozzatori dei Vigili del Fuoco.

Le salme venivano trasportate in un capannone, a Preganziol, e distese una accanto all'altra, con un cartellino che ne indicava il luogo e l'ora di ritrovamento.

Barbato si dimenticò completamente dell'«elemento perturbatore» e del suo software, prese passione in quest'incarico, trattava tutti quei morti, centinaia, come se fossero una collezione di francobolli. Alcuni mancavano di certe parti del corpo, che sembravano mozzate da lame affilate o dal morso di enormi pesci, altri si vedeva chiaramente che non erano morti per affogamento, insomma non in molti dei suoi colleghi erano riusciti nel corso di un'intera carriera a vedere di persona un campionario simile. Ciò avrebbe contato molto nel suo curriculum.

Il tenente si dedicò anima e corpo al suo nuovo compito, e accoglieva i nuovi arrivi come fossero prestigiosi ospiti di un hotel a cinque stelle. Decise di sua iniziativa di disporre i cadaveri in base al luogo di ritrovamento, già si era fatto un'idea delle correnti fluviali, in particolare una zona della palude che si chiamava il Pozzo dei morti, chissà perché. Alcuni dei cadaveri avevano ancora addosso i vestiti e i documenti, il riconoscimento fu facile. Altri non avevano indosso niente, però Barbato era preparato e instancabile, incrociò i dati delle persone che risultavano scomparse, riuscì a ipotizzare molte identità, anche se non aveva l'autorità per stabilirle.

È brutto dirlo ma lo prese una sorta di entusiasmo, che vuol dire esser fuori di sé.

Le altre persone con cui si trovò a lavorare, alcuni agenti, alcuni volontari, erano disgustati e gli veniva da vomitare, anche perché molti di quei cadaveri non erano morti nelle ultime ventiquattr'ore ma assai prima. Nel capannone montava un tanfo insopportabile, ma per Barbato era come se nulla fosse, saltava a destra e a sinistra estasiato.

Doveva incrociare anche i dati con le auto scomparse, con le denunce, con le infinite telefonate che arrivavano al numero verde e che imploravano di avere notizie di un parente, di un caro, di un conoscente...

Barbato aveva rapidamente impostato dei fogli Excel a tripla entrata, nei quali in poche ore inserì migliaia di dati. Ora, non è che le sue conclusioni avessero valore legale, occorrevano altre procedure assai più complesse e burocratiche, ma in prima approssimazione riuscì a conferire un'identità almeno al 75% delle vittime.

Nonostante il suo entusiasmo si rese conto che i cadaveri non erano belli a vedersi. Uno lo impressionò particolarmente. Era una signora sui settanta, che non era morta affogata, la causa per ora era sconosciuta. Teneva in mano due fotografie: nella destra quella di Padre Pio, nella sinistra quella di un signore sconosciuto, chissà, poteva essere un parente o suo marito. Ma la cosa che faceva più impressione era il volto della morta, la sua espressione: pareva aver visto il Diavolo in persona, o il male incarnato, o la morte nelle sue peggiori manifestazioni o personificazioni. Esprimeva terrore, orrore, tanto che Barbato preferì coprirle il volto. Gli occhi non si riusciva a chiuderli, la bocca sembrava contratta in un urlo senza fine. La signora si chiamava Meneghello, aveva i documenti con sé. Vicino a lei c'era sua figlia, anch'essa deceduta per motivi diversi dall'affogamento. Mostrava segni evidenti di contusioni, il volto era una maschera di sangue rappreso. Lei sembrava non volersi separare dal suo telefonino, che teneva in mano come in una morsa. Barbato lo lasciò dov'era, ci avrebbero pensato gli inquirenti. Qual era l'ultima telefonata che aveva ricevuto? A dire la verità il magistrato non ci avrebbe pensato affatto, con tutti i morti che c'erano si stava freschi.

Certo che Barbato non era scemo e aveva buona memoria: quel cognome se lo ricordava bene, ma non per il famoso scrittore di area vicentina, che lui proprio non conosceva.

Purtroppo fra le vittime Barbato non riuscì a rintracciare il signor Galati Walter, proprio lui, la cui scomparsa era stata denunciata dalla moglie, Colledan Stefania, che non lo vedeva dal giorno precedente. La sua auto, quella sì, una Volkswagen, era stata ripescata in laguna, con i vetri integri e gli sportelli chiusi. Eppure quello che stranamente il software aveva indicato come il possibile elemento perturbatore non si era ritrovato. D'altra parte di persone all'appello, dopo la prima scremata, ne mancavano molte, ci sarebbero voluti dei giorni per recuperarle, e probabilmente almeno un 10% non sarebbero state ritrovate affatto, anche questo andava inserito nelle statistiche.

Le autorità preposte, quando arrivarono nell'enorme capannone, si trovarono il lavoro fatto, almeno al 90%, per utilizzare un gergo caro al Barbato. Sopra i cadaveri c'erano dei moduli A4 con scritto il luogo e l'ora del ritrovamento e le ipotesi sull'identità, in ordine di certezza. Meno del 10% riportavano la scritta: *identità sconosciuta*.

Alcuni di questi erano di origine calabrese, della scomparsa dei quali nessuno aveva fatto denuncia.

Quel Barbato si meritava come minimo un encomio.

La danza di corteggiamento degli scorpioni

La danza di corteggiamento degli scorpioni ha
sempre interessato i biologi animali, fin da tempi antichissimi.

In effetti lo scorpione maschio danza con la femmina tenendola stretta, la conduce in movimenti che
prevedono dei passi precisi, una scena a dir poco affascinante, che assomiglia a un tango senza musica.

Il fatto è che la danza esaurisce il rapporto sessuale, non ne è né un preludio né un simulacro, come ac-
cade talvolta agli esseri umani.

In molte specie di scorpione il maschio dà inizio alla cerimonia afferrando con i suoi pedipalpi – le ap-
pendici prensili e sensoriali degli aracnidi, vicine alla bocca, non sono le grosse chele o pinze per inten-
derci – quelli della femmina, e la conduce in una
danza che prevede una sequenza precisa di passi,
avanti e indietro. Mentre produce questi movimenti il maschio libera il suo sperma al suolo (come il biblico Onan), in forma di spermatofora, che si cemen-
ta per terra. Costringe a ballare la femmina in modo
che questa si trovi col suo opercolo genitale sopra
la spermatofora. Questa è un oggetto meccanico ad

alta funzionalità: quando la pressione del corpo della femmina la sollecita, questa scoppia, dopo che è scattata la cosiddetta leva di apertura, liberando gli spermatozoi che vengono proiettati dentro il gonoporo femminile.

Dunque fra i due scorpioni non avviene alcun atto copulativo, il loro rituale riproduttivo consiste nella raccolta, sapientemente guidata, degli spermatozoi da terra.

Ci sarebbe da chiedersi quale possa essere stato il vantaggio evolutivo di una simile soluzione al problema riproduttivo, ma questa domanda nel caso di moltissimi invertebrati è meglio non porsela. D'altronde, qual è il vantaggio evolutivo del coito?

Ci sono molte altre leggende sull'accoppiamento degli scorpioni, per esempio quella secondo cui il maschio, se non assolve al suo dovere, rischia di essere ucciso dalla femmina. Questa può essere una frottola, così come quella che dice che certi scorpioni, quando si vedono alle strette, senza possibilità di scampo, si suicidino. Si dice che essi lo facciano per esempio se vengono circondati da un cerchio di fuoco: viene da chiedersi chi e perché abbia realizzato questo esperimento.

Il fatto è che si è pensato a lungo che alcuni scorpioni siano sensibili al loro stesso veleno, e quindi ove, volontariamente o meno, colpissero se stessi o i loro partner col pungiglione, contenuto in un organo dal bellissimo nome di Telson, perderebbero la vita. Ma studi biochimici hanno dimostrato che almeno alcune specie di scorpioni sono del tutto immuni al loro stesso veleno, e quindi non possono suicidarsi, almeno non utilizzando il proprio pungiglione. Sono quindi immuni anche al veleno dei cospecifici, in particolare la femmina o il maschio con cui si stanno accoppiando.

Probabilmente il punto di forza e di debolezza dello scorpione è il suo aspetto, veramente minaccioso e cattivo, spesso utilizzato come emblema di spietata efferatezza: basti pensare all'efficacia del simbolo della Abarth, casa automobilistica specializzata nel trasformare innocue utilitarie in mostri potentissimi.

A proposito del veleno neurotossico, certi rospetti australiani sono cento volte più velenosi degli scorpioni, eppure sembrano inoffensivi. Invece lo scorpione, probabilmente per una infinità di pregiudizi culturali, appare molto terrorizzante. Solo pochi scorpioni sono realmente pericolosi per gli esseri umani, nella maggior parte dei casi (in Europa in tutti i casi) il loro morso ha effetti paragonabili o inferiori a quelli della puntura di un'ape.

Curiosamente, fra le mille interpretazioni simboliche dello scorpione, c'è quella di essere alla nascita il risultato di una clitoride asportata: per certi popoli africani rappresenterebbe la seconda anima (quella maschile) della donna.

Nella tradizione cristiana lo scorpione è simbolo di empietà, infamia, eresia, maldicenza, caratteristiche tradizionalmente attribuite al popolo ebraico teicida.

Parrebbe incredibile, ma i Vigili del Fuoco di Melun erano straordinariamente efficienti. Un passante aveva telefonato alla caserma e i *pompiers* erano arrivati dopo pochi minuti. Avevano trovato un gippone che stava bruciando, e con una certa facilità riuscirono a spegnere il fuoco.

Grande fu la loro sorpresa quando riuscirono ad aprire la macchina, che aveva targa italiana. Nel bagagliaio trovarono una donna, legata e assai malconcia, ma ancora viva.

Fortunatamente il fuoco non aveva ancora raggiunto la bauliera, e la signora non aveva percepito troppo calore perché avvolta in una coperta zuppa di acqua. Era priva di sensi e legata con del nastro adesivo.

L'ambulanza la condusse immediatamente all'ospedale, dove fu assistita nel migliore dei modi, era completamente disidratata, prostrata, e aveva subìto qualche trauma, forse dentro il bagagliaio o forse prima. Una o più flebo di soluzione fisiologica e zuccheri la rimisero in sesto. La signora aveva una fibra notevole, e per giunta, quando riprese i sensi, dimostrò di cavarsela con il francese.

Disse che l'avevano rapita nelle vicinanze di Treviso, e che era rimasta sequestrata alcuni giorni in un posto vicino a un fiume. Poi erano venuti a prenderla, e l'avevano infilata nel bagagliaio. Non si era resa conto di aver fatto tanti chilometri, però aveva il vago ricordo di aver sentito dei colpi di arma da fuoco.

La famiglia fu avvertita. Dopo un paio di giorni il marito e la figlia sarebbero andati a visitarla all'ospedale di Melun, trovandola in discreta forma. Quella donna aveva sette vite, e dire che i suoi familiari non sapevano esattamente che cosa avesse passato, nei giorni precedenti.

Comunque, assai prima dell'incontro con i familiari, madame Marta Coppo riassunse a un procuratore francese, un bel quarantenne di origini algerine, le sue avventure degli ultimi giorni. La premessa era che lei aveva avuto l'incarico dall'INPS di indagare su alcuni possibili atti illeciti consumati all'interno della sede di Treviso. Un male cronico all'interno degli enti pubblici italiani, ovverosia il trucco delle ore di lavoro regolarmente segnalate dai cartellini di presenza, ma mai effettuate. Un complesso giro di complicità per il quale molti dipendenti risultavano sul posto di lavoro ma in realtà erano altrove, a casa o addirittura in luoghi di svago. I cartellini venivano timbrati da altri, oppure dagli stessi interessati che poi se ne andavano via. Una truffa a carico dell'Ente, e quindi dei contribuenti, che ammontava a svariate migliaia di euro. Le ore truffate erano centinaia, e la dottoressa Coppo aveva già steso un suo rapporto, ricostruendo i registri digitali di presenza. Per questo alcuni dipendenti avevano prima cercato di corromperla, offrendole 400 pezzi, poi l'avevano minacciata, e infine rapita.

Il procuratore francese fece finta di essere alquanto sorpreso, perché queste cose in Francia non succedono. Sapeva benissimo che in Francia c'erano gli stessi identici problemi, e pertanto si stupiva che per una questione di qualche migliaia di euro si fosse passati a vie di fatto così drammatiche, quando il tutto poteva concludersi con una semplice sanzione amministrativa.

Il terzo agente dell'Agenzia, Hibrandelkazian, era arrivato a Melun, all'ospedale, prima della famiglia della Coppo. Aveva cercato di capire cosa fosse successo, ma sinceramente non riuscì a comprendere come mai Walter Galati si fosse portato dietro quell'ostaggio, e poi l'avesse lasciato lì, a Melun, dopo aver dato fuoco alla macchina. Manovre diversive? Voleva dire che era sempre in Italia?

Fece rapporto a Habblewhite, così come l'agente svizzero che era andato al capanno e l'agente britannica che era andata all'INPS. Rudy, l'operatore che era andato a trovare la moglie di Galati, invece non fece alcun rapporto.

Durante l'alluvione il Comitato contro la violenza sui cani dovette subire qualche battuta a vuoto, ma non per molto. Già il fatto che mancasse la corrente elettrica era un handicap per persone che prediligono esprimere le proprie opinioni sui social. Alcuni andarono letteralmente in crisi, perché non c'era collegamento, le linee ADSL non funzionavano, tantomeno i WI-FI. Insomma si viveva nell'isolamento, prodromo della tirannide e dello spadroneggiare del potere dei politici e della casta.

Ma presto i contatti si ristabilirono. Sulla pagina Facebook del Comitato ricominciarono a comparire commenti da Treviso, da Ostuni, da Isola Liri.

La questione adesso era che i soccorsi trascuravano completamente gli animali, che perdevano la vita per la dissennata brama di autoaffermazione degli umani. Come ci si deve comportare con gli animali in casi del genere? Quali erano le garanzie che lo Stato offriva in caso di alluvione alle povere bestie? Ovviamente nessuna.

Si cominciò a ricucire la rete, ci si organizzò. Prima di tutto sul piano dell'informazione. A quanto pareva gli animali morti in questo cataclisma, voluto dagli esseri umani, erano decine di migliaia, sia domestici che selvatici, anche se calcoli precisi erano difficili da eseguire. E in molti casi si trattava di un vero e proprio animalicidio: cani da caccia lasciati nei loro gabbiotti nel giardino, uccellini nelle loro gabbie, pesci tenuti in acquari nelle cantinette. Ma a parte questi casi estremi, quante erano le specie in difficoltà, anatidi, mustelidi, fasianidi?

Prima di tutto bisognava occuparsi di giardini zoologici, parchi faunistici, esposizioni equine, situazioni nelle quali in caso di alluvione nessuno si occupa degli animali i quali trovano sicuramente la morte, anche quelli

557

acquatici. Però nelle zone sommerse di zoo non ce n'erano. Che fare allora con i pet-shop e quelli di prodotti specifici? C'era qualche cucciolo di chihuahua rimasto prigioniero nella sua gabbietta? Era già affogato?

Nel Trevigiano giunsero almeno tre squadre di soccorso specializzate, il loro compito era quello di aiutare animali in difficoltà, mettendoli in salvo e assicurando la prima assistenza. Non era previsto che tali squadre soccorressero anche gli esseri umani, se non in circostanze eccezionali.

Purtroppo alcune persone si sarebbero dimostrate assai poco mature e preparate rispetto a un approccio del genere.

Grazie alle riprese televisive prodotte dall'elicottero stesso del Presidente del Consiglio e ad alcuni efficaci primi piani, si era diffusa l'immagine di un gattino che era rimasto intrappolato sul tetto di una casa circondata dalle acque. Il gattino, un soriano grigio, guardava terrorizzato il mare marrone intorno a lui, miagolava.

L'immagine del piccolo, vista da milioni di persone che si intenerirono, diventò presto una sorta di icona dell'alluvione stessa: in TV fu trasmessa ripetutamente, presto si diffuse in rete, centinaia di migliaia di visualizzazioni. Subito la Squadra di soccorso animale di Osnago si mobilitò, perfettamente attrezzata. Scaricarono il gommone dal tetto della 4x4, lo portarono in acqua, e si mossero in direzione di Cendon, la frazione severamente colpita dall'alluvione dove c'era il gattino in difficoltà.

Quando il potente gommone dell'associazione recupero rapaci di Osnago giunse sul posto trovò una sorpresa. C'era già un'altra squadra di soccorso, di piemontesi, i quali stavano cercando di capire in che modo potevano salire sull'edificio dal loro battello gonfiabile galleggiante.

L'imbarcazione di Osnago affiancò quella di Pinerolo, all'inizio si cercò di mantenere i termini della gentilezza: «Scusate, amici, ma quel gatto è di nostra competenza, abbiamo qui l'autorizzazione della Direzione Operativa, voi ce l'avete?».

In effetti quelli di Pinerolo l'autorizzazione non ce l'avevano. Per giunta mancavano di un'altra cosa della quale invece quelli di Osnago disponevano, una scala allungabile, che cominciarono subito a utilizzare. Bloccarono il gommone a una grondaia, issarono la scala e salirono.

«Amici, così non si fa, noi siamo arrivati molto prima di voi, il gattino è nostro».

«Ma se non avete neanche la scala? E poi noi abbiamo l'autorizzazione delle autorità competenti, mentre voi no, lasciateci lavorare».

«Questa è una scorrettezza bella e buona».

«Siete voi gli scorretti».

Insomma in breve si arrivò alle parole grosse, e quasi alla rissa. Solo che la squadra di Osnago era già sul tetto, mentre gli altri, scornati, erano ancora sul loro gommone. Che fare, abbordare il mezzo degli usurpatori dove era rimasto un solo elemento? Uno dei piemontesi, dotato di telecamera che sarebbe dovuta servire a produrre un reportage sul salvataggio del gattino, riprendeva la scena.

«Non finirà in questo modo! La vostra prepotenza sarà visibile su tutti i siti, su tutti i blog!».

«Ma va' da' via il cu'», gli rispose il brianzolo coi capelli bianchi, il capo della squadra lombarda, mentre cercava il gatto.

Da una terrazza di una casa vicina alcune persone, con i piedi quasi a livello dell'acqua, osservavano irrequieti la scena. Chiesero ai soccorritori di avvicinarsi, che erano 14 ore che aspettavano. Urlavano e sbraitavano, al limite della resistenza. La squadra di Pinerolo si avvicinò col motore al minimo, spiegando che loro facevano parte del Soccorso Animale, non potevano prendersi la responsabilità di caricare esseri umani, inoltre il gommone poteva al massimo ospitare cinque persone, e loro erano già quattro. Però si avvicinarono troppo. Un paio di quei facinorosi isolati al secondo piano riuscì ad afferrare le maniglie del gommone: insieme agli altri costrinsero i volontari a scendere, a montare sul terrazzino. Ci riuscirono anche perché uno degli alluvionati aveva tirato fuori una pistola, e aveva sparato un colpo in aria.

«Ah, voi siete venuti per salvare il gatto?».

Sul gommone salirono sei alluvionati, due donne, due bambini e due di quei tipacci pronti a tutto. Quello armato teneva sotto tiro gli animalisti.

Ma non si accontentarono, si avvicinarono al gommone dell'altra squadra, sul quale era rimasto un unico volontario.

«Sali anche te sul tetto», gli intimò il più deciso dei veneti.

«Ma non posso, devo aiutare a scendere i miei compagni, quando avranno salvato il gattino».

«Ho detto sali sul tetto, can de l'ostrega, e subito!».

«Mi rifiuto tassativamente!».

Il tipo non ebbe esitazioni, prese il volontario per il bavero e lo gettò in acqua. Tanto aveva il giubbotto salvagente.

Sequestrò anche il secondo gommone, e con questo recuperò sul terrazzo altre quattro persone, compreso quello armato. Partirono quindi per il punto di raccolta, a Treviso-Sud, pronti a distruggere tutto, tale era la loro rabbia per l'andamento dei soccorsi.

A parte quello che era finito in acqua, che rapidamente aveva raggiunto a nuoto il terrazzo dove erano i piemontesi, gli altre tre di Osnago erano rimasti sul tetto. Il gattino, fra l'altro, non aveva nessuna intenzione di farsi prendere e si era molto spaventato quando aveva sentito il colpo d'arma da fuoco. Le riprese che uno dei tre stava cercando di eseguire non erano utilizzabili.

Così gli otto sarebbero rimasti in zona finché, in serata, non arrivò l'anfibio dei Vigili del Fuoco. Le acque fra l'altro erano in parte defluite. Il gattino comunque fu tratto in salvo. Il giorno dopo 22.357 persone chiesero di adottarlo.

Come sempre succede in caso di alluvioni il costo più pesante fu comunque pagato proprio dagli animali di allevamento. Al defluire delle acque comparivano migliaia di cadaveri: polli, conigli, mucche, pecore, cavalli, nonostante gli allarmi che erano stati diramati. In effetti molti allevatori erano riusciti a mettere in salvo gli armenti, forse era servita la lezione dell'alluvione nel Vicentino, ma le vittime erano lo stesso decine di migliaia.

Il problema di tutti quegli animali morti era dunque macroscopico, e occorreva eliminarli al più presto, per ovvi motivi di salute pubblica.

Fra gli animali ritrovati due in particolare sorpresero gli addetti: erano due orangutan, trovati a poca distanza l'uno dall'altro. Stranamente i loro corpi non mostravano alcun segno di corrompimento, di putrefazione, parevano conservati sotto spirito, a una prima analisi parevano esser stati trattati, dopo morti, con sostanze chimiche. Ma da dove arrivavano? Nella zona non erano segnalati giardini zoologici o simili che ospitassero tali primati. Poteva sempre trattarsi di un privato, di quelli che in casa tengono animali esotici, persino leoni, tigri e anaconda.

Presto emerse la verità, le due grosse scimmie erano quelle inserite dal famoso artista Hirst in formalina dentro due teche di vetro, e che erano poi state sostituite da ignoti con due cadaveri umani, i due spogliarellisti di Jesolo.

Quindi i corpi animali facevano parte di due opere d'arte di elevatissimo valore. Prima di incinerare anche quelli c'era da pensarci due volte, i due orangutan, veri, imbalsamati o sintetici che fossero, furono messi in una cella frigorifera.

L'artista fu informato del ritrovamento. I suoi portavoce ne presero atto. Nei giorni successivi si sarebbe stabilito che le scimmie potevano essere reinserite nelle teche originali, una volta che queste fossero state riconsegnate dalla magistratura, erano ovviamente sotto sequestro.

L'opera, se già di per sé arrivava a una quotazione elevatissima, dato il nome dell'autore, adesso che era passata per queste traversie avrebbe raggiunto un valore stratosferico.

Pare che l'artista avesse intenzione di metterla a disposizione per una nuova esposizione, a Venezia. Tutti gli incassi, secondo il suo volere, sarebbero stati destinati alle vittime dell'alluvione. L'opera sarebbe rimasta, naturalmente, di sua proprietà. Ma queste sono soltanto voci, su ciò che sarebbe veramente accaduto in seguito al momento presente non c'era alcun riscontro.

Nei giorni immediatamente successivi, quando le strade cominciavano a essere, pur con grande difficoltà e con mezzi adeguati, percorribili, molte persone tornarono a vedere cosa era rimasto delle loro abitazioni. Ci furono delle sorprese, perlopiù sgradite. Una capitò alla signora Culicchia, la moglie del sindaco di Jesolo, cui era stato permesso di riprendere l'Audi A8 e di tornare in Italia con i figli da Rosenheim. Suo marito, viceversa, fu trattenuto. La signora riuscì a raggiungere la villetta di famiglia, in mezzo al pantano che cominciava a seccarsi. Con suo grande sbalordimento e costernazione la villetta non c'era più, neanche un pezzetto, rasa al suolo. Restava la cantinetta nel sottosuolo, colma di fango. Possibile? Povera donna, non sapeva letteralmente cosa fare. Cercò di lavorare di telefono, ma sua sorella le disse che aveva la casa piena, con tutta la famiglia del cognato. L'unica soluzione era consultare la famiglia del marito in Sicilia. Questi furono felici di mettere a disposizione della nuora – «Quanto tempo è che non venite a trovarci?» – quella che definivano la loro «campagna», nel Trapanese. Le ci vollero quasi due giorni per arrivare, in macchina. I bambini erano stremati. Raggiunsero il casale, un edificio semicadente nel mezzo di un'area che molto poco assomigliava a quello che normalmente si intende per «campagna». La zona era riarsa, pietrosa e arida, non c'era più un albero. Delle floride coltivazioni nemmeno un ricordo. L'aspetto più paradossale, per una famigliola che proveniva da zone ricche di risorgive e per di più alluvionate, in Veneto, era che non c'era una stilla d'acqua. Bisognava farsela portare settimanalmente con l'autocisterna, ma poche centinaia di litri, andava utilizzata con molta parsimonia. I fichi d'India c'erano, quelli sì. E il figlio minore si rovinò una mano cercando di afferrarne uno. Dalla Germania, dall'avvocato, nessuna notizia. Si poteva pagare una cauzione? Ma qui ci sono le scuole?, si chiedeva la moglie del sindaco.

La signora in Culicchia non aveva informazioni di prima mano sulla desertificazione imminente, sul riscaldamento del pianeta, sulle manifestazioni meteorologiche impazzite e sulle bombe d'acqua dovute ai cambiamenti climatici. L'unica cosa che sapeva è che doveva ripartire da 20.000 euro (adesso 19.000), e si fece prendere dalla desolazione.

Al trentanovesimo piano del nuovissimo grattacielo londinese soprannominato La Grattugia, due manager di alto livello stavano preparando i bilanci consuntivi e preventivi della loro azienda. Di fronte alle enormi vetrate panoramiche dalle quali di vedeva la City e tutto il South Bank, i due ragionavano in termini statistici e la questione arrivava ai decimali. Mr. Ramachandran, a parte che non aveva più capelli in testa, pur avendo meno di trent'anni, indossava un doppiopetto rigato veramente impeccabile, e una cravatta coi simboli del College. Mr. Waine, un paio di anni in meno, la cravatta non ce l'aveva, ma il suo completo di Bond Street ben si intonava alla sua acconciatura rasta, dreadlock biondi ben curati e per niente maleodoranti.

«Abbiamo avuto un calo del 3,46% nell'anno in corso, rispetto al precedente, è inutile girarci intorno, senza contare che anche l'anno precedente era già stato un anno negativo. E le circostanze esterne, del mercato, della domanda, non facevano intravedere una tendenza al recupero. Guarda qui il rapporto di sei mesi fa».

«Tu dimentichi il dato generale, e cioè che le morti violente, in assoluto, hanno visto una flessione di quasi il 20% nell'anno in corso».

«Non so quale significato dare a questo dato generale. Sarebbe come se la Ferrari valutasse i suoi dati di vendita in relazione a quelli della FIAT, sono settori di mercato completamente diversi».

«Dimentichi la concorrenza. Quest'anno è entrata sul mercato l'Agenzia russa, che ha introdotto criteri assolutamente innovativi, a cominciare da un abbassamento letale dei prezzi».

«È un po' come i voli low-cost, stanno rovinando il mercato, puntando soltanto sulla quantità, mentre la nostra azienda ha sempre e soltanto puntato sulla qualità».

«Ma da secoli esistono servizi paralleli al nostro che puntano solo sulla quantità, e sull'abbassamento dei prezzi, siamo in un mondo globale, te ne rendi conto o no?».

«Noi siamo la Maserati, la Jaguar del settore, gli altri passano e vanno, noi rimaniamo perché garantiamo una qualità infinitamente superiore».

«Vabbè, ecco la mia relazione, dacci un'occhiata».

«C'è anche il fatto del doppio incarico?».

«Sì, un pallido accenno, ma rientra negli imprevisti e probabilità. Un piccolo costo aggiuntivo».

Ramachandran lesse la parte relativa alla questione.

«Ok, mi pare ben definito. L'errore viene attribuito al software, come del resto è stato, siamo in causa con la Compagnia?».

«No, non credo ce ne sia bisogno, è in corso una trattativa, penso si arriverà a concludere per un risarcimento di tre milioni».

«Tre milioni per un errore di digitazione».

«Non è poi così tanto, l'Assicurazione ne aveva chiesti dieci».

«D'accordo, leggo la relazione e domattina te la libero».

«Tutto a posto».

Ramachandran, a puro titolo di curiosità, si informò su altri destini.

«Ma, a proposito, che fine ha fatto Tortorina?».

«Mah, dicono che è stato inghiottito dalle acque, ma io non ci credo, probabilmente ha sfruttato la situazione e se ne è andato via, chissà dove. So che ci stanno lavorando, ma la cosa a noi non ci riguarda. Tortorina non è più a registro incarichi».

«Ma che è stato deciso, continuiamo a cercarlo?».

«Non credo, sarebbe enormemente costoso e poi a che servirebbe? Almeno dal nostro punto di vista».

«Ma lui lo sapeva cosa è successo?».

«No, ovviamente no, altrimenti quello ci creava una grana. Avesse saputo che per errore la commissione dell'omicidio della stessa persona era stata inoltrata a due agenti avrebbe potuto sollevare un vespaio. In realtà è stato un errore umano, un semplice doppio click».

«Meglio che non se ne sappia niente, io se fossi in te toglierei dal rapporto qualsiasi riferimento a Tortorina, metterei solo una voce generica, costi aggiuntivi, senza parlarne».

«Forse hai ragione».

«E la Colomba?».

«Ha mandato i sette peli. Vuol dire che non ha interesse, per lei lui può restare dove si trova».

Arrivato a Bangkok Walter si sentiva come un personaggio di Conrad, di fronte al suo prossimo ignoto futuro. Eppure non aveva vent'anni, ma più di quaranta.

Il lungo viaggio aereo gli aveva dato la possibilità di rimuginare ancora un po', anche se lui era di quelli che pensavano che le riflessioni a posteriori non servono a molto. Un particolare, però, ancora non gli era chiaro, e cercava di definire lo stato delle cose.

Ripensava alla sua convinzione che Marta Coppo fosse la famosa Colomba, come aveva pensato fin da quella sera quando l'aveva vista nella C5 blu. Di lei si parlava nell'ambiente, con un filo di terrore. Eppure questa Coppo si era fatta sorprendere, ed aveva riassunto dimensioni umane. Anche se l'avesse incontrata di nuovo non gli sarebbero tremate le vene e i polsi.

La sua idea, fin dall'inizio, era che fosse stata Marta Coppo, o come si chiamava, ad aver fatto sparire il cadavere di Salvatore Fichichi. Ma era stata veramente lei? E se mi sbagliassi completamente? Ma se non è stata lei chi è stato?

Non voleva arrivarci, anche perché sapeva che non gli sarebbe servito a niente, e se sapere una cosa non ti serve a niente, che la sai a fare? Eppure ci arrivò, non nel senso che ne fosse convinto, ma come pura possibilità, pensò a un'altra soluzione, che coinvolgeva un'altra persona, anch'essa di sesso femminile. Possibile?

Quindi, non sapeva neanche perché, i suoi pensieri tornarono indietro di dieci anni.

Walter si ricordava benissimo della mattina del giorno delle sue nozze. Era maggio, un maggio particolarmente caldo, fin dalle cinque del mattino lui era nascosto die-

tro a una siepe, di fronte a un albergo, aspettava e rifletteva. Non aveva voluto partecipare a nessun rito di addio al celibato, gli sembravano delle cazzate, e soprattutto aveva problemi ben più grossi a cui pensare.

Per esempio a Stefania, quella che nel giro di qualche ora sarebbe diventata sua moglie. Cosa c'era che
andava bene e cosa c'era che... No, niente andava male, niente, Walter, nascosto dietro alla siepe, ci pensava e ci ripensava. Effettivamente aveva fatto tutto
Stefania. Lo era andato a cercare e lo aveva tirato fuori dal suo isolamento, quando si era trasferito a Treviso e non conosceva nessuno.

Eppure quella mattina, alle sei, quando le macchine
cominciavano a muoversi, qualcosa non lo convinceva.
È questo il mio destino? Sto facendo la cosa giusta?

A quanto pareva Stefania era proprio quello di cui
aveva bisogno, ma lo lasciava perplesso il fatto che avesse trovato proprio ciò di cui aveva bisogno. Una donna del popolo, senza titoli di studio, relativamente
semplice, autonoma, sessualmente tranquilla anche se
abbastanza esigente e non priva di fantasie piccolo-bor-
ghesi o popolari, questo Walter non lo sapeva. Ma si
sarebbero trovati bene a vivere insieme?

Stefania si era introdotta con una certa autorità nella sua vita, almeno in quella che lei pensava fosse la sua
vita, quella che doveva essere la sua vita. Un caso for-
tunato. Ma esistono i casi fortunati? A questo Walter
aveva lungamente pensato quella mattina prima di spo-
sarsi. In linea di massima pensava che la risposta a quella domanda fosse no.

Così come si stava configurando la sua esistenza non doveva credere ai casi fortunati, eppure a cosa avrebbe dovuto credere, ai casi sfortunati? A quale complotto avrebbe dovuto fare riferimento? Certamente gli ultimi mesi di formazione lo avevano messo alla prova, nulla era affidato al caso. Eppure in questa circostanza, quella del matrimonio con Stefania, pareva proprio che la programmazione a livello globale lo dovesse portare ad apprezzare un incontro casuale. Ma era veramente un incontro casuale? Certo Stefania poteva essere stata inviata da qualcuno, ma Walter pensava che se avessero deciso di determinare la sua storia familiare avrebbero scelto qualcun altro, non Stefania, ormai la conosceva troppo bene. Insomma, Walter si ricordava che quella mattina avrebbe potuto pensarla in tanti modi, ma non arrivò a una controindicazione. Alla fine la inquadrò in maniera statistica: quante probabilità ci sono che sia meglio che io non me la sposi? Meno delle altre, fu la sua conclusione. E se le cose finiranno per andare male, vedremo. Succede a tutti, è la normalità, ed è proprio la normalità che mi serve, una relazione che dura più del dovuto potrebbe destare dei sospetti, delle voci.

L'appartamento era già pronto, e a onor del vero già ci abitavano, insieme. Un quarto piano di un onesto condominio. Sarebbe andato bene a lui? E a lei? Per certi versi a lei sembrava di aver coronato un sogno, come fanno sempre le parrucchiere, magari nel giro di un paio d'anni lei avrebbe cambiato orizzonte.

E questo a lui da un certo punto di vista non andava bene, se ci si impegna su un certo progetto non è che puoi dire, vabbè, vediamo, fra un anno o due, tutto può cambiare.

In effetti nulla era cambiato dopo dieci anni, o tutto era cambiato, quella mattina seminascosto dietro la siepe in parte se lo sarebbe immaginato, per l'altra parte no.

Che avrei potuto fare quella mattina, pensava adesso Walter sull'aereo, decidere di non sposarmi? Eppure avevo ben altro a cui pensare, all'orario prestabilito entrai in quel motel da quattro soldi e feci quello che dovevo fare, e che giustificava l'impegno matrimoniale.

A Walter era sempre piaciuto indulgere in questi pensieri da bambini: e se... e se quel giorno io...

Ripensò un attimo al rito delle nozze: in una chiesetta, molto semplice, pochissima gente, la maggior parte della quale parrucchiere, estetiste, ragazze di bottega. Stefania portava un tailleur bianco, un po' anni Sessanta. Era bella, gioiosa. E io le ho preso i migliori anni, tanto che si è stufata di me.

Un po' Walter era dispiaciuto per Stefania, d'altra parte era al corrente del fatto che lei non lo sopportava più, in fondo aveva tutto il tempo per rifarsi una vita.

Nella laguna veneta è tipico il costituirsi e lo svanire di velme e barene. Le prime sono formazioni sabbiose, popolate da vermi, alcune più solide altre più lievi, altre più elevate che si chiamano motte. Appena le acque scendono sotto un certo livello queste formazioni sabbiose pullulano di prede interessanti per gli uccelli limicoli, da Lymes, che col loro becco allungato riescono a raggiungere quella profondità di qualche centimetro, che consente loro di agguantare vermi, piccoli crostacei e altro.

Le barene invece sono formazioni popolate da ciuffi d'erba, piccoli canneti, piante alofile, semisommerse dalle acque.

Un fenomeno simile stava avvenendo nelle zone allagate dopo il diluvio, di per sé ad alta densità antropica. Erano finite travolte dal fango, sommerse, e questo fango, a contatto con la laguna, si era diluito, confuso con le sabbie che il mare a sua volta riversava nella laguna. I territori erano così invasi di un fluido melmoso, dove tutto si confondeva e miscelava, che una volta che le acque si ritiravano andava a occupare i letti dei canali, le strade, le vie dei centri abitati.

Inizialmente tutto sembrava immerso in questo pantano denso, sabbioso, la tipica situazione da sabbie mobili, che poi, come tutti sanno, non esistono, sono solo un'invenzione dei film western.

La calamità naturale aveva riportato al passato queste zone di confine, per secoli se non millenni abbandonate dalla civilizzazione ma per fortuna anche dalla barbarie, che aveva timore ad avventurarsi in aree così a rischio. A quanto pare il fulgore di Venezia dipende da questo timore.

E adesso i lidi che custodivano la laguna veneta erano stati come riportati, provvisoriamente, al loro aspetto primitivo.

Nei giorni successivi alla calamità naturale, la zona fu invasa da un'enorme quantità di ruspe, idrovore, pompe, e da operatori provenienti da tutt'Italia, soprattutto, ovviamente, camionisti, che caricavano il materiale e lo portavano via, in luoghi ignoti. Fra l'altro le sabbie di laguna hanno un valore considerevole nell'edilizia, e quindi i camionisti collaboravano a un circuito economico virtuoso.

Così i territori fortemente antropizzati, soprattutto d'estate, a ridosso della laguna cominciavano ad assomigliare alle velme e alle barene, quando la vita risorge dopo l'allagamento.

Liberate le strade principali si ebbero subito i segnali della irriducibile piccola imprenditorialità dell'area: con tutto quel giro di ruspisti, camionisti, tecnici idraulici, operai degli impianti elettrici, le osterie riattivarono immediatamente i loro traffici, così come gli affitti di stanze a ore, le trattorie, i vari servizi di accoglienza.

E così come dopo un'alta marea i granchi e altri piccoli crostacei riemergono dalle profondità e si mettono a prendere il sole sopra le sabbie, allo stesso modo, senza un piano generale, spontaneamente, riemersero le centinaia di prostitute che di solito lavoravano nel territorio. Certo adesso la clientela era un po' diversa, i clienti erano di passaggio, ma stanchi e arricchiti dall'inaspettata intensità di lavoro, erano anche disposti ad accontentarsi di situazioni un po' al limite, come alloggio e trattamento, ma al tempo stesso gradevoli come accoglienza e disponibilità.

In poche parole il territorio risorgeva, con i suoi mezzi.

Nota dell'autore

Questo libro l'ho scritto fra il 2015 e il 2016, infatti è ambientato nel 2015. Vorrei precisare che tutte le parti sugli inarrestabili manager russi che visitano Jesolo e la Marca Trevigiana risalgono a quell'epoca, quindi assai prima delle attuali circostanze belliche e delle discussioni anche nostrane sul popolo e la politica russa. Mi sembrava di cattivo gusto cambiare oggi, all'ultimo minuto, sterzando su oligarchi kazachi o georgiani, o venezuelani o chissà.

Va da sé che tutto ciò che è narrato in questo libro non ha alcun riferimento con la realtà, neanche il non detto o il sottinteso.

Una precisazione: questo libro è stato scritto come un feuilleton, alla vecchia maniera, o una parodia di esso. Mi chiedo se un tempo gli autori via via che venivano completati i capitoli fossero in parte o del tutto all'oscuro di quello che sarebbe accaduto nelle puntate successive. Adesso si presenta tutto insieme, secondo il modello Netflix, ma come funzionava ai tempi dei *Tre moschettieri* o dei *Misteri di Parigi*? Ho la vaga sensazione che parecchi autori non sapessero come andava a finire, avevano urgenza di incassare il compenso della puntata in pubblicazione. E questo mi sembra l'aspetto più interessante e attuale del feuilleton, quel tono di inconsapevolezza della trama generale, in attesa che prenda forma da sola. Il modo migliore per evitare i cliché. O viceversa.

Indice

I killer non vanno in pensione

Questo volume è stato stampato
su carta Arena Ivory Smooth
delle Cartiere Fedrigoni
nel mese di giugno 2022
presso la Leva srl - Milano
e confezionato
presso IGF s.p.a. - Aldeno (TN)

La memoria